REGENLIED

Van Donna Milner verscheen eerder:
Vanuit de verte

DONNA MILNER

Regenlied

 DE KERN

Oorspronkelijke titel: *The Promise of Rain*
First published in Great Britain in 2010 by Quercus, London
Copyright © 2010 by Donna Milner
The right of Donna Milner to be identified as the author of this work has been
asserted in accordance with the Copyright, Designs and Patents Act 1988
Copyright © 2010 voor deze uitgave:
Uitgeverij De Kern, een imprint van De Fontein|Tirion bv, Postbus 1,
3740 AA Baarn
Vertaling: Jan Smit
Omslagontwerp: Wil Immink Design
Omslagfoto's: Vrouw © Philip J. Brittan/Getty Images; Wolken © Beverly Joubert/
Getty Images; Landschap © Romain Bayle/Alamy/ImageSelect
Auteursfoto omslag: Tom Hawkins Photography
Opmaak binnenwerk: Asterisk*, Amsterdam
ISBN 978 90 325 1177 7
NUR 302

www.defonteintirion.nl

Zie pagina 303 voor een verantwoording van de auteur met betrekking tot personen
en gebeurtenissen.

Ter nagedachtenis van Hazel Huckvale, die het zaadje plantte

1

Mijn moeder stierf op dezelfde dag als Marilyn Monroe, 4 augustus 1962, en net als bij de filmster werd haar lichaam pas de volgende dag gevonden. Toen mijn moeder nog leefde, kon je niet om haar heen, en ook haar dood werd omgeven door dramatiek. Mijn vader was nu wel verplicht om naar ons terug te keren. Hoewel hij alle elf jaren van mijn leven trouw elke avond was thuisgekomen in ons naoorlogse huis van twee verdiepingen in een stadswijk in het zuiden van Vancouver, was hij in gedachten meestal elders. Aan zijn afwezigheid was ik wel gewend; aan de hare niet.

In de loop van de tijd heb ik ook het gevoel gekregen dat het juist haar afwezigheid was waardoor ik zo abrupt wakker schrok, in de donkere uren van die ochtend. In werkelijkheid zal het wel een windvlaag zijn geweest die mijn raam deed rammelen, of de regen die tegen de ruit kletterde. Ik weet het niet zeker. Maar toen ik mijn ogen opensperde, voelde ik de noodzaak om uit bed te stappen en door het smalle gangetje te sluipen, tussen de twee slaapkamers in. Boven aan de trap bleef ik staan, met bonzend hart, luisterend naar de stilte in huis voordat ik langzaam afdaalde. Bij de bocht in de trap hield ik halt en spitste ik mijn oren.

Beneden gekomen liep ik naar de open deur aan het einde van de gang en wierp ik een blik in de slaapkamer van mijn ouders. Terwijl ik door de kamer tuurde en mijn ogen aan het schemerlicht liet wennen, ving ik een vleugje van mijn moeders vertrouwde 'Evening in Paris' op. Mijn adem stokte toen ik een gedaante in de hoek ontdekte, maar het was een jurk die aan de kastdeur hing. De kamer en het omgewoelde bed waren leeg.

Ik stapte over de kleren heen die op de vloer verspreid lagen, en streek met mijn hand over de zachte stof van mama's jurk. Die appelgroene jurk leek op haar, ook als ze er zelf niet in zat. Het was haar lievelingsjurk, voor de zondag, als ze een 'verpletterende' indruk wilde maken, zoals ze zelf zei, en de enige die ze aan een beklede hanger bewaarde.

De dag waarop de Eaton-truck de jurk bezorgde, riep ze me naar haar kamer zodra ze hem had aangetrokken. Ze boog zich naar de spiegel, stiftte haar lippen en deed wat poeder op de kleine bobbel op haar neus, voordat ze zich oprichtte om het effect te bekijken. Tevreden schoof ze de boeken, rondslingerende nylons en halfvolle asbakken op de toilettafel opzij en deed ze een stap achteruit om te poseren voor de spiegel. 'Nou? Wat vind je, Ethie?'

Ik vond haar altijd prachtig, wat ze ook droeg, maar iets in die jurk maakte haar hazelaargroene ogen stralender, haar dikke, kastanjebruine krullen nog glanzender en haar sproetjes – die de rouge niet helemaal kon maskeren – exotischer. 'Je ziet er mooi uit,' zei ik. 'Net een filmster.'

Haar gezicht in de spiegel glimlachte. Ze bukte zich en nam me in haar armen, zonder zich om haar nieuwe groene jurk te bekommeren. Het luchtje van haar parfum hing om me heen. 'O, Ethie,' zuchtte ze, 'het is zo heerlijk als iemand zegt dat je mooi bent. Vooral mijn eigen liefste meisje.' Ze liet me los en draaide zich met haar rug naar de spiegel om de achterkant van de jurk te bekijken, die strak om haar ronde billen sloot.

Ik geloof dat ik toen al wist dat de aanschaf van die jurk een straf was voor een of ander vergrijp van mijn vader. Als ze kwaad op hem was, bladerde mijn moeder de catalogus door en bestelde ze iets wat ze zich niet konden veroorloven. Papa regelde de financiën bij ons thuis. Alles wat we nodig hadden, ook de wekelijkse boodschappen, ging op rekening, en hij betaalde de nota's aan het einde van de maand. Voordat ze ging werken, had mijn moeder geen ander geld te besteden dan de maandelijkse toelage van tien dollar voor ieder van haar kinderen. Blijkbaar dacht mijn vader dat die dertig dollar genoeg was voor alle extra kosten.

'Het is écht een heel bijzondere jurk, vind je niet?' vroeg mam, en ik zag aan haar gezicht hoe blij ze ermee was. Ik grijnsde en knikte, hoewel ze niet echt een antwoord verwachtte. 'Het is een klassiek model,' zei ze. Toen knielde ze en omhelsde ze me opnieuw. 'En ik zal hem mooi houden,' beloofde ze, 'zodat jij hem ook nog kunt dragen als je groot bent.' Steeds als ze die jurk aantrok, stelde ik me voor dat ik hem ooit zou aantrekken. Het is er uiteindelijk niet van gekomen.

Ik was me bewust van een beweging in het halfdonker en draaide me haastig om, maar het enige wat ik zag was een wirwar van rode krullen en het geschrokken gezicht van een meisje van elf in een hemdje en broekje, dat me vanuit de spiegel aanstaarde. Het bloed bonsde in mijn oren toen ik me omdraaide en op mijn tenen de kamer uit sloop. Ik keek in de woonkamer en de badkamer aan het andere eind van de gang. Niemand te zien. Toen draaide ik me om naar de keuken, en daar zag ik hem: mijn vader, die in zijn eentje in het donker zat, starend uit het keukenraam. Als aan de grond genageld bleef ik in de deuropening staan. Op de een of andere manier besefte ik dat dit niet het moment was om mijn dansje te doen, zoals ik vaak deed om zijn aandacht af te leiden van de plek waarnaar hij verdween als hij weer in trance leek. Ik trok me terug in het donker en zag het gloeiende puntje van zijn sigaret langzaam van het schoteltje op tafel naar zijn lippen gaan.

Het schijnsel van een paar koplampen viel over het raam en verlichtte zijn silhouet. Nog altijd starend naar de straat nam hij de peuk uit zijn mondhoek en drukte hem uit op het uitpuilende schoteltje. Ik dook de gang weer in en verdween naar de huiskamer, waar ik me tegen de muur naast de ramen aan de voorkant drukte en een hoekje van de vitrage optilde.

Buiten stopte een zwart-witte auto langs de stoep. De ruitenwissers werden stilgezet. De glinsterende regendruppels op de voorruit onttrokken de inzittenden aan het zicht. Op het moment dat de autoportieren opengingen, zag ik de slaapkamergordijnen in het huis aan de overkant van de straat opengaan. Ze werden meteen weer dichtgetrokken, tot op een kier.

Het was mevrouw Manson, de waakhond van de buurt, zoals mijn moeder haar noemde, of, wat minder vriendelijk, een bemoeial. En net als ik loerde ze op dat moment van achter haar gordijn naar de twee politiemensen die voor ons huis uit hun auto stapten.

De poten van mijn vaders stoel schraapten over de keukenvloer. Ik rende de huiskamer uit en vluchtte de trap op. Buiten adem bleef ik op de tree boven de bocht zitten en boog me naar voren om te luisteren.

De klop op de voordeur die voorgoed ons leven zou veranderen was heel bescheiden.

'Howard Coulter?' De stem die mijn vaders naam zei nadat de deur knarsend was opengegaan, klonk nog jong. Jonger zelfs dan die van Frankie, mijn oudste broer, die twintig was. En net als de klop op de deur leek de stem te vriendelijk, te bezorgd, om aan een politieman toe te behoren.

Mijn vader zei niets. Na een korte stilte vroeg een oudere, diepere stem: 'Mogen we binnenkomen, meneer Coulter?'

Opeens klemde een hand zich om mijn schouder. Geschrokken draaide ik me om en zag Kipper over me heen gebogen staan. Hij opende zijn slappe mond om iets te vragen, maar ik legde mijn vinger tegen mijn lippen. Hij glimlachte terug en deed mijn gebaar na om hem het zwijgen op te leggen. Ik klopte op de tree naast me en hij ging zitten. Hoewel hij drie jaar ouder was dan ik, was hij ook kleiner, met een zwaar, peervormig lijf. Hij legde zijn mollige arm om mijn schouders, zonder iets van dit spelletje te begrijpen, maar blij dat hij deel uitmaakte van de samenzwering. We moeten een vreemd stel hebben geleken zoals we daar zaten in de ochtendschemer, ik in mijn ondergoed, met een lange kurkentrekkerkrul om mijn vinger gewikkeld, en mijn grijnzende broer van veertien in een blauwe teddybeerpyjama en een bruine platte hoed op zijn hoofd.

Die vilthoed met zijn smalle rand was bijna een verlengstuk van Kipper zelf. Hij zette hem alleen af als hij ging slapen. 's Nachts hing de hoed aan een beddenstijl, zodat hij hem meteen kon opzetten als hij wakker werd. Kipper had hem overgenomen van mijn vader, die hem ooit op zijn verjaardag van mama had gekregen. Maar mijn vader droeg hem nooit. Kipper en zijn hoed waren onafscheidelijk.

Die veel te jonge stem, beneden in het halletje, herhaalde weer papa's naam. Juist de bezorgde toon maakte me bang. Ik boog me naar voren en probeerde om de bocht van de trap te kijken. Een andere hand greep mijn schouder, en Frankie wrong zich op blote voeten en zonder hemd tussen mij en Kipper door. Zijn zandkleurige haar, meestal achterovergekamd in een perfect kippenkontje, stak als vleugels alle kanten op. Ik ving nog een vleugje Brylcreem op, van zijn afspraakje van de vorige avond. 'Ga weer naar bed, jullie,' fluisterde hij, zonder te blijven staan. Haastig ritste hij zijn spijkerbroek dicht en rende hij de trap af.

Kipper stond op en wilde naar zijn kamer gaan. Hij deed altijd wat Frankie zei. Ik meestal ook, maar deze keer niet. Ik kwam overeind en volgde Frankie naar beneden. Mijn vader leek verschrompeld en nietig in het halfdonker van de onverlichte gang. Roerloos stond hij daar, met zijn hand bewegingloos op de klink van de open deur. In de ochtendschemer achter hem kletterde de regen neer op de twee politiemensen op het stoepje.

2

Ik wist dat hij anders was. Ik moet een jaar of zes zijn geweest toen ik al besefte dat mijn vader anders was dan andere vaders. Andere vaders zaten niet naar de muur boven de tv te staren, in plaats van naar het toestel zelf. Andere vaders trokken zich niet regelmatig in hun eigen, zwijgende wereld terug of maakten lange, doelloze wandelingen door de regen van Vancouver. Soms was mijn vader uren weg, zelfs hele dagen, en kwam hij terug met waterige ogen en tot op de draad doorweekt, maar op de een of andere manier ook vrolijker, alsof zijn sombere stemming van hem af was gespoeld, net als het vuil uit de atmosfeer van de stad. Ik wist dat andere vaders krijgertje speelden met hun zoons. Ik keek jaloers toe als ze hun dochters op hun schouders tilden om paardje te rijden in de tuin. En ik wist dat ze hun kinderen ook werkelijk zagen. Van mijn vader was ik daar niet altijd zeker van.

Het jaar waarin ik naar school ging, mocht ik van mama naar het eind van Barclay Street rennen op de tijd dat hij thuiskwam van zijn werk bij de houtzagerij. Elke avond wachtte ik in spanning als mijn knappe vader, met het zaagsel nog in zijn dunner wordende bruine haar, uit de bus stapte. En elke avond herkende ik dat korte moment van verwarring in zijn lichtblauwe ogen als hij me daar zag staan. Maar even snel was zijn consternatie weer verdwenen en riep hij: 'Hé, hallo, Ethie.' Dan drukte hij me zijn helm in de hand en gaf me zijn bolle lunchtrommel, die naar metaal en boterhammen met sardientjes rook. Onderweg naar huis zwaaide ik ermee in mijn hand, terwijl ik met mijn andere hand de zijne pakte en mezelf wijsmaakte dat hij blij was me te zien.

Al heel jong begreep ik waarom mijn vader zich zo terugtrok uit de wereld, althans ik dácht het te begrijpen.

'De oorlog.' Die zweefde als een geest door ons huis. De oorlog verschool zich achter mijn vaders lege ogen en onder in de whiskyflessen boven op de koelkast. Soms hoorde ik de oorlog schreeuwen in papa's dromen, in het holst van de nacht, en schrokken we allemaal wakker van het angstwekkende geluid. Met het oog daarop had mama een bezem naast haar bed staan. Op een keer, niet lang nadat papa uit de oorlog was teruggekeerd, maakte ze de fout een hand naar hem uit te steken terwijl hij worstelde met de schrikbeelden in zijn droom. Zijn slaande vuist trof haar recht tussen de ogen en brak haar neus – en papa's hart, vertelde ze. De afgelopen zeventien jaar, als hij weer zo'n nachtmerrie had, sprong ze daarom uit bed, pakte de bezem en porde hem met de steel tussen zijn ribben. Pas als ze zeker wist dat hij wakker was, durfde ze weer in bed te stappen. Boven in mijn kamertje hoorde ik hoe ze hem zachtjes en met gebroken stem probeerde te sussen, totdat ik weer in slaap viel. De volgende dag had hij lege, vermoeide ogen, die wachtten op de volgende regenbui om zich te verfrissen.

'Het is de oorlog,' fluisterde mijn moeder in gedempte gesprekken tegen het bezoek, als verklaring waarom hij soms zo onverwachts verdween. Toen ik nog een klein kind was, hoorde ik haar en Frankie die woorden in zijn afwezigheid zo vaak herhalen, dat ik dacht dat 'de oorlog' een persoon was. Maar algauw begreep ik dat het niets anders waren dan herinneringen. Herinneringen die mijn vader met niemand deelde.

Hoewel ons huis in Fraserview, net als die andere veteranenwoningen in het zuiden van Vancouver, werd aangeduid als een 'oorlogshuis', werd er bij ons maar zelden over de oorlog gesproken. In elk geval nooit in het bijzijn van mijn vader. De oorlog lag op de loer als een duister spook, in de donkere hoeken van ons leven, klaar om zonder waarschuwing toe te slaan en mijn vader in zijn zwijgende greep te nemen, totdat alleen een lange wandeling door de huilende stad hem nog kon bevrijden. Tegen de tijd dat ik naar de lagere school ging, bad ik om regen als ik het licht weer zag doven in de blauwe ogen van mijn vader.

Het duurde nooit lang voordat mijn gebeden werden verhoord.

'Je zou niet klagen over het weer in Vancouver als je ooit in Tahsis had gewoond,' zei mijn moeder dikwijls. 'Dat was alsof je in een autowasserette leefde.'

Voor mijn geboorte, toen mijn vader uit de oorlog terugkwam, woonde mijn familie aan de noordwestkust van Vancouver Island. Mama dacht dat mijn vader opzettelijk een baantje had gezocht op een plek met de meeste regen, en dat was Tahsis. Ik had foto's gezien en mams verhalen gehoord over het afgelegen houthakkersstadje, maar ik kon me niet voorstellen dat je ergens ging wonen waar je alleen met een boot of een watervliegtuig kon komen.

Ooit had ik tante Mildred, mams zuster, horen opperen dat de noodvlucht van Tahsis naar Victoria tijdens een zwaar onweer, op de dag dat mijn broertje werd geboren, de reden was waarom Kipper 'was zoals hij was'. Toen ze dat zei, keek ik geschrokken op van de bank in onze huiskamer, waar Kipper naast me zat. Ik las hem voor uit het boek op mijn schoot, terwijl hij speelde met de rand van zijn hoed. Zodra ik zweeg, trok hij de hoed over zijn ogen en zuchtte hij diep.

Tante Mildred zat aan de keukentafel, met haar regenjas nog aan en haar rug naar me toe. Blijkbaar vond ze het te koud bij ons thuis of wilde ze geen katten- of hondenharen op haar dure kleren. In elk geval hield ze altijd haar jas aan, alsof ze elk moment weer kon opstappen. Meestal kwam ze langs als papa naar zijn werk was.

Mijn moeder, aan de andere kant van de keukentafel, trok haar wenkbrauwen op en keek haar zuster over de rand van haar theekopje aan. 'Ik heb je al eerder gezegd dat het downsyndroom niets met een moeilijke bevalling te maken heeft,' zei ze met een zucht. Ze zette haar kopje neer en steunde haar ellebogen op de tafel voordat ze verderging: 'Kippers toekomst werd bepaald op het moment van de bevruchting. De hemel is niet op het laatste moment van gedachten veranderd.'

'Nee, helaas,' mompelde mijn tante.

'Mildred!' Mams stem had een harde, waarschuwende klank.

Mijn tante zweeg een moment, maar kon zich toch niet inhouden. Dat kon ze nooit. Ze zette haar kopje met een klap op het schoteltje, snoof eens en zei: 'Ik wil alleen maar zeggen, Lucy, dat die jongen in een inrichting thuishoort. Hoe langer je daarmee wacht, des te moeilijker het wordt. Het is beter voor iedereen. Bovendien zou hij veel gelukkiger zijn bij zijn eigen soort.'

'Wij *zijn* zijn eigen soort,' zei mam strak. Toen keek ze langs mijn tante heen en ving ze mijn blik op. Ze glimlachte. 'En hij is heel gelukkig bij ons, dank je vriendelijk.'

Dat was waar. Meestal.

Kipper heet eigenlijk Christopher Adam. 'Naar de heilige Christoffel,' zei mama. Hoewel ze niet katholiek was, vond ze het toch passend haar zoon naar de beschermheilige van de reizigers te noemen. 'Iemand moet over me hebben gewaakt tijdens die stormachtige vlucht naar Victoria Harbour.'

Ze vertelde me dat ik verantwoordelijk was voor zijn bijnaam. 'Zodra jij kon lopen, waggelde je achter hem aan, waar hij ook ging, en riep je zijn naam. Dat klonk als *Kipper*.' En die naam bleef hangen. Iedereen noemde hem zo, behalve tante Mildred.

Als dank had hij ook mijn naam veranderd. Hij kreeg zijn tong niet rond de 'l' in Ethel en daarom werd het Ethie. Een eerlijke ruil, en een gunst waarvoor ik hem eeuwig dankbaar zal zijn.

Wie anders dan Lucy Coulter had een meisjesbaby Ethel kunnen noemen? Toen ik oud genoeg was om mijn beklag te doen, legde ze uit dat ze me Lily had willen noemen, maar dat vond papa niet goed. 'Het was de enige keer, zover ik me kan herinneren, dat je vader zijn hakken in het zand zette en niet wilde toegeven.'

Vlak voordat ik geboren werd, kregen mijn vader en moeder de oude zwart-wittelevisie van tante Mildred. Het was mams eerste tv, en het eerste programma dat ze erop zag, was toevallig ook de eerste aflevering van *I Love Lucy*. Niemand anders dan mijn moeder zou al die toevalligheden als een teken hebben opgevat. Als ze ooit een dochter kreeg – die ze niet Lily mocht noemen – zou ze haar noemen naar Ethel, de vriendin van Lucy Riccardo in de serie. Steeds als er een aflevering werd uitgezonden, riep mijn moeder: 'Dat zijn wij, Lucy en

Ethel.' Alsof ik vergeten was waar mijn naam vandaan kwam. En elke keer begroef ik kreunend mijn gezicht in de kussens van de bank. Als Kipper erbij was, trok hij zijn hoed over zijn ogen en kreunde hij met me mee.

Mijn broertje nam alle emoties over van de mensen van wie hij hield, vooral de mijne. Als ik lachte, lachte hij ook, heel hard, juichend van plezier. Als ik huilde, begon hij luid te jammeren, met dikke tranen en roodbehuilde ogen. Zijn weerspiegeling van mijn stemming was zo rechtstreeks en overdonderend dat ik vaak pas wist hoe ik mezelf voelde als ik zijn reactie had gezien. Na een tijdje leerde ik mijn uitbarstingen te beheersen, omdat ik wist dat ze bij Kipper een astma-aanval konden opwekken.

Tegenover papa was hij heel anders, rustig en kalm, ongeacht de stemming van mijn vader. Mama geloofde dat Kipper van ons allemaal mijn vader het best begreep. Als hij zich weer eens in zichzelf terugtrok, op het punt om te verdwijnen, wrong mijn broertje zijn kleine, brede lijf tegen papa's magere gestalte in de zware leunstoel in de huiskamer. Met zijn arm om mijn vader heen klopte Kipper hem dan ritmisch op zijn knokige schouder, terwijl ze samen voor de televisie zaten, alsof ze een en dezelfde persoon waren.

Al een week regende het pijpenstelen. De eerste dagen van augustus had mijn moeder stukjes uit de *Daily Province* geknipt over het recordaantal verkeersongelukken, dat gelijke tred hield met de ongekende slagregens. Overal in onze straat staarden kindergezichtjes verdrietig door kletsnatte ramen, terwijl de goten volliepen en de putten overstroomden. Ertoe veroordeeld om binnen te spelen voelden ze zich beroofd van hun laatste vakantiedagen. En hun moeders voelden met hen mee. Ze dronken koffie in onze keuken en vertelden over hun mannen, die de weersverandering altijd al voelden aankomen voordat het zo ver was. Ze herkenden het aan de bonzende pijn rond het metaal dat zich diep in hun spieren had begraven. Ze merkten het aan de grillige littekens van hun oude oorlogswonden. En ze voelden het in hun botten, die zich nog de winderige bruggenhoofden en ijzige slagvelden van Europa herinnerden. Mama zei nooit veel bij dat soort gesprekken. Anders dan veel mannen in onze straat was mijn vader ogenschijnlijk ongedeerd uit de Tweede Wereldoorlog teruggekomen. Bij ons in de kelder lag tussen de mottenballen geen uniform met een medaille voor opgelopen verwondingen in de strijd. Ook had hij geen Duitse granaatscherven in zijn lichaam die slecht weer voorspelden. In tegenstelling tot zijn buren was hij juist blij met de regen.

Op het hoogtepunt van het noodweer, een donderdagmiddag, pakte papa zijn leren bomberjack uit de gangkast. Het jack was hem minstens twee maten te groot, en het verschoten bruine leer was gebarsten door de regen van al die jaren. Toch droeg hij dat oude vliegeniersjack nog altijd als hij ging wandelen. Hij gooide het over zijn schouders, zette de schapenwollen kraag op en stapte de voordeur uit. Terwijl wij allemaal een zucht van opluchting slaakten, greep Kipper zijn gele regenjas en rende hij achter hem aan. Frankie sprong op om hem terug te halen, maar mama hield hem tegen. Toen het later die dag eindelijk ophield met regenen, kwamen papa en Kipper terug, koud en nat, maar allebei rammelend van de honger.

Aan tafel zette Kipper zijn doorweekte hoed af. Zijn vlassige haar, meer oranje dan rood, stak in plukken alle kanten op. Mijn vader glimlachte wat droevig tegen zijn zoon en noemde hem 'mijn mensenschifter'.

'Ja, mensenschifter,' praatte Kipper hem na.

Ik geloof dat we papa allemaal vragend aanstaarden.

'Mensenschifter?' drong mijn moeder aan.

'Ja,' antwoordde mijn vader met zijn rustige, zachte stem. 'Hij schift mensen in twee groepen: degenen die zich op hun gemak voelen bij hem, en de rest.' Hij haalde even zijn schouders op. 'Dat lijkt me eigenlijk alles wat je over iemand hoeft te weten.'

Ik keek eens naar Kipper. Er viel een doperwtje van zijn lepel, tussen de klodders eten rond zijn bord. Onbekommerd schoof hij de volgeladen lepel in zijn mond. Met een druppel jus aan zijn dikke onderlip begon hij te kauwen, met open mond. Toen slikte hij en grijnsde hij naar mijn vader.

Frankie keek op zijn horloge, veegde zijn mond af en sprong op. 'Ik moet weg,' zei hij, terwijl hij met zijn hand door Kippers vochtige haar woelde. 'Misschien kun je ook mijn vriendinnetjes schiften,' plaagde hij, voordat hij wegrende voor zijn zoveelste afspraakje.

'Oké, Frankie!' riep Kipper hem na. Mijn moeder rolde met haar ogen.

Terwijl we verder aten, dacht ik na over de woorden van mijn vader. Het viel niet te ontkennen dat mensen op Kipper reageerden als ze hem voor het eerst ontmoetten. Dat had ik al zo vaak meegemaakt met kinderen in onze buurt. Er waren erbij – mijn vrienden – die hem accepteerden, maar anderen pestten of negeerden hem. In elk geval was er altijd een reactie. Wat mij verbaasde, was dat mijn vader zich voldoende van zijn omgeving bewust was om dat op te merken.

3

Jaren later, toen Frankie en ik voor het eerst over die augustusnacht van 1962 spraken, bleek dat we verschillende herinneringen hadden. Hij wist niet meer dat Kipper en ik op de trap hadden gezeten en dat hij ons terug naar bed had gestuurd. Hij herinnerde zich alleen dat hij de woonkamer was binnengekomen en papa bij de open voordeur had zien staan terwijl de regen het halletje binnen waaide. Hij had het licht aangedaan. 'Pa?'

Mijn vader draaide zich langzaam om en knipperde met zijn ogen, alsof hij net wakker was.

'Wat is er aan de hand?' vroeg Frankie. Hij trok de twee politiemensen naar binnen en deed de deur dicht.

'Het is je moeder.' Papa's stem klonk zacht en merkwaardig toonloos. 'Er is een ongeluk gebeurd.'

'Mankeert ze niets?' vroeg Frankie, niet aan zijn vader, maar aan de twee agenten.

De kleinste van de twee, een jongeman met een glad gezicht dat bij zijn te jeugdige stem paste, keek even naar zijn partner, die knikte als teken dat hij antwoord kon geven. 'Helaas,' zei hij zacht. Hij zette zijn druipende pet af, staarde er even naar en keek weer op. 'Het spijt me. Uw moeder is...'

'Ze is er niet meer, Frankie,' fluisterde papa.

'Waar is ze niet meer?'

Kipper, die achter mij aan de trap af was gekomen, greep mijn hand. Hij maakte een piepend geluid toen hij lucht in zijn astmatische longen zoog. Papa's ogen dwaalden even naar waar wij stonden, achter Frankie, maar hij scheen ons niet te zien. Hij streek met zijn hand door zijn warrige haar en sprak de onvoorstelbare woorden: 'Jullie moeder is dood.'

Er viel een verlammende stilte terwijl die botte woorden tot ons doordrongen. Toen steeg er een gejammer op, eerst uit Kippers keel, toen uit de mijne, als van een zwaargewond dier dat helse pijnen leed. Ik zag Kipper met elke weergalmende kreet naar adem happen. Zijn ogen, wijd opengesperd van angst en schrik, zochten de mijne, terwijl hij met zijn vuisten tegen zijn hoed sloeg, meegesleept door mijn hysterie. Maar ik kon niet meer stoppen.

Het was Frankie, niet mijn vader, die naar ons toe kwam en knielde om zijn handen op mijn schouders te leggen. 'Ethie, hou op,' zei hij zacht maar ferm. 'Daar schieten we niets mee op.'

Ik probeerde uit alle macht mijn tranen terug te dringen, terwijl hij mijn trillende lichaam in zijn armen hield. Moeizaam onderdrukte ik mijn snikken, trok mijn hemd omhoog en veegde mijn gezicht af.

Frankie draaide zich om naar Kipper. Hij nam Kippers handen van zijn hoofd weg en drukte ze tegen zijn lichaam. 'Kijk me aan,' zei hij, terwijl hij het gezicht van zijn broer tussen zijn handen nam. 'Je moet nu een grote jongen zijn.'

Kipper knikte, met een zwoegende borstkas, en klemde zijn handen over zijn mond. Tranen en slijm dropen tussen zijn vingers door.

'Diep ademhalen.' Frankie deed het voor, rustig en langzaam, en wachtte tot Kipper het overnam.

Toen stond hij op, legde een arm over onze schouders en trok ons tegen zich aan. 'Wat is er gebeurd?' vroeg hij aan de agenten.

Vanaf dat punt lopen Frankies herinneringen en de mijne totaal uiteen. Ik weet niets meer van de verklaring die de politiemensen gaven, zoals Frankie beweert, terwijl papa hen glazig aanstaarde. Misschien was ik ook wel in shock en kon ik nergens anders aan denken dan aan het wrak van de groene Hudson van mijn moeder, ergens in een regenachtige straat. Of misschien was het verhaal van de politie gewoon te bizar. Ik herinner me enkel Frankies volgende woorden, als vanuit een galmende tunnel. 'Nee, wacht,' zei hij. 'Dat kan niet kloppen. Dat moet een vergissing zijn.' De hoop in zijn stem bracht me weer bij mijn positieven.

De oudere agent keek naar iets in zijn gehandschoende hand. 'Het

spijt me,' zei hij, terwijl hij het kaartje ronddraaide en omhooghield.

Frankie liet zijn schouders al hangen voordat ik besefte wat me in
het gezicht staarde: de naam van mijn moeder op het rijbewijs.

4

Howard zat achter in de politiewagen en probeerde zich te concentreren op wat de agent met de babyface op de rechtervoorstoel hem vertelde. Omstreeks middernacht, zei hij, had de eigenaar van een woonboot in Coal Harbour lichtjes gezien op een zeiljacht dat vlakbij lag afgemeerd. De man had de havenmeester gebeld omdat hij vermoedde dat er op de boot werd ingebroken.

Howard begreep er nog steeds niets van. Wat had een zeiljacht met Lucy te maken? Zelf was hij nog nooit op zo'n jacht geweest, en Lucy ook niet, dat wist hij zeker. Terwijl de agent, die duidelijk verlegen was met de situatie, beschreef hoe de politie aan boord was gegaan en de lichamen had gevonden, begon Howard te geloven dat het allemaal een groot misverstand moest zijn. Maar zodra hij de groene Hudson op het parkeerterrein van de jachthaven zag staan, maakte zijn valse hoop plaats voor een wurgende angst.

Moeizaam zette hij zijn ene voet voor de andere toen hij de agenten volgde, de loopbrug af, over het labyrint van drijvende steigers. Het was opgehouden met regenen. Boven zijn hoofd zweefden de meeuwen op de wind, bedelend om hapjes. De ochtend leek te helder en het licht te fel toen de opkomende zon door de wolken brak. De eerste stralen weerkaatsten in het water en in het glimmende hout van een boot die aan het einde van een steiger lag. Een groepje mensen stond bij de boeg. De gedempte gesprekken verstomden toen Howard en de agenten naderden.

Een man in een zakelijk pak, dat wat uit de toon viel tussen de omstanders in vrijetijdskleding, ijsbeerde tegenover een agent in uniform, die aantekeningen maakte. 'Verdomme! Verdomme!' mompelde de man, terwijl hij op en neer beende. Toen zag hij Howard en bleef hij staan. 'Wat nou weer? Nog meer ramptoeristen die komen staren?' blafte hij.

De agent keek op van zijn aantekenboekje. 'De echtgenoot van het andere slachtoffer,' legde hij uit.

'Verdomme,' herhaalde man in het pak, enigszins gekalmeerd.

De jonge agent naast Howard boog zich naar hem toe. 'Dit is Jeremy Telford,' fluisterde hij. 'De eigenaar van het jacht.'

De naam kwam Howard vaag bekend voor.

De oudere politieman tegenover hen draaide zich naar Howard om. 'Bent u er klaar voor?' vroeg hij.

Howard knikte. Hij volgde het voorbeeld van de agent, greep zich aan een stang vast en hees zich aan boord. Twee andere politiemensen hadden zich aan weerskanten van de deur naar de kajuit opgesteld. Ze ontweken Howards blik toen hij het houten trapje van de kajuit afdaalde.

Beneden was het griezelig stil, afgezien van het geluid van de golven tegen de romp en het knarsen van de boot tegen de steiger. De patrijspoorten en ventilatiekleppen stonden open. Te laat. Opeens voelde Howard zich duizelig worden, niet door de beweging van de boot of de restanten van het gas in de muffe zeelucht, maar door de aanblik van de twee lege wijnglazen op het tafeltje. En de marineblauwe jas die in de hoek lag. Lucy's regenjas.

'God, we wilden volgende week een grote kunstexpositie openen!' klonk de geïrriteerde stem van de jachteigenaar. 'Vanavond hadden we een feest.'

'Blijkbaar had zij andere ideeën over een feestje,' mompelde een van de agenten op het dek.

De politieman naast Howard fronste zijn wenkbrauwen en duwde hem toen met zachte drang naar voren. 'Die kant op,' zei hij.

De deur naar de slaapcabine in de boeg stond open. Door een luik in het dek scheen licht naar binnen, over het witte laken op het bed. Howard dacht dat hij er klaar voor was, maar zodra de punt van het laken werd opgetild, bleek niets hem te hebben voorbereid op de klap die hem met verpletterende kracht tegen zijn borst raakte toen hij Lucy's lichaam zag – of op de manier waarop ze tegen haar vriendin,

Marlene Telford, lag genesteld. Nu begreep hij waarom de naam van de ontstelde zakenman op de steiger hem zo bekend in de oren had geklonken. Hij had de man nooit ontmoet, maar Telford moest Marlenes echtgenoot zijn.

Hij schudde zijn hoofd, terwijl zijn verdoofde brein het probeerde te begrijpen. Aan zijn voeten rolde nog een lege fles over de vloer van de cabine. De wijn had een rode vlek op het teakhout gemaakt. De wereld leek volledig uit het lood geslagen. Lucy hier? Tussen lege flessen? Lucy dronk niet. En ook haar kleren sloegen nergens op: het wijde shirt en de oude broek die ze meestal thuis droeg bij het schoonmaken. Waarom zou ze zo de deur uit zijn gelopen? Lucy zette nooit een stap over de drempel zonder dat ze zich had omgekleed en opgemaakt.

Toch was ze nog altijd een mooie vrouw, ook in die kleren, zonder make-up. Haar kastanjebruine krullen lagen over het kussen gespreid, naast Marlenes warrige grijze lokken. De sproeten op Lucy's blanke huid leken roze tegen de zwarte linnen blouse van haar vriendin.

Hij stak een hand uit om haar wang aan te raken en zag de vochtige zakdoek, verfrommeld in haar slappe hand. Met moeite wist hij op de been te blijven toen hij knikte en zich omdraaide. De agent trok het laken weer over Lucy's gezicht.

Hij legde het pakketje op de autostoel. Dat was alles wat er overbleef: de bezittingen van zijn vrouw in een bruine papieren zak. Voorzichtig maakte hij hem open. Een vleug van Lucy's zoete luchtje zweefde de auto in. Hij sloot zijn ogen en snoof de geur op. Speeksel verzamelde zich in zijn keel. Hij had een borrel nodig. Het was nog vroeg in de ochtend geweest toen hij merkte dat hij alleen in bed lag, en vanaf dat moment had hij er al tegen gevochten.

Zijn borst kneep samen bij het beeld van Lucy die in foetushouding op dat zeiljacht lag, met de arm van haar vriendin om zich heen, als om haar te troosten. Hij opende zijn ogen en probeerde zich haar te herinneren zoals hij haar voor het laatst had gezien. Gisterochtend. Had ze toen ergens mee gezeten? Vaag wist hij nog dat ze het ontbijt had klaargemaakt in haar ochtendjas, terwijl ze hem en Frankie plaagde dat ze iets moois voor haar moesten kopen met al het geld dat ze met hun overwerk verdienden. Was dat wel gisteren geweest, of een andere ochtend?

Lucy had hem verweten dat hij nooit omkeek als hij vertrok. 'Zo lijkt het of je me al vergeten bent zodra je de deur uit stapt,' zei ze. 'We hoeven niet bang te zijn dat jij ooit in een zoutpilaar zult veranderen,' voegde ze er bitter aan toe.

Had hij gisterochtend maar wel omgekeken.

Hij vouwde de papieren zak weer dicht, klemde zijn handen om het stuur en staarde over het water van Burrard Inlet. De ironie raakte hem als een mokerslag. Zijn gedachten gingen terug naar de eerste keer dat hij de baai ooit had gezien, een vaag beeld door de mist, voordat hij zich had ingescheept voor die onverwachte oorlog. Toen had hij wel naar haar omgekeken, steeds weer, totdat hij vier jaar later eindelijk was teruggekeerd naar deze zelfde kade, als een oude man van vierentwintig, gebukt onder een schuld die te zwaar was om met iemand te kunnen delen. Zelfs niet met Lucy. Op een dag, had hij zichzelf steeds opnieuw beloofd, zou hij het haar vertellen, haar alles bekennen. Maar in die zeventien jaar had hij nooit de moed opgebracht.

Hij liet zich over het stuur zakken en begroef zijn gezicht in zijn armen. Even later tikte er iemand op het raampje. Howard keek op, in de bezorgde ogen van de jonge agent. Hij vermande zich, veegde met zijn mouw over zijn gezicht en draaide het raampje omlaag.

'Gaat het wel, meneer?' vroeg de politieman.

Howard slikte. 'Ja,' antwoordde hij met moeite.

Maar dat was niet zo. Het ging al een hele tijd niet meer.

5

27 OKTOBER 1941: RANGEERTERREIN CANADIAN PACIFIC,
BURRARD INLET

Howard schrok wakker van het gekrijs van metaal op metaal. Hij masseerde zijn nek en boog zich naar het raampje om naar buiten te kijken. Een dichte grijze mist belemmerde zijn eerste blik op Vancouver toen de trein rammelend en schokkerig tot stilstand kwam. Om hem heen kwamen ook andere soldaten in beweging, nog half in slaap.

'Mannen, we zijn er!' riep brigadecommandant Lawson van achter uit de wagon. De officier, een veteraan uit de Eerste Wereldoorlog, stapte over de slapende lichamen en de uitgestrekte benen in het gangpad heen. Lawson, op en top een beroepsmilitair, van zijn onberispelijk verzorgde snorretje tot zijn glimmend gepoetste schoenen, knikte zijn mannen toe voordat hij naar de volgende wagon liep.

In de trein ging het gerucht dat de bevelhebber niet bepaald gelukkig was met zijn post. Voor zijn promotie tot brigadecommandant was Lawson belast geweest met de beoordeling van de 'paraatheid' van alle Canadese troepen. Blijkbaar had hij zowel de Royal Rifles als de Winnipeg Grenadiers, de bataljons aan boord van deze militaire trein, ingedeeld bij klasse C: niet gevechtsklaar. Als dat verhaal klopte, vroeg Howard zich af wat hun commandant wel dacht van de circa vierhonderd man versterkingen – onder wie Howard zelf – die kortgeleden aan de twee bataljons waren toegevoegd. Een groot deel van die kerels had nog nooit een geweer afgevuurd.

Hij stootte zijn slapie aan, die wakker schrok en in één beweging overeind sprong. 'Er wordt op ons gewacht,' zei Howard, terwijl hij zijn plunjezak en zijn helm greep en samen met zijn makker door het gangpad liep. Hij was blij dat hij eindelijk kon ontsnappen aan de benauwde, rokerige atmosfeer van de drukke wagon. Toen hij Gordy

Veronick naar de uitgang volgde, kon hij een glimlach niet onderdrukken. Hoewel hij zich met moeite tussen al die lichamen door moest wringen, liep zijn jeugdvriend nog als een cowboy. Lucy had hem ooit vertederd 'een gespierd lefgozertje' genoemd, een rake typering. Gordy, die een half hoofd kleiner was dan Howard maar het postuur van een buldog bezat, met donker haar en een olijfkleurige huid, was al Howards beste vriend sinds de eerste klas van de lagere school.

Howard was opgegroeid met drie oudere broers, van wie de jongste nog altijd vier jaar ouder was dan hij. Daarom had hij zich wel eens enig kind gevoeld, met vijf ouders in plaats van twee. Toen zijn moeder hem vertelde dat een jochie van zes jaar, dat zijn ouders had verloren door een griepepidemie, bij zijn grootmoeder op de aangrenzende boerderij zou komen wonen, was hij daarom blij dat hij eindelijk iemand van zijn eigen leeftijd had om mee te spelen. Toen de jongen voor het eerst op hun erf verscheen, had Howard geprobeerd vrienden met hem te worden.

Maar zodra Howards moeder en Gordy's oma naar binnen verdwenen, had Gordy een harde blik in zijn ogen gekregen. 'Howie? Dat is een meidennaam,' verklaarde hij minachtend, en hij beende weg.

De rest van de zomer was Howard uit zijn buurt gebleven. Maar in het enige klaslokaal dat de dorpsschool rijk was had hij hem niet langer kunnen negeren. Aan het einde van de eerste dag was Gordy op het schoolplein naar hem toe gekomen. Misschien had hij Howard uitgekozen omdat hij de langste was van de klas, omdat hij zijn buurjongen was of omdat hij drie oudere broers had en Gordy niet één. Wat ook de reden mocht zijn, hij cirkelde als een nijdig haantje om Howard heen. 'Wat wou je nou?' gromde hij met gebalde vuisten.

'Wat of ik wou?' herhaalde Howard verbaasd.

'Je had toch zo veel praatjes?' Gordy plantte zijn voeten uit elkaar en maakte slaande bewegingen naar Howard toe. Zijn boksershouding was zo komisch dat Howard in de lach schoot. Maar voordat hij het wist, werd hij tegen de grond gesmeten door een wervelwind van armen en benen, die probeerden hem eronder te houden.

Terwijl hij met Gordy lag te worstelen, verzamelde zich een menigte kinderen om hen heen, die hen joelend aanmoedigden. Net toen Howard boven lag, riep iemand: 'Hé, Howie slaat dat weeskind in elkaar!' Die kreet werd meteen overgenomen: 'Weeskind! Weeskind!'

Gordy verstijfde en kneep zijn ogen dicht, maar niet voordat Howard zijn tranen had gezien. Hij liet de jongen los en rolde van hem af. 'Hij heeft zand in zijn ogen,' verklaarde hij, terwijl hij opstond. 'Zo kan hij niet vechten.'

Hij bukte zich, greep Gordy's hand en hees hem overeind. Terwijl hij hem meeloodste, zei hij: 'Ga je mee naar Millers vijver? Dan kunnen we kikkervisjes vangen.'

Gordy veegde met zijn mouw over zijn ogen. 'Ja,' zei hij, en een paar passen later voegde hij eraan toe: 'Ik had je helemaal verrot kunnen slaan.'

'Natuurlijk.'

Sindsdien waren ze beste vrienden. Ze deden alles samen, en zo hadden ze zich ook bij de Winnipeg Grenadiers aangemeld.

Toen ze uit de trein stapten, bleef Gordy abrupt op de onderste treeplank staan. 'Hé, mensen, ruik toch eens!' riep hij. 'De zilte zeelucht.'

Het was voor het eerst dat Howard de zee rook. Hij wist niet of hij het lekker of smerig vond, maar de zware geur was onmiskenbaar.

'Het ruikt als seks,' zei iemand, die hetzelfde dacht als hij.

'Ja, als een vrouw die klaar is voor de liefde,' antwoordde een ander.

'Of net klaargekomen is,' zei Gordy, en er ging een gelach door de troepen die de trein uit stapten.

Howard grinnikte. Hij voelde een lichte motregen op zijn gezicht toen hij aansloot bij de mannen op de grond. Hij trok zijn muts in zijn gezicht en zag hoe de officieren langs de hele trein de rest van de soldaten ongeduldig tot spoed aanzetten.

'Opschieten!' klonk het commando door de linie van mannen in uniform.

'Aantreden!' De troepen gehoorzaamden haastig.

'Colonne rechts! Voorwaarts, mars!'

'Nou, dat lukt tenminste nog,' mompelde Gordy.

Deze keer lachte er niemand.

Howard marcheerde mee met de rijen mannen op weg naar de pier. Het geknerp van duizenden laarzen over het grind dreunde over de sporen van het rangeerterrein.

Toen ze het einde van de trein naderden, riep iemand uit de linie voor hen uit: 'Hoofd rechts!' Howard draaide zijn hoofd opzij, samen met zijn makkers.

Ze stond op de onderste treeplank van de laatste wagon, in een nachtblauwe jas, die haar vrouwelijke rondingen verried. Haar schouderlange haar, een weelde van springerige krullen, omlijstte haar sproetige gezicht. Zelfs in het grijze licht zag Howard hoe haar groene ogen over de gezichten van de mannen gleden toen ze haar passeerden. *Lucy!* Wat deed zij hier, in godsnaam? Geschokt verloor hij zijn concentratie en hij botste tegen de grenadier voor hem op.

'Rustig aan, kerel,' mompelde de geschrokken soldaat. 'Heb je nooit eerder een meid gezien?'

Howard voegde zich weer in het gelid, terwijl hij zich koortsachtig afvroeg hoe Lucy hier in Vancouver terecht was gekomen. Twee dagen geleden had hij haar voor het laatst gezien, samen met zijn drie oudere broers, bij het vertrekpunt in Winnipeg. Zoals alle soldaten die afscheid namen van hun familie en geliefden op het drukke station had hij haar tot de laatste seconde in zijn armen gehouden. Terwijl Gordy hem al meetrok naar de troepentransporttrein, had ze hen nog nageroepen: 'Pas goed op elkaar, jullie allebei!'

'Wees maar niet bang. Ik zal wel op hem letten, Luce,' riep Gordy over zijn schouder. 'Ik sta nog liever tegenover Hitler zelf dan dat ik jou onder ogen moet komen als er iets zou gebeuren met onze jongen hier.'

Zodra Howard instapte, had de trein zich in beweging gezet. Hij had zich naar een raampje gewrongen maar haar gezicht niet meer kunnen ontdekken in de wuivende menigte. Nu vroeg hij zich af hoe ze aan boord van de trein was gekomen. En waarom. Terwijl de colonne langs haar heen marcheerde, ving hij Lucy's blik. Ze sprong omlaag en rende hen achterna, met twee oude koffers in haar handen, die tegen haar benen slingerden.

'Jezus, Lucy! Wat doe je?' mompelde hij toen ze hem had bereikt. De soldaten keken al om naar het knappe meisje dat hen probeerde bij te houden.

'Wees nou niet boos, Howie,' hijgde ze. 'Als ik je had gezegd dat ik mee zou gaan, had je me willen tegenhouden.'

'Hoe ben je...' Hij draaide zijn hoofd om en trok zijn wenkbrauwen op naar het grijnzende gezicht links van hem.

Gordy haalde zijn schouders op. 'Kijk maar niet naar mij,' zei hij, terwijl hij zich naar voren boog. 'Hé, hallo, Luce! Wat doe jij hier?'

'Hallo, Gordy,' zei ze met een lachje. Toen keek ze Howie weer aan. 'Nee, ik heb het hem niet verteld. Ik wist dat hij zijn mond voorbij zou praten. Je broers hebben me geholpen. Zij hebben me op de trein gezet.'

'Dus zij wisten het? Waarom hebben ze niets gezegd?'

'Zou je hebben geluisterd als ik had gezegd dat ik meeging?'

'Nee, natuurlijk niet!' Howard keek haar even aan en staarde toen weer voor zich uit. Hij onderdrukte een grijns om de vastberadenheid op Lucy's gezicht terwijl ze naast hem liep, met haar hoofd in haar nek en haar kin vooruit. Onwillekeurig was hij toch trots op haar vasthoudendheid.

'Ik weet niet waar jullie naartoe gaan, maar ik blijf zo dicht mogelijk bij je in de buurt totdat je weer thuiskomt. Ik kan hier in Vancouver logeren, bij Mildred.'

'Mildred!'

Lucy's oudere zus had haar altijd meer als een dochter behandeld dan als een jonger zusje – een dochter die voortdurend toezicht nodig had. Vanaf de eerste dag dat ze Howard ontmoette had ze haar afkeuring niet onder stoelen of banken gestoken.

'Dat komt wel goed,' zei Lucy, wat milder.

Dus Mildred wist er ook van. Iedereen, behalve hij. Lucy had het snel georganiseerd. Maar het leven ging nu eenmaal snel, de laatste tijd.

Een paar maanden geleden hadden Howard en Gordy nog ijsblokken afgeleverd voor de keukens van huisvrouwen in Winnipeg. Canada was nu bijna twee jaar in oorlog. Om hen heen namen steeds meer jongens dienst, uit vaderlandsliefde of om het vooruitzicht van vaste soldij. Zijn broers waren alle drie gelegerd op het Air Force Training Center, vijfenzestig kilometer ten noorden van Winnipeg. Als jongste zoon zou hij bij hun moeder moeten blijven, die weduwe was. Net als zijn broers was hij opgegroeid met het besef dat zijn ouders allebei in de Eerste Wereldoorlog hadden gediend, zij als verpleegster en hij bij de infanterie. En nu deze oorlog in Europa escaleerde, had Howard de neiging om in zijn vaders voetstappen te treden. Wervende affiches lokten hem van achter elke etalage. Maar hoewel zijn ziekelijke moeder zei dat hij mocht gaan, wilde hij haar niet alleen laten. Toen, twee maanden geleden, was ze gestorven. Drie weken na de begrafenis, toen hij al haar zaken had afgehandeld, was een treurende Howard in dienst gegaan. Anders dan zijn broers bleef hij liever met beide benen op de grond, dus koos hij voor de landmacht, net als zijn vader. Gordy had nog dezelfde dag getekend.

In het opleidingskamp van Portage La Prairie had een commandant, luitenant-kolonel Sutcliffe van de Winnipeg Grenadiers, vrijwilligers gevraagd voor versterking van zijn bataljon. De lange officier met het magere gezicht, de donkere wenkbrauwen en de dikke snor, liep de rijen rekruten langs die als één man naar voren stapten. Zijn doordringende ogen inspecteerden iedere vrijwilliger. Wie werd afgewezen, stapte met duidelijke teleurstelling op zijn gezicht terug. Toen hij bij Howard kwam, trok hij zijn borstelige wenkbrauwen op terwijl zijn sergeant op een klembord keek en hem meldde dat soldaat Coulter nog zijn basistraining moest voltooien en geen wapeninstructie had gehad.

'Nog nooit een geweer afgevuurd, soldaat?' vroeg Sutcliffe aan Howard.

'Nee, overste... ik bedoel, ja, overste. Ik heb wel prairiehonden geschoten, thuis op de boerderij.'

31

'Woon je nog bij je ouders?'

'Nee, overste. Ze zijn de boerderij kwijtgeraakt tijdens de droogte.' Howard zei er niet bij dat zijn vader nog geen twee jaar na het verlies van de boerderij aan een hartaanval was gestorven.

De officier kneep zijn ogen tot spleetjes. 'Hoe oud ben je, soldaat?'

'Twintig, overste.'

'En de laatste keer dat je een geweer hebt afgevuurd... wanneer was dat?'

'Zeven jaar geleden, overste.'

'Toen je dertien was? Op eekhoorns, zeker?' Sutcliffe schudde zijn hoofd. 'Heb je ooit gemist?'

'Niet als ik ze wilde raken, overste.'

De snor van de officier kwam in een vage grijns omhoog. Hij draaide zich om naar zijn sergeant. 'Deze soldaat gaat mee,' zei hij, en hij liep weer verder.

Twee weken later waren Howard en Gordy in Winnipeg op de trein gestapt met de rest van de Grenadiers. Hun reisdoel was onbekend.

Nu ze de kade naderden, voelde Howard dat Lucy moeite had hem bij te houden. Elke spier in zijn lichaam zette zich schrap om haar te helpen, maar hij dwong zichzelf om recht vooruit te blijven kijken.

Even later zagen ze het donkere water van Burrard Inlet. Opeens kwam er een beklemmend gevoel van angst bij hem op. Hij had nog nooit op een boot gezeten, laat staan op een schip zo groot als de grijze romp die zich boven de pier verhief. Terwijl de eerste soldaten al de loopplank van de ss *Awatea* beklommen, hield Howards compagnie halt voor de pakhuizen en loodsen langs de kade.

Met een zucht van opluchting zette Lucy haar koffers neer. 'Ik wacht hier tot jullie uitvaren,' zei ze, en ze wreef zich in haar handen.

'Lucy, luister nou,' zei Howard. 'Zoek een taxi en ga naar je zus. Nu. We hebben geen idee wanneer het schip vertrekt.'

'Soldaat Coulter! Geef acht!'

Howard deed een stap naar voren. Lucy maakte haastig ruimte. Achter haar stond brigadecommandant Lawson, met zijn rotting onder zijn arm geklemd. Hij keek Howard vorsend aan. 'Is dit je meisje?' vroeg hij.

'Mijn vrouw, generaal.'

Lawson keek van Howard naar Lucy. Heel even gleed er een droevige uitdrukking over zijn gezicht, die onmiddellijk plaatsmaakte voor een strenge blik. Hij boog zich naar voren, totdat zijn gezicht dat van Howard bijna raakte. 'Soldaat,' gromde hij, 'ik zal je de tijd geven om fatsoenlijk afscheid van haar te nemen. Totdat de op een na laatste man zijn voet op die loopplank zet. En bij God, zorg ervoor dat jij de laatste bent!'

'Jawel, generaal!'

'Ingerukt,' beval de brigadecommandant, en hij beende weg.

Howard spreidde zijn armen. Lucy vloog hem om zijn hals, en zijn lippen vonden de hare. Terwijl zijn makkers vanaf het dek joelden en floten, gleden Lucy's lippen over zijn wangen en zijn oogleden, totdat ze elkaar met haastige kussen overlaadden. Ten slotte begroef Howard zijn hoofd in haar haar. Zelfs hier voelde hij zich totaal overweldigd door het luchtje, de aanraking, het hele wezen van zijn vrouw, met wie hij nu zeven dagen getrouwd was.

Hij kende haar al zijn hele leven. Nou ja, bijna. Ze hadden elkaar ontmoet op de lagere school, toen haar vader Hamms drugstore in het stadje had gekocht. Op de kleine school van twee lokalen had je onmogelijk een nieuwe leerling over het hoofd kunnen zien, maar Lucy's komst verdeelde de vijfde en zesde klas in twee kampen. Je had kinderen die zich geïntimideerd voelden door haar ontspannen, zelfverzekerde houding, haar glinsterende groene ogen en haar woeste rode haar, terwijl anderen zich er juist door aangetrokken voelden. Howard en Gordy zaten daar zo'n beetje tussenin, maar om een of andere reden sloot Lucy zich juist bij hen aan. Het duurde niet lang voordat ze haar hadden geaccepteerd, en in de jaren die volgden werd het tweetal een drietal. Daarna sloeg de puberteit toe. Ze gingen allemaal naar de middelbare school, waar ook andere meisjes belangstelling kregen voor de jongens. Evenmin als Gordy, die paradeerde als een haan in het kippenhok, had Howard daar veel bezwaar tegen. Hij maakte er zelfs gebruik van.

Op een dag, toen ze allebei zestien waren, zag Lucy hem tijdens de lunch aan het tafeltje van een ander meisje zitten. Die middag, op weg naar huis, verweet ze hem dat haar vergelijking van zijn waterige blauwe ogen met die van Henry Fonda – de filmheld van dat moment – hem naar het hoofd gestegen was. 'Je vindt jezelf de grote versierder,' pruilde ze.

'Wat?' plaagde Howard haar. 'Ben je jaloers?'

Lucy klemde haar boeken tegen haar borst en stak haar kin naar voren. 'En als dat zo was?'

Howard grijnsde. 'Hier,' zei hij. 'Geef mij ze maar.' Ze gaf hem haar boeken en hij droeg ze voor haar naar huis, het universele teken dat ze zijn meisje was.

Algauw bespeurde hij een verandering bij Gordy. Sinds Howard met zijn hele familie van de boerderij naar de stad was verhuisd, logeerde Gordy in het weekend bij hem, en zelfs ook door de week. Maar opeens was dat over. Op een vrijdagavond sneed Howard hem de pas af voordat hij in de schoolbus kon stappen. 'Wat is er?' vroeg hij.

'Ik heb het druk.'

'O ja? Waarmee dan?'

Gordy schopte met zijn schoen in het zand.

'Hoor eens,' zei Howard. 'Als dit over Lucy gaat: er is helemaal niets veranderd. Wij zijn nog altijd...'

'Ze is jouw meisje nu. Je hebt mij niet meer nodig.'

Howard nam Gordy onderzoekend op. 'Luister eens even: geen enkele meid wringt zich tussen ons.'

Gordy keek uitdagend terug. 'O nee?'

'Nee. Je hoeft het maar te zeggen.'

'Welnee.' Gordy grijnsde en stompte hem tegen zijn schouder. 'Ze heeft gekozen. De rest van de meiden is voor mij.'

Lucy's familie accepteerde de nieuwe relatie minder makkelijk.

Vooral haar zus Mildred had er moeite mee. Howard hoorde hoe ze hem eens 'dat armoedige joch' noemde toen ze had gezien hoe hij Lucy welterusten kuste voor de deur.

Lucy's verontwaardigde reactie bereikte hem nog door het open raam. 'Dat "armoedige" joch helpt thuis wel mee door elke ochtend voor school de *Winnipeg Tribune* te bezorgen en in het weekend de *Star Weekly*.'

Howard liep terug naar huis en moest even glimlachen toen hij haar nog hoorde zeggen: 'En op een dag ga ik met hem trouwen.'

Net als haar familie kwam hij er snel achter dat Lucy een factor was om rekening mee te houden. Maar toen het moment kwam om in militaire dienst te gaan en ze hem probeerde over te halen om thuis te blijven, voor haar vader te gaan werken en een vak te leren, gaf hij niet toe, hoeveel hij ook van haar hield. 'Ik zou nooit meer het graf van mijn ouders kunnen bezoeken als ik werkeloos had toegezien hoe Duitsland weer heel Europa onder de voet liep,' zei hij tegen haar. 'Dan kan ik niet meer in de spiegel kijken.'

Een maand later, toen hij haar bekende dat hij zich had opgegeven voor een missie overzee en eerstdaags moest afreizen met onbekende bestemming, had Lucy verklaard: 'Dan trouwen we voordat je vertrekt.'

Haar ouders stonden machteloos. Mildred was verliefd geworden op een dokter van het ziekenhuis in Winnipeg, waar ze als verpleegster werkte. Ze waren getrouwd en naar Vancouver verhuisd. Howard wist niet of hij opgelucht of teleurgesteld was dat Lucy's zus niet op de bruiloft was om te kunnen protesteren toen ze elkaar voor de ambtenaar van het stadhuis hun jawoord gaven.

Nu hielden ze elkaar vast in de motregen van een onbekende stad, terwijl er een mottenballengeur uit zijn vochtige wollen uniform opsteeg. Hij liet haar los en deed een stap terug. Toen legde hij zijn handen op haar schouders en keek haar onderzoekend aan. Haar groene ogen glinsterden hem toe, zich van geen kwaad bewust. 'Lucy... wat moet ik zeggen?' Hij veegde de regen van haar wangen. Hoe kon hij boos op haar zijn? 'Waarom heb je het me niet verteld?'

'Omdat ik niet de kans wilde lopen dat je nee zou zeggen.' Ze snot-terde. 'Ik had al besloten dat ik mee zou gaan en ik wilde de tijd die we hadden niet verspillen aan een ruzie. Laten we dat nu ook niet doen.'

Hij trok haar weer in zijn armen en wierp een haastige blik op de wachtende groep, die steeds kleiner werd. 'Ga naar je zus,' mompelde hij in haar haar.

'Nee.' Ze verstrakte in zijn armen. 'Ik wil erbij zijn als je afvaart.'

Weer deed Howard een stap terug. 'Dat is onzin! Ik heb geen idee hoelang dat nog duurt.'

'Dan wacht ik tot je het weet.'

'Verdorie, Lucy, doe niet zo koppig. Onze vertrektijd is geheim. Waarschijnlijk weet ik het pas op het moment dat ze het anker lich-ten.'

'Nou, dan wacht ik daar wel op. Jij vaart niet uit, God mag weten waar naartoe, zonder dat ik hier sta om je uit te zwaaien. Einde van de discussie.'

'Het kan wel morgen worden,' probeerde hij nog.

Lucy haalde haar schouders op.

'Lucy...' drong hij aan. Toen zag hij de laatste groep soldaten naar de loopplank marcheren. 'Ik moet weg.' Hij nam haar in zijn armen voor een laatste kus. Ten slotte dwong hij zich om haar te laten gaan en hij bukte zich naar zijn plunjezak. 'Zoek een taxi,' zei hij, terwijl hij achterwaarts naar het schip toe liep.

Hij stapte de loopplank op, achter de laatste man. Boven gekomen keek hij over zijn schouder. Op de kade beneden stond Lucy nog on-beweeglijk tussen haar twee koffers, waar hij haar had achtergelaten.

'*Ga nou,*' mimede hij.

Toen stapte hij aan boord, begroet door het gejuich van de soldaten die zich op het dek verdrongen.

Gordy leunde tegen de reling naast de loopplank. 'Mazzelkont,' zei hij toen Howard naast hem opdook. 'Wat een afscheid!'

Howard liet zijn plunjebaal vallen. 'Ja. Maar nu wil ze daar niet weg voordat ze weet wanneer wij uitvaren.'

'Dan zal ze behoorlijk nat worden, denk ik.'

Het regende nu harder, en Lucy's haar hing in slappe krullen om haar gezicht. Ze haalde een sjaaltje uit haar zak en knoopte het om haar hoofd, maar ook dat was algauw doorweekt.

'Ik zal eens rondlopen,' zei Gordy. 'Misschien kom ik erachter wanneer we vertrekken.'

'Bedankt.' Howard nam zijn muts af en zette zijn stalen helm op zonder Lucy een moment uit het oog te verliezen. De regen droop van de rand terwijl hij zich afvroeg hoe hij haar kon wegsturen. Hij opende zijn mond, maar klemde zijn kaken weer op elkaar. Het had geen zin om haar bevelen toe te schreeuwen. Boven zijn hoofd wedijverde het gekrijs van de meeuwen met het geknars van de kranen die kisten in het ruim van de omliggende schepen laadden. De kranen boven de *Awatea* waren nog niet in beweging gekomen.

Na wat een eeuwigheid leek kwam Gordy weer terug. Hij leunde naast hem over de reling en zei: 'Deze schuit is gebouwd op vijfhonderd passagiers, niet tweeduizend. We zitten als haringen in een ton. Je zal niet geloven waar we moeten slapen. Er zijn overal hangmatten opgehangen, zelfs in de kombuis.' Hij keek omlaag naar de kade. 'Is ze er nog? Sorry, ik heb niets officieels gehoord, maar het gerucht gaat dat we nog wachten op het zware materieel. Dat moet vandaag aan boord worden geladen. Waarschijnlijk vertrekken we morgenochtend.'

'Goed, laten we daarvan uitgaan,' zei Howard. Hij legde zijn handen om zijn mond en riep naar Lucy: 'Morgenochtend.'

'Hoe laat?' riep ze terug.

Howard haalde zijn schouders op. 'Ga nou maar. Je kunt daar niet de hele nacht blijven staan.' Toen hij zag dat ze geen voet verzette, wees hij naar de pakhuizen langs de kade. 'Ga in elk geval ergens schuilen.'

'Soldaat Coulter!'

Howard draaide zich haastig om en sprong in de houding. De strenge rekruteringsofficier uit Portage la Prairie, luitenant-kolonel Sutcliffe, inmiddels commandant van de Grenadiers, keek hem ontstemd aan.

'Soldaat, weet je hoeveel man van deze compagnie ik ben kwijtgeraakt op weg hierheen?' vroeg hij.

Howard had gehoord dat minstens twintig soldaten de trein hadden gemist en dat sommigen ervandoor waren gegaan tijdens tussenstops in Canada, maar hij antwoordde: 'Nee, overste.'

'Te veel. En ik wil er niet nog een verliezen.'

'Nee, overste.'

'Als ik je permissie geef voor een paar uurtjes walverlof, heb ik dan je erewoord dat je terugkomt?'

Howard kon zijn oren niet geloven. 'Jawel, overste!'

De commandant gaf hem een papiertje. 'Je hebt tot eenentwintig-honderd uur, en niet later, om je probleem op te lossen.'

Howard nam het pasje aan en salueerde correct.

Voordat Sutcliffe zich omdraaide, mompelde hij nog: 'Misschien kun je haar zeggen dat ze hier morgenochtend om zevenhonderd uur moet zijn.'

Achter in de taxi nam Howard een huiverende, kletsnatte Lucy in zijn armen. Buiten de raampjes danste een zee van zwarte paraplu's boven de menigte op de stoepen van Vancouvers binnenstad.

De taxi stopte voor een rood licht op de hoek van Granville en Georgia Street. Howard zag voetgangers in vier richtingen oversteken, terwijl het verkeer op het kruispunt wachtte. 'Je zou niet denken dat we in oorlog zijn,' zei hij, starend naar het winkelende publiek dat het warenhuis van Hudson's Bay in en uit stroomde.

De rit naar het huis van Lucy's zuster in Vine Street duurde twintig minuten. Toen de taxi weer was vertrokken, bleven ze bij het hekje staan en keken omhoog naar het imposante victoriaanse huis van drie verdiepingen.

Howard floot. 'In elk geval hebben ze genoeg ruimte voor je.'

'Zul je aardig zijn?' zei Lucy streng toen ze de treden van de veranda beklommen.

De laatste keer dat hij Mildred had gezien was Howard nog een magere knul van zeventien geweest, nauwelijks langer dan zij. Maar door het gesleep met blokken ijs van twintig kilo had hij zijn biceps en borstkas flink ontwikkeld, en met zijn een meter achtenzeventig was hij nu bijna een half hoofd groter dan de vrouw die de deur opendeed.

Eigenlijk was ze wel mooi, dacht Howard, net als haar zus. Maar anders dan Lucy, met haar zachte, ronde vormen, was Mildred scherp en hoekig. Haar bruine haar was golvend naar achteren gekamd, volgens de laatste mode, waardoor haar hoge jukbeenderen en de fronsrimpels tussen haar wenkbrauwen werden benadrukt. Hoewel ze pas achtentwintig was, leek zijn nieuwe schoonzuster al een dame van middelbare leeftijd, vond Howard.

Hij was verbaasd dat ze hem niet herkende. Vaag keek ze van hem naar Lucy, maar zodra ze haar zuster zag, slaakte ze een kreet van verrassing en sloot ze Lucy in haar armen. Toen loodste ze hen beiden naar binnen. Howard voelde zich bemoedigd door de mildere blik die hij in Mildreds ogen meende te zien nu hij een uniform droeg.

'Jullie lijken een stel verzopen katten,' zei ze, toen ze haar zus uit haar jas hielp. Haar ogen dwaalden naar Lucy's middel. 'Je bent toch niet...?'

'Mildred!' snauwde Lucy. 'Natuurlijk niet. En als je het nog niet wist, Howard en ik zijn getrouwd.'

'Dat heb ik begrepen, ja. Jullie houden van verrassingen.'

'Heb je haar niet gezegd dat je zou komen?' fluisterde Howard tegen Lucy toen ze de grote hal overstaken.

'Hoe dan?' fluisterde ze terug. 'Ik wist niet eens of jouw trein naar het oosten of het westen zou vertrekken.'

In de huiskamer wuifde Mildred hen naar de bank. Zelf ging ze kaarsrecht in de bijpassende stoel ertegenover zitten. 'Nou, wat heeft dit allemaal te betekenen?' vroeg ze.

Het volgende kwartier was Lucy onafgebroken aan het woord. Ze vertelde haar zus over de dood van Howards moeder, zijn besluit om in dienst te gaan, hun huwelijk en nu deze geheime missie. 'Maar zodra de oorlog voorbij is, hebben we plannen,' zei ze, en ze rechtte haar rug. 'Als we terug zijn in Winnipeg, gaat Howie voor apotheker studeren en komen we bij papa in de zaak.'

Terwijl ze haar verhaal deed, zat Howard zwijgend naast haar. Hij voelde zich niet op zijn gemak in deze hoge kamer met deftige meubels. Zijn vochtige uniform kriebelde. Hij draaide zijn muts in zijn handen rond en probeerde niet te krabben.

'Ik zal in Vancouver wachten tot Howie terugkomt,' besloot Lucy. 'Ik hoopte dat ik een tijdje bij jou en Sidney kan logeren, totdat ik een baantje en een eigen kamer heb gevonden.'

'Onzin,' viel haar zus haar in de rede. 'Jij blijft gewoon hier, zo lang als nodig is.' En met een strak lachje naar Howard voegde ze eraan toe: 'We hebben ruimte genoeg.'

Haar laatste woorden hadden iets droevigs. Na drie jaar huwelijk hadden Mildred en haar man, die chirurg was in het Vancouver General Hospital, nog steeds geen kinderen. Volgens Lucy was dat een bittere teleurstelling voor haar. Nu had ze in elk geval haar jongere zus weer in huis om te bemoederen, dacht Howard, verbaasd over zijn opluchting om Mildreds aanbod.

'Goed, dat is dan geregeld,' zei Mildred op besliste toon. Ze stond op. 'Ik zal eten voor jullie maken voordat Howard terug moet naar zijn schip. Jullie zullen wel honger hebben.'

Lucy liet zich meeloodsen naar de keuken, en Howard kreeg eindelijk de kans om zich te krabben, voordat hij achter hen aan liep.

'Veel succes, jongen.' De zware, hese stem van de taxichauffeur deed Howard aan zijn vader denken. Twee taxi's op één dag was een ongehoorde luxe, maar het was het geld wel waard om een paar extra minuten bij Lucy te kunnen zijn.

Mildreds man was nog niet terug van zijn werk toen Howard weer naar het schip moest. En omdat zij geen rijbewijs had, belde Mildred een taxi, met de belofte dat Sidney en zij Lucy de volgende morgen naar de haven zouden brengen.

Terug op de kade keek Howard de achterlichten van de vertrekkende taxi na. Het regende niet meer, maar toch zette hij zijn kraag op en propte hij zijn handen in zijn zakken. Als een jongen van de prairie, gewend aan de eerlijke, strenge kou, stond hij te huiveren in de vochtige kilte van de westkust. Als een dief kroop het water door zijn kleren, tot op het merg van zijn botten, om hem van zijn laatste restje warmte te beroven. Huiverend draaide hij zich om naar de pakhuizen langs de pier. En hoewel hij wist dat er aan de andere kant van die loodsen een schip met bijna tweeduizend man op hem wachtte, voelde hij zich opeens van iedereen verlaten.

Voordat hij de pier af liep, hoorde hij enig tumult. Het geluid van boze stemmen zweefde door de avond naar hem toe. Howard versnelde zijn pas. Toen hij de hoek om kwam, tussen twee pakhuizen, zag hij tot zijn schrik een groep soldaten, voornamelijk Grenadiers, op de kade voor de *Awatea*. Daarboven, aan de reling van het schip, stonden twee officieren met hun machinegeweren op de meute gericht.

'Howard!' Gordy maakte zich los uit de groep en kwam haastig naar hem toe.

'Wat is er aan de hand?' vroeg Howard toen zijn vriend hem had bereikt.

'We zijn van boord gegaan.' Gordy struikelde bijna over zijn woorden om het uit te leggen. 'De omstandigheden op die schuit zijn echt mensonterend. Het was ooit een luxe cruiseschip in Nieuw-Zeeland, voordat het tot troepentransportschip werd omgebouwd, maar de enigen met een beetje luxe zijn de officieren. De mannen zitten opeengepakt in een smerig ruim, terwijl de officieren allemaal een eigen hut hebben, met een lounge en een eetzaal. Zij hebben vanavond uitstekend gegeten, maar wij kregen pens met uien. Dat pikken we niet!'

Howard onderdrukte een schuldgevoel bij de herinnering aan de rosbief en yorkshirepudding die hij nog maar net achter de kiezen had. 'Het lijkt wel een opstand,' zei hij, wijzend naar de machinegeweren.

'Dacht je dat die geladen waren?' zei Gordy smalend. 'Ze hadden niet eens genoeg munitie voor onze opleiding, dus zullen ze zeker geen kogels aan ons verspillen. Bovendien willen we alleen maar wat concessies. Een paar vliegeniers op weg naar Engeland zijn vorige week ook gedeserteerd van hun schip in Halifax, en zij hebben hun eisen ingewilligd gekregen. We willen onderhandelen.' Hij knikte naar overste Sutcliffe, die zich boven het geschreeuw uit verstaanbaar probeerde te maken. 'Tot nu toe hebben ze honderdtwintig man van de Royal Rifles overgebracht naar de *Prince Robert*, ons escorteschip,' gromde hij. 'Maar dat schiet niet op. Ze beschuldigen ons van muiterij en desertie, maar verdomme, Howie, we zijn gewoon kanonnenvlees. Kom mee. Als we met genoeg mensen...' Weer steeg er een verontwaardigd gebrul op, dat zijn woorden overstemde.

In de chaos achter hen stapten twee soldaten uit de meute vandaan. Ze doken tussen de pakhuizen weg en verdwenen in het donker. Howard keek hen na en kwam een moment in de verleiding. Stel dat hij er nu tussenuit kneep om Lucy op te halen en naar huis te gaan? Hij draaide zich om naar Gordy. 'Als je in dienst gaat, verspeel je het recht om amok te maken,' zei hij. 'Ik heb niet mijn handtekening gezet voor een ruzie over de bedden of het eten. Jij ook niet, volgens mij.' Hij wrong zich door de menigte. Een paar anderen volgden hem toen hij de loopplank op liep. Halverwege keek hij om naar Gordy, die zijn schouders ophaalde en achter hem aan kwam.

Eenmaal aan dek bleven ze bij de reling staan om de onderhandelingen te volgen. Toen het dreigement van de krijgsraad was ingetrokken en de leiding wat verbeteringen in de leefomstandigheden had beloofd, druppelden de mopperende mannen weer aan boord. Zodra de loopplanken waren ingetrokken, sloeg Howard zijn arm om Gordy's schouders. 'Nou,' zei hij. 'Laat me die spelonken maar eens zien.'

Gordy had niet overdreven. Het benauwde, afgeladen scheepsruim stonk naar zweet en vochtige uniformen. Ongewassen wollen sokken, dacht Howard onwillekeurig. En hij herkende de doordringende geur van mottenballen. De meeste uniformen van de Grenadiers, ook het zijne, dateerden nog uit de vorige oorlog. In zijn eigen tuniek zat een label met '1918'. Zelfs zijn ondergoed kwam uit die tijd. Hij zou blij zijn als ze dit stugge, kriebelende kloffie konden verruilen voor de nieuwe uniformen die hun bij het vertrek waren beloofd.

Benedendeks, in alle hoeken en gaten, waren hangmatten gespannen, zo dicht bij elkaar dat je je niet kon bewegen zonder dat iedereen om je heen begon te slingeren. Maar het kon Howard niet schelen. Als de jongste van vier broers was hij opgegroeid op een kleine boerderij, gewend om dicht op elkaar te slapen.

Hij ging aan een eettafel onder de hangmat zitten die Gordy hem wees, en bukte zich om zijn veters los te maken. Vannacht zou hij wel slapen, daar twijfelde hij niet aan.

Opeens voelde hij een geluid, meer dan dat hij het hoorde. *De motor?* Hij ging rechtop zitten en luisterde. Ja, dat moesten de scheepsmotoren zijn, die stationair draaiden. Haastig knoopte hij zijn veters weer dicht en hij stormde de eetzaal uit. Via een trap kwam hij aan dek, waar hij naar de reling rende. Op het donkere water wachtte een sleepboot, met zijn trossen al aan het schip vastgemaakt. Howard liep haastig naar bakboord en tuurde over de schouders van de mannen die zich daar verdrongen. De kade zelf leek te kreunen toen de *Awatea* zich langzaam losmaakte van de wal. Een zware stoot op de scheepshoorn bevestigde wat Howard al vreesde: ze gingen vertrekken.

Op de kade beneden hen gooiden matrozen de dikke kabels van de bolders los. De streep donker water tussen het schip en de pier werd breder. Toen, nog steeds met stationair draaiende motoren, leek de *Awatea* diep adem te halen voordat ze zich langzaam naar voren bewoog.

Voorbij de boeg zag Howard het witte kielzog van de sleepboot, die op weg ging naar de baai, met de *Awatea* achter zich aan. Op het zwarte water voor hen uit begon de HMCS *Prince Robert* de doorgang al te naderen. Toen het escorteschip in de nevel onder de Lion's Gate Bridge was verdwenen, liep Howard naar het achterdek en bleef daar aan de reling staan terwijl de twee schepen naar de buitenhaven kropen en daar voor anker gingen. Hij had de praatjes om hem heen niet nodig om te begrijpen waarom de plannen waren veranderd. Na het incident op de pier, bijna een muiterij, zou iedereen die vanavond nog van boord wilde naar de kade moeten zwemmen.

In de verte glinsterden de lichtjes van de stad in de dichte mist. Howard huiverde. Hij voelde zich leeg. Terwijl hij een zacht afscheid aan Lucy prevelde, probeerde hij het onheilspellende voorgevoel te negeren dat de holte vulde in zijn hart.

6

Als ik mijn ogen stijf dichtkneep. Als ik geen vin verroerde. Als ik niet huilde. Als ik braaf was, heel braaf, dan zou het niet waar zijn wat mijn vader zei. Helemaal ineengerold onder een deken, met mijn gebalde vuisten om mijn knieën, probeerde ik niet te huiveren. Ik kneep mijn ogen nog stijver dicht en zocht naar mijn moeders gezicht in de lichtflitsen achter mijn oogleden. Ik probeerde me haar voor te stellen zoals ik haar gisteren nog had gezien, maar ik kon het me niet herinneren. In mijn hoofd liepen de dagen van de afgelopen week allemaal door elkaar heen.

's Zomers, als er geen school was, leek elke dag hetzelfde. De rest van het jaar was het veel makkelijker om de tijd bij te houden. Als ik op school zat, werkte mijn moeder twee dagen per week. Elke donderdag- en vrijdagochtend nam ze Kipper mee naar haar baantje bij de hobbyshop van Marlene Telford in Granville Street.

Marlene? Nu kwam gisterochtend me weer voor de geest.

Kipper en ik hadden ons verslapen. Nadat ik mijn cornflakes naar binnen had gewerkt, riep ik dag tegen mijn moeder. Van achter de badkamerdeur hoorde ik haar zeggen dat ze de stad in ging, naar Marlene. Maar ik had haast. Ik sleurde Kipper mee naar buiten, bang dat ik het eerste lied van het bijbelklasje in de nieuwe protestantse kerk aan Fifty-first Avenue zou missen. Elke dag klokslag tien uur zongen we '*I Will Make You Fishers of Men*' en koos de dominee iemand uit om de strooien hoed en de bamboehengel te dragen. Daarna maakte hij een polaroidfoto van de uitverkorene, die het kiekje mocht houden. Misschien zou het vandaag eindelijk mijn beurt zijn.

Kipper en ik hadden ons samen met mijn vriendin Ardith Price opgegeven voor het Bijbelklasje, dat twee weken duurde en leerlingen lokte met 'koekjes en handwerk'. Kipper hield van de liedjes, vooral 'Onward Christian Soldiers'. Dan marcheerde hij op de plaats en zong de woorden met zijn luide, monotone stem, een paar maten achter iedereen aan.

Aan het eind van de eerste dag nam de dominee me apart en zei hij dat het misschien beter was om Kipper thuis te laten. Ik kreeg een schuldig gevoel van opluchting bij die woorden, omdat ik er de laatste tijd een beetje genoeg van kreeg mijn broer overal mee naartoe te slepen, hoewel ik dat nooit tegen mijn moeder zou zeggen.

Maar in plaats van hem thuis te houden kneep mama haar ogen tot spleetjes toen ze hoorde wat de dominee had gezegd. 'Dat zullen we nog wel eens zien!' riep ze uit. 'Ze kunnen hem uit de gewone school vandaan houden, maar niet uit het Bijbelklasje. Van z'n levensdagen niet!'

De volgende morgen ging ze met ons mee naar de kerk. Ik weet niet precies wat zich op het kantoortje van de dominee afspeelde, maar toen mijn moeder weer naar buiten kwam, zei ze dat ik Kipper gewoon kon meenemen naar het klasje in de kelder van de kerk. De dominee zei nooit meer een woord over Kippers aanwezigheid, maar hij had hem of mij ook nooit gekozen om 'vissers van mensen' te zijn.

Nu had ik spijt dat ik niet had gewacht tot mijn moeder gisteren uit de badkamer was gekomen. Toen we terugkwamen van het Bijbelklasje, troffen we Mary, Irene Mansons tienerdochter, bij ons thuis. Er lag een briefje naast de telefoon aan de muur en op het aanrecht stond een bevroren tonijnschotel te ontdooien. Later zag ik Frankie en papa grijnzen toen ze mijn moeders vertrouwde schuine handschrift lazen. Ze was de stad in, en daarna ging ze kaarten bij Marlene. 'Ze schrijft niets over pokeren,' lachte Frankie toen mijn vader de oppas had betaald en Mary was verdwenen. We wisten allemaal waarom. Mama wilde haar geheime zonde niet bekend hebben in de buurt, en Mary's moeder Irene was de grootste kletskous.

Nog maar een paar dagen geleden had Frankie mama geplaagd dat de politie ooit een inval in Marlenes appartement in het West End zou doen om dat illegale casino op te rollen.

'We spelen maar om centen,' had mijn moeder geantwoord, glimlachend om Frankies plagerijen. 'Niemand verliest meer dan een dollar per avond.' Toch had ze ons tot geheimhouding gezworen over haar wekelijkse pokeravondjes. Voor zover iedereen – behalve onze buurvrouw, Dora Fenwick – wist, ging ze op woensdagavond altijd bridgen. Mama's zuster en de dames in de buurt mochten niets weten van haar clandestiene gokverslaving. Aangezien de avondjes pas lang na mijn bedtijd eindigden, had ik me dan ook geen zorgen gemaakt dat ze nog niet thuis was toen ik gisternacht naar bed ging. Zoals ik er ook niet bij had stilgestaan dat het zaterdag was, niet woensdag.

Nu gooide ik de dekens van me af. Hoewel Frankie me had gezegd dat ik in bed moest blijven, stond ik op en sloop ik de trap weer af. Ik hoorde hem in de keuken zachtjes telefoneren toen ik de slaapkamer van mijn ouders binnen glipte en in hun bed stapte. Ik trok de lakens en dekens over mijn hoofd en begroef mijn gezicht in mams kussen. Ik kon haar nog ruiken. Alles was goed. Ze kon niet dood zijn.

Dood? Dood was die stinkende zeemeeuw die Kipper en ik vorige week op het strand hadden gevonden en in het zand begraven. Dood was mijn goudvis, die Frankie door de wc had gespoeld toen hij ondersteboven in zijn glazen kom dreef. Dood was onze oude hond, Pepper. 'De hemel heeft hem geroepen,' had mama gezegd toen we het slappe lijf van onze zwarte cockerspaniël in een verschoten babydekentje hadden gewikkeld en in de achtertuin begraven. 'Daar hoort hij nu.'

Maar mijn moeder hoorde niet in de hemel. En ik zou van nu af aan zo braaf zijn dat de hemel maar even moest wachten.

Vandaag in het Bijbelklasje zou ik Jezus Christus als mijn verlosser aannemen, zoals de dominee ons al de hele week aan het einde van elke les op het hart bond. Maar ik had steeds geweigerd om naar voren te komen en te knielen, zoals mijn vriendin Ardith een paar dagen geleden had gedaan. De dominee had haar zijn hand opgelegd om Jezus door haar hoofd in haar hart te duwen.

Na afloop had Ardith me verteld dat ze de warmte van Jezus Christus in haar hart had kunnen voelen. 'Nu kan ik Hem overal om vragen,' zei ze. 'En als ik doodga, kom ik in het Koninkrijk des Hemels.'

Dat wist ik zo net nog niet, maar ik wilde niet dat mijn moeder daarheen zou gaan. Binnenkort zou ik Jezus ook om gunsten kunnen vragen.

De geur vervloog. Ik legde het kussen op een andere plek, waar ik mijn moeders zoete luchtje weer kon opsnuiven.

Iemand trok aan de deken. Toen ik opkeek, zag ik Kipper staan. Ik sloeg de dekens terug, zodat hij bij me kon komen. Hij legde zijn hoed op het nachtkastje en kroop tegen me aan.

Ik beet op de binnenkant van mijn lip. *Ik ga niet huilen. Ik ga niet huilen.* Mama kon nu elk moment de straat binnen rijden en zingen 'We zijn er bijna, we zijn er bijna, maar nog niet helemaal', zoals ze altijd deed als ze voor de deur stopte. De volgende keer zou ik geen wanhopige zucht meer slaken als ze dat liedje zong. Het was gewoon onmogelijk dat ik nooit meer dat stomme versje van haar zou horen. Waar ze ook de hele nacht was geweest, wat ze ook had gedaan, de politie vergiste zich gewoon. Dat kon niet anders. Ook grote mensen hebben niet altijd gelijk.

Zoals Frankie zich had vergist met die babykreeftjes. 'Ze gaan allemaal dood,' had hij gezegd toen ik afgelopen zondag van Birch Bay thuiskwam met tientallen kleine zwarte kreeftjes die tegen de binnenkant van mijn emmertje probeerden op te klimmen. 'Ze hebben de zee nodig,' verklaarde hij. 'Ze kunnen niet zonder zout water.' Nu, een week later, waren de kreeftjes nog steeds in leven, in onze oude zandbak. Ik deed elke dag wat tafelzout in een pot met water en nam die mee naar de achtertuin om over ze uit te gieten. Daarna gooide ik goudvissenvoer in de plassen water in het kleine bassin dat ik voor ze had gemaakt met schelpen, steentjes en mossels van het strand. Het rook zelfs naar het strand. Toch werden de kreeftjes nu een beetje zacht en slap. Misschien moest ik ze toch naar zee terugbrengen om ze vrij te laten. Ja, dat zou ik doen. Vandaag was het zondag. Als het niet ging regenen, zou ik papa vragen of we 's middags naar Birch Bay konden gaan. Mijn moeder hield van het strand.

Ik werd wakker toen het zonlicht door de kier van de gordijnen viel. Uit de keuken klonk een vrouwenstem. Mama was weer thuis! Ik gooide de dekens van me af en sprong uit bed.

Iedereen zweeg toen ik de keuken binnen rende. Ik keek van papa naar Frankie, die tegenover elkaar aan tafel zaten, diep in zichzelf weggedoken. Tante Mildred en oom Sidney stonden bij het aanrecht. Zweet glinsterde op het kale hoofd van mijn oom. Zelfs de korte plukjes haar boven zijn oren leken vochtig. Hij zette zijn bril af en poetste uitvoerig de glazen schoon terwijl ik hen onderzoekend aankeek.

'Mam?' vroeg ik met verstikte stem.

Mijn vader keek op. Zijn mond ging open en weer dicht. Ik draaide me om naar Frankie. Hij zat met gebogen schouders boven zijn koffiebeker. Zijn roodomrande ogen leken vermoeid en oud, net zo leeg als die van mijn vader.

'Liefje,' zei mijn tante. Ze knielde en stak haar armen naar me uit.

'Nee.' Ik deinsde terug, kroop tegen mijn vader aan en snikte tegen zijn borst. Hij tilde zijn arm op en legde die om mijn schouders.

Achter me hoorde ik tante Mildred een zucht slaken toen ze zich oprichtte. 'Ga maar naar boven, kind, en kleed je aan,' zei ze. 'Je gaat met mij en oom Sidney mee naar huis.'

Mijn tante vroeg dikwijls of ik bij haar kwam logeren, en meestal vond ik dat leuk. Als ik ging, wist ik zeker dat ik nieuwe kleren, poppen of stripboeken zou krijgen, wat thuis maar zelden gebeurde. Maar vandaag deed dat er niet toe. Ik schudde mijn hoofd en klampte me nog steviger aan mijn vader vast.

'Ik denk dat het een goed idee is als je een tijdje naar je oom en tante gaat,' zei hij zacht.

'Komt Kipper dan ook?' vroeg ik, terwijl ik een stap terug deed en met mijn mouw over mijn ogen veegde.

Tante Mildred zocht in haar tas en haalde een katoenen zakdoek tevoorschijn. 'Ik geloof niet dat ons huis de meest geschikte plek is voor je broertje,' zei ze, en ze gaf me de zakdoek. 'Ik kan niet goed voor hem zorgen.'

Voor Kipper behoorde mijn tante tot zijn 'tweede groep', die zich ongemakkelijk bij hem voelde. Als ze op bezoek kwam, negeerde ze hem grotendeels, en hij had nog nooit bij haar gelogeerd.

'Dan ga ik ook niet.' Ik deinsde terug en stormde de kamer uit.

'Laat haar maar,' hoorde ik mijn vader nog vermoeid zeggen.

Boven trok ik een fietsbroek, gympen en een T-shirt aan. Toen sloop ik de trap af naar de kelder, stapte de deur uit en liep de betonnen treden op.

In de achtertuin rook het naar natte aarde en gras. Wormen kwamen omhoog op de overwoekerde plekken van het doorweekte grasveld. Twee roodborstjes hipten weg toen ik ze voorbijliep, maar zonder op te vliegen. Ze gingen weer verder met pikken toen ik bij de oude zandbak bleef staan, waar de kreeftjes roerloos in hun provisorische onderkomen lagen. Ik knielde en pakte een stokje om ze in beweging te brengen. Ze hadden kleine luchtbelletjes onder hun bolle oogjes. Hun scharen gingen lusteloos naar het stokje toe en hun pootjes bewogen. Ze leefden dus nog.

Ik stond op en stapte in het natgeregende zand van de bak. Toen tilde ik mijn voet op en bracht die omlaag, stampend en stampend totdat ik alle kreeftjes onder mijn hak had vermorzeld en verbrijzeld op de bodem van de zandbak.

7

De keukendeur ging open en Frankie kwam naar buiten. Ik hurkte in de zandbak, met mijn armen om mijn schenen, en zag hem het keukentrapje af komen. Toen bleef hij staan en haalde een verfrommeld pakje Player's uit het borstzakje van zijn hemd. Hij tikte er een sigaret uit en bracht die met bevende handen naar zijn lippen. Pas na drie pogingen lukte het hem een lucifer af te strijken. Hij leunde tegen de zijkant van het huis, nam een enkele trek, hield de sigaret tussen zijn vingers en staarde naar de rook die van het gloeiende puntje omhoog kringelde. Toen hij de sigaret weer naar zijn lippen bracht, keek hij op. Hij zag me. In alle rust kwam hij naar me toe en ging hij op de rand van de zandbak zitten. We keken allebei naar de troep voor mijn voeten, terwijl zijn sigaret langzaam opbrandde.

'Ik wist niet dat je rookte,' zei ik.

'Dat doe ik ook niet.' Hij hield het pakje omhoog. 'Ze zijn van pa.' Hij nam nog een trek, bukte zich toen en drukte de half opgerookte peuk uit in het zand, met dezelfde trage, vastberaden bewegingen als mijn vader. Toen ik naar zijn profiel keek, met zijn grimmige onderkaak en de kleine rimpels rond zijn ogen die er gisteren nog niet waren geweest, zag ik voor het eerst waarom mama altijd zei dat hij het evenbeeld van mijn vader was.

Een zandkleurige lok viel over zijn voorhoofd toen hij zijn rug rechtte. Hij streek hem naar achteren, stond op en sloeg het natte zand van zijn jeans. 'We moeten weer naar binnen,' zei hij met een zucht. Hij stak een hand uit en ik liet me overeind trekken.

Toen we bij de veranda kwamen, opzij van het huis, hoorden we vanuit de keuken de stem van tante Mildred, die vroeg: 'Hoor je me, Howard? Ik vroeg wat Lucy op een zeiljacht deed.'

Een zeiljacht? Ik bleef staan en draaide me om naar Frankie. En toen zag ik hem pas, op straat, geparkeerd achter de nieuwe, glanzend zwarte Volvo van mijn tante: mijn moeders groene Hudson.

'Ze was met Marlene Telford,' antwoordde papa. 'Dat jacht is van Marlenes man.'

'Marlene!' snoof tante Mildred. 'Ik begrijp het nog steeds niet.'

Ik ook niet. Ik dacht dat mijn moeder een auto-ongeluk had gehad.

'Koolmonoxide...' begon mijn vader, maar hij zweeg toen Frankie zich langs mij heen boog en de deur opendeed.

In de keuken zag ik mijn oom en tante bij het aanrecht staan, precies zoals ik hen had achtergelaten. Mijn vader zat nog aan tafel, over zijn koffiebeker gebogen, en keek verward op toen we binnenkwamen.

'Ga maar door, pa,' spoorde Frankie hem aan. 'Ethie moet het ook weten.'

Ik hoorde dat tante Mildred haar adem inhield.

'De politie denkt dat het koolmonoxidevergiftiging was,' zei papa aarzelend; het leek of hij tegen de tafel sprak. 'Door een kapotte gaskachel. Blijkbaar hadden ze er niet aan gedacht een raampje open te zetten.'

'Maar wat dééd ze daar dan?' vroeg tante Mildred.

Mijn vader kromp ineen bij de scherpe klank van haar stem.

Ja, wat? Ik wachtte op zijn antwoord. Hij slikte. Zijn ogen gingen naar de bovenkant van de koelkast en weer terug naar de onaangestoken sigaret tussen zijn met nicotine bevlekte vingers.

'Ik wou dat ik het wist,' zei hij. 'Het was een stom ongeluk. Ik kan er niets anders over zeggen.'

'Koolmonoxide is dodelijk,' merkte oom Sidney op, 'maar pijnloos. Ze zijn gewoon in slaap gevallen. Hoewel het me verbaast dat ze niet van elkaar hebben gemerkt dat ze slaperig werden.'

'Ze dronken wijn,' zei mijn vader.

'Aha,' was het commentaar van oom Sidney, alsof nu alles duidelijk was.

Mijn tante sperde haar ogen open. 'Lucy aan de drank? Dat vind ik wel heel vreemd.'

Ik ook. De enige keer dat ik mijn moeder ooit zag drinken was bij het kerstdiner, als ze haar glaasje wijn niet eens leegdronk.

De wc in de badkamer werd doorgetrokken. De deur ging open en even later verscheen Kipper, nog steeds in zijn pyjama, met zijn hoed op. Zwijgend keek hij ons aan. Toen kwam hij naast papa staan.

Tante Mildred pakte haar tas en haar handschoenen van het buffet. 'Wij gaan nu naar Forest Lawn om de kist uit te zoeken...' Haar stem brak. Ze aarzelde een moment en vervolgde toen: 'Wij zullen alles wel regelen. Maak je geen zorgen om de kosten. Laat dat maar aan Sidney en mij over.'

'Dat hoeft niet,' zuchtte mijn vader.

'We willen het graag,' zei Sidney vriendelijk.

Terwijl zij over de begrafenis praatten, probeerde ik een antwoord te vinden op al die vragen. Wat hadden mijn moeder en Marlene op een zeiljacht gedaan? Volgens mama's briefje zouden ze gisteravond gaan kaarten. Had ze gelogen? Ik had altijd gedacht dat mijn moeder net was als Kipper – dat ze niet kon liegen. Ik dacht na over de woorden van oom Sidney. De wetenschap dat mijn moeder geen pijn had gehad en gewoon in slaap was gevallen had me troost moeten geven, maar dat was niet zo.

Ik sloot mijn ogen en probeerde me haar gezicht voor de geest te halen. Dat lukte niet. Ik keek op naar Frankie. 'Ik kan me haar gezicht niet herinneren,' huilde ik. Met wazige ogen door de tranen draaide ik me in paniek naar mijn vader. 'Ik wil naar haar toe.'

Ik voelde mijn tantes hand op mijn schouder. 'Dat lijkt me niet verstandig, schat,' zei ze. 'Laten we thuis de fotoalbums maar pakken, dan kun je alle foto's van je moeder bekijken.'

'Nee!' Ik rukte me los en liep naar mijn vader. 'Ik zie haar gezicht niet meer voor me. Ik wil haar nog zien voordat ze naar de hemel gaat.'

'Ik wil mama ook zien,' beaamde Kipper. Zijn onderlip trilde.

Tante Mildred negeerde hem. Ze keek mijn vader streng aan. 'Dat wil je toch niet?'

'Misschien is het niet zo'n slecht idee,' zei Frankie.

'Onzin. Het kind is al genoeg getraumatiseerd.'

'Nou, schat...' probeerde oom Sidney, 'er zijn geen bewijzen dat het zien van...'

'Nee!' kreunde tante Mildred.

Papa hief een hand op. 'Hou op,' zei hij zacht, bijna verontschuldigend. Hij trok Kipper tegen zich aan en keek van mijn broer naar mij. 'Vandaag kunnen jullie mama niet zien,' zei hij, 'maar misschien morgen. Of anders op de begrafenis, om afscheid te nemen.'

'Howard!' riep tante Mildred uit. 'Dat meen je toch niet serieus? Je laat ze toch niet naar de begrafenis komen?'

'Natuurlijk wel,' antwoordde hij. 'Ze is hun moeder.'

'Die jongen ook? Neem je de jongen mee? Het spijt me, Howard, maar denk nog eens goed na. Hij zal de hele dienst zitten jammeren.'

'Als je niet mag huilen op een begrafenis,' zei papa, 'wanneer dan wel?'

Een paar seconden nadat de Volvo van tante Mildred van de stoep was weggereden werd er op de voordeur geklopt. Papa deed open en zag mevrouw Manson staan. 'Is Lucy thuis?' vroeg ze, zonder te verhullen dat ze over zijn schouder naar binnen probeerde te kijken. Mijn vader draaide zich om en liet haar aan Frankie over.

De rest van de dag kwamen er vrienden en buren langs, van wie mijn vader de meesten niet eens herkende. Ze brachten ovenschotels en cake, en betuigden zenuwachtig hun medeleven.

8

Mijn moeder had ooit een telling gehouden van de bewoners van de drieëntwintig huizen in onze straat. Behalve dat van de Fenwicks, onze directe buren, waren alle huizen na de oorlog door de regering gebouwd als woonruimte voor de snel groeiende gezinnen van de teruggekeerde militairen. Elk gezin moest minstens twee kinderen tellen om voor zo'n sociale huurwoning in aanmerking te komen. Volgens mijn moeder – die Frankie niet meetelde omdat hij geen kind meer was – woonden er zesenzeventig kinderen in Barclay Street. Maar die hele dag bleef het merkwaardig stil. Hoewel het had opgehouden met regenen, werd er niet gehockeyd of gehonkbald op straat, zoals gewoonlijk. Niemand was aan het touwtjespringen of aan het hinkelen op de stoep. Zelfs het parkje met de speeltuin aan de overkant was verlaten. Op Kipper na.

Toen alle buurvrouwen weer waren vertrokken nadat ze hun mannen hadden achtergelaten bij mijn vader in de huiskamer, stapte ik naar buiten en ging ik op de veranda zitten. Ik leunde tegen het hekje en keek naar Kipper, die de kabels van de schommel in elkaar draaide en ze toen losliet, zodat hij in het rond tolde. Een tijdje later ging de voordeur van het huis naast het parkje open en kwam meneer Manson naar buiten. Haastig stak hij in de avondschemer de straat over met een fles in een bruine papieren zak onder zijn arm.

Toen hij voor me stond, knikte hij over zijn schouder naar de speeltuin. 'Een goede manier om duizelig te worden,' zei hij. Ik stond op om hem door te laten naar de andere mannen in het halfdonker van onze huiskamer, die opeens onbekend terrein voor me leek.

In de keuken stond Frankie met een verbijsterd gezicht naar de open koelkast gebogen om enige orde te scheppen in alle schotels op de schappen. Hij keek op toen ik binnenkwam en aan het eind van de tafel ging zitten. 'Heb je al gegeten?' vroeg hij.

De luchtjes van al die baksels van onze buren deden mijn maag in opstand komen. Of misschien kwam het doordat ik zag dat de whiskyfles op de koelkast was verdwenen. 'Ik heb geen honger.'

Frankies blik volgde de mijne, en zijn gezicht verstrakte. Hij schoof de laatste schaal de koelkast in alsof hij het laatste stukje van een legpuzzel op zijn plaats drukte, en sloot haastig de deur voordat alles er weer uit kon vallen. 'Je moet eten,' zei hij, maar zonder overtuiging in zijn stem.

Voordat ik kon tegenspreken, zagen we Dora Fenwick het grasveld oversteken naar onze veranda aan de zijkant. Haar zoon Danny sjokte onwillig achter haar aan.

Mevrouw Fenwick was mama's beste vriendin. Zij en Danny woonden in de oude boerderij naast ons, met haar moeder. Danny en ik waren van dezelfde leeftijd, samen opgegroeid en tot vorig jaar zomer elkaars beste vrienden.

Toen ze het trapje op kwamen, deed Frankie de keukendeur open. Mevrouw Fenwick, die gezwollen ogen had, leek even te schrikken voordat ze naar binnen stapte. Danny bleef achter op de veranda, met gebogen hoofd. Ik zag zijn hoofdhuid onder zijn korte stekeltjeshaar toen hij naar zijn voeten staarde door zijn nieuwe bril met hoornen montuur, in de stijl van Buddy Holly.

'Opgebakken spaghetti,' zei Dora Fenwick met een geforceerd lachje. Ze zette de volgende schotel op het aanrecht, nam mijn broer in haar armen en omhelsde hem, terwijl ze iets in zijn oor fluisterde.

'Dank u,' mompelde Frankie. Hij hoestte en deed een stap terug. 'Ik zal pa even halen.'

Ze knikte. Nerveus streek ze haar korte, donkere haar achter haar oren weg, waarna ze zich naar mij toe draaide. Ze moest hebben beseft dat ik zou instorten als ze me nu in haar armen nam. Daarom hield ze afstand. Ze haalde een tissue uit de mouw van haar sweater, drukte die tegen haar ogen en keek om naar Danny. 'Kom je niet binnen, schat?' vroeg ze hem.

Hij duwde zijn bril omhoog op zijn neus en schudde zijn hoofd. 'Ik wacht hier wel,' zei hij. Tot mijn verbazing vroeg hij aan mij: 'Wil je buiten komen?'

Ik stond op van de tafel. Op dat moment kwam mijn vader de keuken binnen. Hij en mevrouw Fenwick omhelsden elkaar onhandig en deden weer een stap terug. 'Ik vind het zo verschrikkelijk, Howard,' zei ze, terwijl ze ging zitten op de stoel die hij haar aanbood. 'Kan ik iets doen?'

'Nee. Nee,' zei papa, en hij streek met een hand door zijn haar. 'Haar zus zal alles regelen. Dan komt het wel goed, denk ik.'

Ze knikte begrijpend. 'Ik kan het nog steeds niet geloven. Ik ben gisteren en vandaag de hele dag aan het werk geweest.' Ze snoot haar neus, en mijn vader ging zitten op de stoel waarvan ik net was opgestaan.

'Mijn moeder zei dat Lucy...' Ze aarzelde even, en ging toen verder: 'Ze zei dat Lucy gisterochtend kwam kijken of ik thuis was. Maar...' voegde ze er met een gesmoord lachje aan toe, 'haar geheugen is tegenwoordig zo slecht dat het ook vorige week kan zijn geweest.'

Een vreemde hitte stroomde door mijn borst toen ik haar hoorde praten over mijn moeder, gisteren. Het deed al pijn om iemand haar naam te horen zeggen. Ik glipte naar buiten, liet de keukendeur open en ging op het trapje van de veranda zitten. Zonder iets te zeggen liet Danny zich naast me zakken. Het enige geluid in de straat was het kraken van Kippers schommel.

In de keuken snoot Dora weer haar neus. Na een paar seconden stilte schraapte mijn vader zijn keel. 'Zat haar iets dwars, Dora?' vroeg hij, zo zacht dat ik me moest inspannen om het te verstaan. 'Had ze problemen, de laatste tijd?'

Ik ging wat meer rechtop zitten. *Problemen? Mama? Was ze daarom gisterochtend in de badkamer? Was ze daarom naar Marlene gegaan?*

Danny schoof onrustig heen en weer op het trapje naast me. 'Laten we naar de speeltuin gaan,' fluisterde hij.

Ik schudde mijn hoofd, terwijl zijn moeder mijn vader verzekerde dat er, zover zij wist, met mama niets aan de hand was geweest.

Opeens drong het tot me door. Misschien was het míjn schuld! Misschien was ze verdrietig geweest omdat ze had gemerkt dat ik genoeg kreeg van Kipper.

Iemand klopte op de voordeur. 'Ik ga maar weer,' zei Dora. De poten van haar stoel schraapten over de vloer. 'Bel me als ik iets kan doen.'

Papa hield de keukendeur voor haar open. Toen ze de veranda op stapten, sprong Danny overeind. Zijn moeder keek op ons neer, en er kwam een zachtere blik in haar ogen. 'Wil je vannacht soms bij ons slapen, Ethie?' vroeg ze.

Verbaasd keek ik opzij naar Danny, maar zijn gezicht verried niets. Vroeger, toen hij en ik nog vrienden waren, was het huis van de Fenwicks een tweede thuis geweest voor Kipper en mij. We gingen er vaak logeren, in het weekend en op zomeravonden.

'Als jij het goed vindt, Howard?' voegde mevrouw Fenwick eraan toe.

Papa knikte. 'Als zij het wil.' Ik dacht dat hij opgelucht klonk.

'Kipper ook?' vroeg ik.

Danny's moeder glimlachte. 'Natuurlijk. Kipper ook.'

Ik liep de trap op om onze pyjama's te pakken. Toen ik weer beneden kwam, meed ik de huiskamer, omdat ik nog steeds niet begreep wat Frankie had bedoeld toen ik hem eerder had gevraagd waarom al die mannen daar bij papa zaten, bijna zonder iets te zeggen. 'Het zijn allemaal veteranen,' had hij geantwoord, terwijl hij zijn schouders ophaalde. 'Ik denk dat ze een band met elkaar hebben die dieper gaat dan woorden.'

9

Howard had nog nooit zoiets gezien. Hij stond ingeklemd tussen de andere soldaten, die elkaar verdrongen voor een beter uitzicht vanaf de reling. Ook beneden hen, op de lagere dekken, bogen mannen zich naar voren, zwaaiend met hun armen over de bakboordreling van de *Awatea*. Het geluid van de joelende troepen overstemde bijna de ukelelemuziek die de bronskleurige hoelameisjes op de kade begeleidde. Munten, bankbiljetten en hier en daar ook pakjes sigaretten regenden op de danseressen neer. Een jongen in een rood bloemetjeshemd rende heen en weer om alles op te rapen en in een grote houten schaal op de kade te gooien.

Een exotische bloemengeur dreef met de zeelucht omhoog vanaf de dikke orchideeën-*leis* van de meisjes. Glanzende kokosschalen bedekten hun volle borsten, en hun lange, donkere haar danste in hetzelfde ritme als hun golvende rieten rokjes. De sierlijke bewegingen van hun armen en heupen waren zo vloeiend en sensueel dat Howard opeens pijnlijk naar Lucy verlangde.

Verlegen om zijn opwinding leunde hij nog verder over de reling. Net als de andere soldaten droeg hij enkel zijn nieuwe tropenuniformshort en een onderhemd met korte mouwen. De troepen mochten geen naamplaatjes of andere badges dragen die hen als Canadezen konden identificeren. Dat leek logisch. Het Britse Rijk en Duitsland waren immers in oorlog, en hoewel de Canadese infanterie zich nog in de strijd moest werpen, waren de troepenbewegingen streng geheim. Iedereen moest aan boord blijven terwijl ze brandstof innamen.

'Geef jij die meiden niets?' Gordy stootte hem aan en gooide nog een zilveren muntje van vijftig cent omlaag.

'Jij doet alles voor een knap smoeltje,' zei Howard. 'Maar ik ben nu een getrouwd man, weet je nog? Ik moet op de kleintjes passen.'

'Vooruit, krentenkakker. Vijftig cent.'

Howard zocht in zijn zak, vond wat kleingeld en gooide de muntjes naar beneden. 'Zo. Nou tevreden?'

'Maak je geen zorgen,' plaagde Gordy. 'Ik zal niks tegen Lucy zeggen.'

'Waag het niet.' Howard lachte. Het was maar half een grap. In de loop van de tijd had hij geleerd dat je Lucy's jaloerse kant beter niet op de proef kon stellen. Geld naar heupwiegende schonen gooien was iets wat hij haar liever niet hoefde uit te leggen.

Hij haalde het pakje sigaretten tevoorschijn dat hij in zijn mouw had gerold. Hoewel hij zelf niet rookte, pakte hij wel de rantsoenen van het leger aan. Howard was grootgebracht met de gedachte dat je nooit iets afsloeg wat gratis was; je wist maar nooit wanneer het van pas kon komen. Uit verveling had hij een paar sigaretten geprobeerd, maar hij zag zichzelf niet verslaafd raken aan die smerige dingen.

Hij gooide het pakje over de reling. Toen de jongen ernaartoe rende, zag Howard dat hij geen jongen was, maar een man. Hij stak de sigaretten in zijn zak, keek even op en salueerde spottend. Howard tikte met zijn vingers tegen zijn voorhoofd.

De Hawaïaanse muziek en dans gingen door totdat de scheepsmotoren begonnen te dreunen en de trossen werden losgegooid. Bij de eerste stoot op de scheepshoorn maakten de hoeladanseresjes op de kade hun *leis* los en gooiden ze omhoog naar de uitgestoken handen. Howard wist er een te vangen. Hij glimlachte en zwaaide naar het meisje dat hem omhoog had geworpen. 'Gooi hem op het water als je uitvaart!' riep ze. 'Dat betekent dat je terug zult komen.'

In het enthousiasme van het moment wierp Howard haar een kushand toe.

'Ho!' zei Gordy, met een blik op het meisje en de *lei* in Howards handen. 'Ik weet niet of ik dat sappige feit wel voor Lucy kan verzwijgen.' Hij trok een wenkbrauw op, stak zijn hand uit en streek met een vinger over de purperen en witte orchideeën. 'Aan de andere kant...'

Howard trok de *lei* bij hem vandaan. 'O nee! Daar komt niets van in,' zei hij grijnzend. 'Jij gaat me niet chanteren om die bloemenslinger aan jou te geven.'

'Wat? Wil je dan niet dat je beste vriend levend terugkomt?'

Howard hing de bloemenslinger om zijn nek. 'Zoek er zelf maar een,' zei hij, maar inmiddels had het schip zich al van de kade losgemaakt. Terwijl de zwaaiende meisjes op de pier steeds kleiner werden, wrongen Howard en Gordy zich terug naar het achterdek, waar ze naast de metalen kast onder het geschut gingen zitten. Getrokken door sleepboten gleed het troepentransportschip langzaam door de haven, op maar enkele meters afstand van een Japanse vrachtboot. Na de krantenberichten over de nieuwe oorlogszuchtige Japanse minister-president en de toenemende spanning tussen de Verenigde Staten en Japan, vermoedde Howard dat de Aziatische passagiers die zich verdrongen op de dekken van de *Lisbon Maru* Japanse burgers moesten zijn, op weg naar huis.

Een groepje soldaten kwam naar de reling en keek naar het Japanse schip terwijl de *Awatea* voorbijvoer. Opeens bracht een jongen zijn handen naar de zijkant van zijn gezicht en trok hij zijn oogleden tot strakke spleetjes. 'Een Japanse vader.' Hij trok zijn oogleden omlaag. 'En een Chinese moeder.' Toen trok hij ze twee verschillende kanten op en joelde: 'Arm kind!' De passagiers op het andere schip konden zijn woorden niet hebben gehoord, maar de beledigende gebaren waren duidelijk genoeg.

'Jezus!' zei Gordy, en hij drong naar voren.

Eerder gegeneerd dan geschokt door de kinderachtige grap greep Howard zijn vriend bij de arm en hield hem tegen. Hij had wel meegemaakt dat Gordy om minder een knokpartij begon. 'Het is maar een jochie,' zei hij. De soldaat grijnsde tegen hen en verdween.

Gordy kwam weer naast Howard staan. 'Iedereen weet dat sommige lui hebben gesjoemeld met hun leeftijd,' zei hij, 'maar hoe kan een rekruteringsofficier ooit hebben gedacht dat die snotneus ouder was dan zestien?'

Howard haalde zijn schouders op. Hij keek de verdwijnende *Lisbon Maru* na, op het moment dat een man op de boeg van het schip zijn camera liet zakken. Hun blikken kruisten elkaar. Zelfs van die afstand herkende hij de smeulende haat in de ogen van de Japanner. Met een huivering draaide Howard zich om. Opnieuw was hij onder de indruk van de Amerikaanse vloot, die in Pearl Harbor lag afgemeerd. Net als de man op de boeg leek de *Awatea* in het niet te zinken bij al die kruisers en jagers die daar lagen.

Toen ze veilig de haven uit waren, gooiden de sleepboten hun trossen los en bogen af. De *Awatea* en haar escorteschip, de *Prince Robert*, voeren pal naar het westen. Howard liep naar de reling terug en gooide zijn *lei* overboord. Hij keek de bloemenslinger na toen die in het schuimende kielzog van het schip verdween, maar het veranderde niets aan zijn onheilspellende voorgevoel, dat steeds sterker werd.

Twee uur later werd er appel gehouden aan dek. 'Ik denk dat we eindelijk ons reisdoel te horen krijgen,' zei Gordy terwijl ze wachtten op een verklaring. De geruchten die de afgelopen vijf dagen over hun eindbestemming de ronde hadden gedaan liepen uiteen van Singapore tot India, of zelfs de strijd in de Afrikaanse woestijn. Gezien de tropenuniformen die ze hadden gekregen kwam elk van die warmere streken in aanmerking. Boven het geloei van de wind en het grommen van de motoren uit maakte brigadecommandant Lawson vanaf de brug echter bekend dat ze op weg waren om 'het Gibraltar van de Stille Oceaan' te verdedigen.

Zijn stem kraakte door de luidsprekers van het schip. 'Mannen, wij zijn *en route* als versterking van het Britse garnizoen in de kolonie Hongkong.'

Er steeg een hoorbaar gekreun op onder de Grenadiers. Howard kon het hun niet kwalijk nemen. Een groot aantal van de ervaren soldaten had net vijftien maanden wachtdienst op Jamaica achter de rug en wachtte met smart op actie. Zelf dacht hij dat het hem niets uitmaakte. Hij had dienst genomen omdat zijn land in oorlog was. Zo simpel lag het. Hij zou gewoon doen wat hem werd opgedragen. Maar heimelijk moest hij toegeven dat hij ook een jongensdroom had om avonturen te beleven. Nu de kans om zichzelf in de strijd te bewijzen min of meer verkeken leek, werd hij verscheurd tussen gevoelens van teleurstelling en opluchting.

Die nacht voer het schip verduisterd verder. De patrijspoorten werden gesloten en afgedicht. In de hitte en vochtigheid van het benauwde ruim maakte Howard zijn hangmat los, rolde hem op en nam hem mee naar het dek, waar hij zag dat veel kameraden hetzelfde hadden gedaan. Hij liep terug naar zijn plekje op het achterdek en spande zijn hangmat onder het boordgeschut. Toen stapte hij erin, dankbaar, en verbaasd, dat hij, anders dan sommige jongens, geen last van zeeziekte had. Eigenlijk genoot hij wel van de wind op zijn gezicht toen hij heen en weer slingerde in zijn hangmat en langzaam zijn ogen sloot, in slaap gewiegd door het geluid van de brekende golven tegen de romp terwijl de *Awatea* zich door de maanverlichte oceaan naar het westen ploegde.

Op bevel van Lawson werd de training tijdens de reis over de Stille Oceaan gewoon voortgezet. In wisselende diensten brachten de mannen uren door op het drukke dek, bezig met allerlei exercities, van oefeningen met de mortier en de brengun tot het schoonmaken van de geweren. Howard vond het niet erg. Zo kwam je de dag door.

De rest van de tijd werd besteed aan lessen over wat hun in Hongkong te wachten stond. Officieren hielden om beurten een verhandeling over uiteenlopende onderwerpen zoals de geschiedenis van de kolonie, maar ook tropische ziekten alsmede geslachtsziekten die ze daar konden verwachten werden besproken. Ze meldden conclusies van de Britse inlichtingendiensten over het karakter van de Japanse soldaat, rapporten waarin de vier- of vijfduizend man keizerlijke troepen langs de grens van Hongkong grotendeels werden afgedaan als ongevaarlijk.

Howard had thuis de spotprenten in de kranten gezien, van Japanners met konijnentanden die bibberend door hun dikke brillenglazen tuurden. Maar toen hij terugdacht aan de man op het dek van de *Lisbon Maru*, en de haat op zijn gezicht, was hij er niet van overtuigd dat die prenten klopten. Blijkbaar dacht ook brigadecommandant Lawson daar heel anders over want hij had zijn manschappen dringend gewaarschuwd het Japanse keizerlijke leger vooral niet te onderschatten.

Hoewel de generaal erop stond dat er elke dag op zee geoefend werd, hadden sommige soldaten 's avonds nog de energie voor een illegaal partijtje poker in een voorraadkamer op het benedendek. Mannen liepen in en uit, naargelang de dikte van hun portemonnee. Ook Howard stapte de eerste avonden naar binnen om Gordy te zien spelen. Het ging om grote bedragen en hij vroeg zich af wanneer de vlam in de pan zou slaan, maar iedereen scheen zijn winst of verlies laconiek te accepteren.

'Nou?' vroeg een man van de Royal Rifles op een avond aan Howard toen hij achter Gordy stond. 'Speel je nog mee of niet, vlaskop?'

Howards zongebleekte haar had hem algauw die bijnaam opgeleverd onder de Grenadiers, maar toen hij dat Franse accent hoorde, wist hij niet of hij zich gevleid of beledigd moest voelen. Hij keek de grijnzende soldaat uit Québec eens aan en haalde toen een briefje van tien tevoorschijn. Met enige spijt legde hij het op tafel, maar hij vond de kameraadschap onder de mannen die paar dollar verlies wel waard. Alles om de verveling van de lange avonden te doorbreken.

Twaalf dagen later, toen het schip de haven van Manila op de Filippijnen binnen voer, was Howard vijfhonderd dollar rijker en rookte hij tien of twaalf sigaretten per dag.

Net als de rest van de mannen begon hij rusteloos te worden. Na zeventien dagen op zee hadden ze nog altijd geen voet aan land gezet. Maar evenals op Hawaï moesten ze ook hier aan boord blijven. Een paar uur later, toen ze brandstof hadden ingenomen, voeren ze weer uit, met de Britse kruiser HMS *Danae* als extra escorte.

'Waarom hebben we opeens een tweede escorteschip nodig?' vroeg

Gordy zich hardop af toen hij die avond zijn geld op tafel legde.

De pokeraars om hem heen begonnen te speculeren over de kans op oorlog met Japan. 'Dat zou me wat zijn,' schamperde een man van de Royal Rifles, en hij schoof zijn inzet naar de pot. Maar veel soldaten waren ervan overtuigd dat ze zich een weg vanaf de kade zouden moeten vechten zodra ze Hongkong hadden bereikt. Howard vond dat ze wel érg gretig klonken.

Terwijl de discussie nog een tijdje doorging, dacht hij zelf aan de lege vrachtruimen onder in het schip. Het militaire materieel was nog niet in Vancouver aangekomen tegen de tijd dat de *Awatea* het anker lichtte en uit English Bay vertrok, de ochtend na de halve muiterij. Volgens de geruchten aan boord waren de pantser- en gevechtswagens op een vrachtboot geladen, die een paar dagen achterstand had. Howard hoopte dat het waar was.

In de vroege uren van 16 november, eenentwintig dagen nadat ze zich in Vancouver op de *Awatea* hadden ingescheept, stonden Howard en Gordy aan de reling en tuurden ze naar de donkere streep boven de horizon, die langzaam in land veranderde. 'Daar ligt het, jongen, Hongkong,' zei Howard. 'Vakantie of vuurdoop. Nu zullen we het weten.'

Ze naderden de kolonie net op het moment dat de eerste stralen van de opkomende zon de berg en de heuvel boven het vijftien kilometer lange eiland verlichtten. Toen ze de haven tussen het eiland en het vasteland binnen voeren, kwam het schip terecht in een dobberende vloot van honderden sampans. Het verbaasde Howard dat er geen aanvaringen waren, maar de merkwaardige bootjes met hun rechthoekige zeilen manoeuvreerden zich behendig in veiligheid. Uitdrukkingsloze gezichten staarden vanuit de drukbezette bootjes naar hen op toen de *Awatea* voorbijvoer.

'Moet je zien.' Howard wees naar de daken van de vorstelijke huizen tussen de weelderige begroeiing op de toppen en hellingen van het eiland.

'Wie had ooit kunnen denken dat twee gewone prairiejongens ooit het paradijs zouden vinden?' lachte Gordy.

Pas toen ze dichterbij kwamen, ontdekte Howard de sloppen langs de kusten en kades van het eiland en het vasteland. De duizenden wrakke hutjes, gemaakt van alles wat maar voorhanden was – van golfplaten tot bamboe en papier – wekten de indruk dat ze bij de eerste de beste bries zouden worden weggevaagd. Het was een schril contrast met de rijkdom van de villa's tegen de heuvels.

De *Awatea* meerde af bij het vasteland, terwijl er een paar vliegtuigen boven hun hoofd cirkelden. 'Ik hoop dat dit niet de hele luchtmacht is,' zei Howard, met een blik op de vier oude *push-prop*-toestellen.

Op de kade beneden stonden vertegenwoordigers van het Britse garnizoen al in de houding in de ochtendzon. Howard floot. 'Blij dat die kerels aan onze kant staan,' zei hij, wijzend naar een East Indian Regiment. De lange, donkere militairen stonden onbeweeglijk, bijna zonder met hun ogen te knipperen. Hij kon zich geen koninklijker, imposanter regiment voorstellen. De mannen waren allemaal uit hetzelfde hout gesneden, identiek in houding en lengte, en onberispelijk gekleed in hun kakiuniformen en lichtbruine tulbanden.

De *Awatea* legde de loopplanken uit. Een militaire kapel op de pier speelde 'Rule Brittannia' en Howard zag hoe generaal-majoor Christopher Maltby, de Britse commandant van het garnizoen in Hongkong, met zijn officieren aan boord kwam. In hun tropenuniformen en volledige bewapening wachtten de troepen van de Canadese C-Force – van wie sommigen, zoals Howard en Gordy, pas de vorige avond hun geweren hadden gekregen – ongeduldig aan dek, terwijl hun commandanten de Britse officieren ontvingen in de lounge van het schip.

'De Britten zijn dol op een militaire parade,' zei Gordy. 'En die kunnen ze krijgen!' Ook Howard was opgelucht dat ze naar hun nieuwe bivak zouden marcheren met echte geweren en bajonetten in plaats van de houten geweertjes waarmee ze in Canada hadden geoefend.

Vreemd genoeg hadden de mannen opnieuw bevel gekregen alle badges en insignes te verwijderen waaraan ze als Canadezen konden worden herkend. Terwijl ze wachtten om van boord te gaan, speelde de kapel 'The Maple Leaf Forever', terwijl vanuit de aangroeiende menigte beneden de kreet 'Welkom, Canada!' opsteeg. Zo kwam er van die geheimhouding weinig terecht, dacht Howard.

Tegen de middag, op de klanken van de Royal Scots doedelzakband, begon de ontscheping van de troepen. Howard wist niet zeker of hij naast het Heinz-57-mengsel in zijn aderen ook nog Schots bloed bezat, maar toch gleed er een chauvinistische huivering over zijn rug bij het horen van de doedelzakken. Eindelijk sloot hij zich aan bij zijn compagnie toen ze zich op de kade verzamelden. Aangemoedigd door het gejuich van de toeschouwers onderweg, en met het vreemde gevoel dat de aarde onder zijn voeten bewoog, dwong Howard zijn zeebenen om gelijke tred te houden met die van zijn kameraden.

In de vochtige middaghitte marcheerde de colonne door de hoofdstraat van Kowloon. Tijdens de drie kilometer lange tocht naar hun nieuwe kazerne tuurde Howard de zijstraten in. Zo ver als het oog reikte, zag hij een chaos van wrakke gebouwen, drie of vier verdiepingen hoog, voorzien van bamboesteigers en uithangborden met Chinese karakters. De smalle straatjes puilden uit met mensen die zich langs etenskraampjes, krijsende varkens en rieten manden met kakelende kippen wrongen. Vreemde kookluchtjes van onbekende kruiden en ranzig vet drongen in Howards neus. Toch had die drukke stad iets fascinerends. Een gevoel van opwinding maakte zich van hem meester, een mengeling van ongerustheid en enthousiasme.

Koelies met ontbloot bovenlijf grijnsden naar de soldaten terwijl ze hun riksja's behendig door de tussenruimten in de colonne manoeuvreerden. Oude vrouwtjes, kromgebogen onder bamboestokken met zware manden aan de uiteinden, wachtten uitdrukkingsloos tot ze waren gepasseerd. Aziatische voorbijgangers en winkeliers keken toe vanaf de stoep of achter hun winkelruiten, terwijl groepen blanken met de Britse vlag zwaaiden en de troepen verwelkomden. Howard zag wel een paar oosterse gezichten die hen negeerden of schichtig hun kant op keken, maar het grootste deel van de bevolking leek dolblij met deze versterking van het garnizoen dat uit tienduizend man bestond.

Uit de lessen aan boord van het schip wist Howard dat de bevolking van de kleine kolonie inmiddels was aangegroeid tot bijna twee miljoen zielen. Chinezen waren vanaf het vasteland hierheen gevlucht voor de Japanners. Maar terwijl de kolonisten hen juichend begroetten bij de poort van Camp Sham Shui Po, vroeg hij zich af wat voor verschil die tweeduizend Canadezen konden maken.

10

Ik zag het meisje voor het eerst op maandagochtend. Het bed in de logeerkamer van de Fenwicks op de eerste verdieping stond vlak bij het raam. Zelfs zonder mijn hoofd van het kussen op te tillen had ik een goed uitzicht op Barclay Street. De straat was zo smal dat een auto er bijna niet doorheen kon als er twee andere auto's tegenover elkaar langs de stoep stonden geparkeerd. De huizen, die ook al dicht opeen stonden, leken allemaal hetzelfde, afgezien van hun kleur. Mijn moeder zei altijd dat de regering blijkbaar maar drie kleuren verf had, die elkaar keurig afwisselden: bruin, groen en grijs, bruin, groen en grijs, de hele straat door. De witgekalkte oude boerderij van de Fenwicks, op een omheind erf met een overwoekerde tuin, viel op als een zwerende vinger. Alle andere huizen hadden een zieltogend grasveldje voor de deur, met een betonpaadje naar de veranda. En dan was er nog het parkje met de schommels, aan de overkant van de straat.

Het parkje verdiende die naam niet eens. Het was een wat groter grasveld, tussen het huis van de Mansons en dat van mijn vriendin Ardith. Jaren geleden hadden een paar vaders uit de buurt er wat schommels en een glijbaan neergezet. Niemand speelde er eigenlijk meer, alleen de paar kleuters die de straat nog telde, en Kipper. Wij, de oudere kinderen, deden spelletjes op straat.

Ik knipperde met mijn ogen tegen de weerkaatsing van de ochtendzon in het huiskamerraam van de Mansons. Het felle schijnsel verblindde me een moment, maar niet voordat ik het gezicht van mevrouw Manson had gezien, dat naar buiten tuurde. Net als ik keek ze naar het parkje en het meisje dat in haar eentje voor de schommels stond. Zelfs als ze geen vreemde was geweest, zou ze me nog zijn opgevallen. Haar kleren, een witte blouse in een donkere plooirok gepropt, leken te deftig voor een zomerdag. Haar gitzwarte haar was in een rechte pony geknipt, die bijna in haar bruine ogen hing. Ze was oosters – Japans of Chinees, dat kon ik nooit uit elkaar houden. We hadden geen oosterse families in de buurt. De enige Chinezen die ik kende waren de eigenaars van de kruidenierszaak in Victoria Drive, en meneer Fong, de groenteman.

Tot een paar jaar geleden werd bijna alles wat we nodig hadden thuisbezorgd. De melkboer kwam om de andere ochtend, de groenteman en de broodbezorger van McGavin's kwamen eens per week. In onze vroegste jeugd waren de bestelwagens soms het enige verkeer dat je overdag zag. Als we op straat speelden, gingen we onwillig opzij, verontwaardigd over de interruptie.

De groentewagen kwam op woensdag. Meneer Fong was de oudste man die ik ooit had gezien. Hij zei niet veel, maar zijn donkere ogen kregen nog meer lachrimpeltjes als hij uit de cabine stapte en Kipper en mij zag klaarstaan met mama's lijstje. Dan volgden we hem het trapje op, aan de achterkant van de truck. Ik hield van de warme geur van tuinaarde, groente en fruit uit de houten bakken in de wagen. Meneer Fong gaf ons rieten manden om vast te houden terwijl hij de bestelling erin deed. Zo nu en dan stak hij een gevlekte banaan in onze zak.

Op een zomerdag, toen ik zeven was, rammelde zijn bestelwagen de straat door terwijl wij aan het touwtjespringen waren. Mijn vriendin Ardith en ik hielden de lange springtouwen vast, terwijl een hele rij meisjes om beurten in en uit sprong, op het ritme van onze liedjes. Toen we de wagen van meneer Fong zagen aankomen, verdween iedereen zuchtend naar de stoep, waar we met onze handen in de zij bleven staan. De truck kwam schokkerig tot stilstand voor ons huis, het portier ging open en meneer Fong stapte langzaam uit.

Terwijl hij naar de achterkant van de wagen liep, voelde ik een ongeduldige ruk aan het eind van het touw en liet ik me de straat op trekken. Het touw draaide weer rond, en bij de eerste woorden van het volgende versje zag ik de ondeugende trek om Ardiths mond en de uitdagende blik in haar ogen toen ze zong: 'Poepchinees, poepchinees...'

Het was een rijmpje dat we dikwijls hadden herhaald, maar voor het eerst associeerde ik de woorden nu met meneer Fong. Toch zong ik verder, net als iedereen:

Poepchinees, poepchinees,
Ging naar de stad,
Daar zakte zijn broek
Gewoon van zijn gat.

Meneer Fong bleef op het trapje van zijn bestelwagen staan en wachtte tot het versje uit was. Toen draaide hij zich om. Zijn blik kruiste de mijne. Ik zag zijn droefheid en ik voelde dat ik bloosde. Maar het was al te laat. Ik sloeg mijn ogen neer.

De rest van de zomer bleef ik binnen als hij met zijn bestellingen kwam. Kort daarna verrees er een paar straten verderop een grote supermarkt, en de een na de ander stopten de winkeliers met hun bestellingen. Meer dan vijf jaar later schaamde ik me nog steeds als ik aan die ochtend terugdacht. Ik vroeg me af of mijn moeder het ooit geweten had. Ik hoopte van niet.

Bij de gedachte aan mama begon mijn kin te trillen.

'Kom je beneden?' vroeg Danny vanaf de andere kant van de slaap-kamerdeur.

'Ja,' antwoordde ik, maar ik bleef ineengerold onder de dekens lig-gen toen zijn voetstappen verstierven. Hij liet me met rust, net als de vorige avond. Toen we bij hem thuis kwamen, leek hij opgelucht dat ik meteen naar de logeerkamer ging. Ik was al in bed gekropen toen hij Kipper mee naar zijn kamer nam om een spelletje te doen. Na een tijdje stak mevrouw Fenwick haar hoofd om de deur, maar ik deed alsof ik sliep, hoewel ik dacht dat ik nooit meer zou kunnen slapen of lachen. In mijn eentje lag ik in het donker en ik haatte Danny en Kipper als ik zo nu en dan hun lach hoorde, aan de andere kant van de gang.

Danny was een van de weinige kinderen in de straat die nooit mijn broertje pestten, en hij scheen het ook niet erg te vinden dat hij achter ons aan sjokte toen wij nog samen speelden. Maar op een dag, vorig jaar zomer, toen we door de bosjes naar huis liepen vanaf het zwembad, was ik – om mijn eigen nieuwsgierigheid te bevredigen – ingegaan op Danny's uitdaging om hem 'de mijne' te laten zien als ik 'de zijne' mocht zien.

Daarna had ik Kipper geheimhouding laten zweren. Ik had wijzer moeten zijn. Zodra we thuiskwamen en mijn moeder vroeg of het leuk was geweest, riep hij: 'Dat mag ik niet zeggen. Ik heb het Ethie beloofd.'

Mama nam me apart. 'Dwing je broer niet zijn belofte te breken.'

Haar reactie was minder heftig dan ik had verwacht. Ze zei dat het heel natuurlijk was om nieuwsgierig te zijn, maar dat ik 'de mijne' voorlopig beter voor mezelf kon houden. Ik weet niet of ze ooit iets tegen Danny's moeder heeft gezegd, maar vanaf die dag ontweek hij me.

Nu, terwijl zijn voetstappen de trap af verdwenen, keek ik weer naar het meisje in het parkje. Met een zucht ging ik rechtop zitten terwijl ik de dekens terugsloeg. Kipper was al op. Toen ik hem eerder die ochtend naar beneden had horen gaan, was ik in bed gebleven. Ik wilde er nooit meer uitkomen. De vorige avond had ik niet willen slapen, nu wilde ik niet mijn bed uit.

Met tegenzin stond ik op en kleedde ik me aan. Beneden kwam ik langs de deur van de reusachtige woonkamer. Danny's grootmoeder zat in het halfdonker in het niets te staren. Ze was in gedachten ergens anders, net als mijn vader, maar bij haar kwam dat door ouderdom. Ik zei zachtjes hallo, maar ze bewoog zich niet.

In de keuken stond Kipper bij het aanrecht met een schort over zijn jeans en T-shirt, zijn hoed naar achteren geschoven op zijn hoofd. Hij glimlachte trots tegen me toen hij een boterham in een schaal met eiermengsel doopte.

'Wie heeft er honger?' vroeg Dora Fenwick van achter het fornuis. Ze legde een goudbruin wentelteefje op een bord en boog zich toen naar Kipper, zodat hij een volgende druipende boterham in haar sissende pan kon gooien.

Ik voelde me schuldig toen ik besefte dat ik inderdaad honger had. 'Nee, dank u,' mompelde ik, voordat ik vanuit de keuken naar de badkamer verdween.

Toen ik me had gewassen, pakte ik een borstel en probeerde die door mijn haar te halen, maar hij bleef steken in mijn warrige krullen. Hoe meer ik trok, des te erger het werd. Met de borstel nog in mijn haar liet ik me in de hoek neerzakken, sloeg mijn armen om me heen en begon te huilen, terwijl ik steeds maar heen en weer wiegde. Wie moest er nu mijn haar doen? Wie moest er voor ons koken? Voor Kipper zorgen? En voor ons?

'Ethie?' riep Danny's moeder vanaf de andere kant van de badkamerdeur. 'Mag ik binnenkomen, schat?'

Ik scheurde een handvol wc-papier af, snoot mijn neus en stak mijn hand uit naar de deurknop.

Mevrouw Fenwick kwam binnen en deed de deur achter zich dicht. Ze pakte mijn hand om me overeind te trekken en zette me toen op de rand van de badkuip. Daar kwam ze naast me zitten en begon ze voorzichtig de borstel los te maken. Ik probeerde me niet te verroeren terwijl ze bezig was.

'Het doet heel erg pijn, is het niet?' vroeg mevrouw Fenwick na een tijdje.

Ik slikte en knikte toen. Ik wist dat ze het niet over mijn haar had. De pijn zat vanbinnen, waar ik diep geraakt was. Het verdriet was gisteren mijn maag binnen gekropen en had daar de hele dag als een zware steen gelegen, ook 's avonds nog, toen ik had geprobeerd om wakker te blijven. Hoe kon ik slapen of eten als mijn moeder daar nooit meer toe in staat zou zijn?

Nooit. Echt ondenkbaar. Nooit is voor altijd en eeuwig, amen. Mijn maag brandde bij die gedachte. Hoe kon ik dus honger hebben?

'Ik zou zo graag tegen je zeggen dat alles wel goed zal komen,' zei mevrouw Fenwick. 'Ik zou zo graag je pijn wegnemen. Maar dat kan ik niet. Een deel ervan zal altijd blijven, maar op een dag vindt het een andere plek in je hart, een sterkere plek, waar je er beter tegen kunt. Tot die tijd ben ik hier, als je me nodig hebt.'

Ik geloofde niet dat de pijn ooit weg zou gaan, maar ik slikte mijn tranen weg toen mevrouw Fenwick mijn haar borstelde. Ze begon aan de onderkant en werkte rustig omhoog. 'Na het ontbijt draai ik er vlechten in,' zei ze. Toen klopte ze me op mijn knie en stond ze op. 'En je mag heus wel honger hebben,' voegde ze eraan toe.

Na het ontbijt waste ze mijn haar in de keuken. Terwijl ze de shampoo in mijn hoofdhuid masseerde, keek ik door het raam boven de gootsteen. Het meisje dat ik al eerder had gezien stond nog steeds op dezelfde plek in het parkje en staarde de straat door naar ons huis. Verbaasd vroeg ik me af of ze soms verliefd was op Frankie. Meisjes belden hem altijd op of kwamen aan de deur om naar hem te vragen. Misschien wachtte ze op hem.

Was hij al op? En mijn vader? Opeens wilde ik naar huis.

Een halfuurtje later keek ik in de spiegel naar mijn strakke vlechten. De laatste tijd had ik geprotesteerd als mama mijn haar vlocht, omdat ik het niet leuk meer vond om op Pippi Langkous te lijken, zoals mensen zeiden. Ik raakte de nog vochtige vlechten aan. Ze lagen keurig tegen mijn hoofd en vielen vandaar op mijn schouders, in plaats van alle kanten op te steken, zoals wanneer mama het deed. 'Dank u,' mompelde ik. 'We moeten maar weer eens gaan,' zei ik tegen Kipper.

Terwijl ik wachtte tot hij de veters van zijn gympen had gestrikt, stapte ik de veranda op. Gisteren was Barclay Street verlaten geweest, maar vanochtend zag ik weer wat kinderen op straat. Wayne en Rob Ellis reden langzaam achtjes op hun fiets. Debra Martin en Ardith Price stuiterden met een tennisbal op de stoep.

Danny kwam naar buiten en bleef bij de deur staan. Hij leek sterk veranderd in het jaar sinds we niet meer samen speelden. Hij was nu langer dan ik, en met zijn nieuwe stekeltjeshaar en buddyhollybril zag hij er best cool uit. Terwijl ik... Nou ja, ik was gewoon een meisje.

Hij loenste, een oude gewoonte waaraan zelfs zijn hippe bril niets kon veranderen. 'Wil je eh... wil je vandaag soms samen spelen?' vroeg hij, terwijl hij het donkere montuur omhoogschoof langs zijn neus.

'Nee,' zei ik, en ik daalde het steile trapje af. Dat moest hij natuurlijk vragen van zijn moeder.

'Gaan we vandaag naar mama kijken?' Kipper kwam hijgend achter me aan en probeerde mijn haastige vlucht bij te benen.

'Dat weet ik niet.'

Het gelach van de kinderen op straat verstomde toen we Danny's tuin uit kwamen. Ik stapte de stoep af om Ardith en Debra te ontlopen. Twee dagen geleden was Ardith nog mijn vriendin geweest. Nu keek ze alsof ze bang voor me was.

Kipper bleef achter haar staan. 'Hoi, Ardie,' zei hij. Ardith ving de tennisbal en drukte hem tegen haar borst. Ze mompelde hallo tegen hem en probeerde tegen mij te glimlachen, maar dat lukte niet echt. 'Ga je vandaag naar het Bijbelklasje?' vroeg ze.

'Nee,' zei ik bits. 'Jij?'

'Ik weet het niet... Misschien.'

'Nou. Ik zie je wel weer.'

'Hoi, Wayne!' riep Kipper.

'Hé,' zei Wayne, en hij fietste bewust de andere kant op.

'Wij gaan vandaag naar mama kijken. Voordat ze naar de hevel gaat.'

Wayne stopte en zette een voet op straat. 'Ja, ik heb het gehoord. Ik eh... ik vind het heel erg,' stotterde hij, zonder Kipper of mij aan te kijken, starend naar een punt tussen ons in.

Ik pakte mijn broertje bij de hand en trok hem mee. 'Ik zei toch dat ik het niet wist? En het is hemel. Hemel! Geen hevel.'

'Het spijt me, Ethie,' snotterde Kipper, bijna in tranen. 'Hevel,' herhaalde hij. 'Hevel.' En hij keek me aan, zoekend naar bevestiging.

Ik had al spijt dat ik boos op hem was geworden en probeerde te glimlachen. 'Goed zo,' zei ik. Voordat we ons tuinpad op liepen, keek ik nog eens naar het parkje.

Het meisje was verdwenen.

11

Als ik er op dat moment echt over had nagedacht, was ik misschien tot de conclusie gekomen dat Kipper indirect verantwoordelijk was voor alles wat er daarna gebeurde. Zonder hem zouden mama en Marlene elkaar nooit hebben ontmoet. Het jaar dat ik naar de eerste klas ging, voerde mijn moeder nog steeds een verloren strijd tegen wat zij 'die benepen geesten' noemde, die Kipper van de gewone school wilden weren. Daarom gaf ze hem zelf maar les. Dat jaar, de eerste week van september, gingen ze tekenspullen kopen en kwamen ze thuis met verf en penselen voor Kipper. Bovendien had mama er een baantje aan overgehouden bij Marlenes hobbyshop in Granville Street. Dat was ideaal, omdat ze Kipper kon meenemen. Terwijl zij voor in de winkel stond, zat hij achter in het atelier, met de cursisten van Marlenes tekenlessen.

Ik mocht Marlene graag. Ze zei dat Kipper en ik haar bij haar voornaam mochten noemen, in plaats van 'mevrouw Telford'. Soms, als mama op woensdagavond geen oppas kon krijgen, gingen we met haar mee naar Marlenes appartement bij Stanley Park in het West End. Dan zaten we aan de keukentafel, ik met mijn huiswerk en Kipper met zijn schetsboek, terwijl de vrouwen kaartten in de huiskamer. Marlenes vriendinnen kenden mijn broer allemaal van de shop en waren lief voor hem. Ze kusten hem, knepen hem in zijn wang en noemden hem hun knappe Picasso.

Ze waren zo anders dan mijn moeder. Terwijl mama altijd een jurk aantrok als ze uitging, droegen zij broeken of lange, wapperende rokken en wijde shirts. En anders dan mijn moeder, die nooit de deur uit ging zonder lipstick en rouge, maakten die vrouwen zich niet op.

Frankie noemde Marlene een beatnik. Ik wist niet wat dat betekende, maar wel dat hij haar mocht. Tante Mildred niet. Die sprak altijd over 'Lucy's vrijgevochten vriendin' als ze Marlene bedoelde.

'Ze draagt haar maatschappijkritiek als een overall,' hoorde ik haar ooit tegen mama zeggen, 'maar haar man is een rijke kunsthandelaar. Het is makkelijk om kritiek te leveren op het systeem als je zelf geld genoeg hebt.'

Mijn moeder moest erom lachen. 'Marlene is gewoon Marlene, helemaal zichzelf.'

'Zichzelf?' snoof tante Mildred. 'Straks krijgt ze je nog zo gek om zwarte maillots en coltruien te gaan dragen, in koffieshops rond te hangen en Jack Kerouac te citeren.'

'Hm, dat klinkt wel groovy,' plaagde mama, en zelfs tante Mildred moest daar om lachen.

De maandagochtendeditie van de *Daily Province* lag op de veranda toen Kipper en ik terugkwamen van Danny's huis. De halve voorpagina werd in beslag genomen door een foto van een glimlachende Marilyn Monroe in badpak, onder de kop: DOOD VAN STER EEN MYSTERIE.

Ik pakte de krant en bladerde hem haastig door, op zoek naar een bericht over mijn moeder. Kipper ging op de bovenste tree zitten en keek naar de weggegooide pagina's die voor mijn voeten dwarrelden. Bijna had ik het over het hoofd gezien, maar op pagina twaalf van het tweede katern zag ik mijn moeders naam in een klein artikel in de bovenhoek.

KOOLMONOXIDE EIST TWEE SLACHTOFFERS

De politie bevestigt dat twee vrouwen uit Vancouver, Lucille June Coulter en Marlene Agnes Telford, door een ongeluk om het leven zijn gekomen. Hun lichamen werden in de vroege uren van zondagochtend ontdekt aan boord van een zeiljacht in Coal Harbour. Ze zijn vermoedelijk aan koolmonoxidevergiftiging overleden. De eigenaar van het jacht, Jeremy Telford, directeur van Telford Galleries en echtgenoot van een van de slachtoffers, was niet bereikbaar voor commentaar.

Marlene Telford? Ik herinnerde me de gesprekken van de vorige dag, en dat papa het over 'zij' had gehad, maar dat was niet goed tot me doorgedrongen. De avond tevoren, toen ik wakker lag, had ik naar een reden gezocht, iemand om de schuld te geven, en ik was uitgekomen bij Marlene. Per slot van rekening was dat zeiljacht van haar man. Net toen ik, half verdoofd door deze nieuwe informatie, besefte dat Marlene dus ook dood was, zwaaide de voordeur open en knipperde Frankie tegen de felle ochtendzon. Zijn ogen waren rood en gezwollen, en hij zag eruit alsof hij de hele nacht niet had geslapen. Hij keek naar al die losse pagina's op de veranda. 'Je hebt de krant al gevonden,' zei hij.

Hij bukte zich om me te helpen alles bij elkaar te graaien. Onze poes, Ginger, kwam naar buiten en streek langs onze benen, met haar staart in de lucht. Kipper tilde haar op en begroef zijn neus in haar vacht. 'Heb je honger?' vroeg hij, terwijl hij opstond en haar naar de keuken droeg.

Ik volgde hem en Frankie naar binnen, maar bleef als aan de grond genageld staan toen ik mijn vader op de bank in de huiskamer zag liggen, onder de grijze reservedeken uit de linnenkast. Geschokt keek ik naar Frankie, maar hij stond al in de keuken, met zijn rug naar me toe, bezig om op de tafel de krant te fatsoeneren.

Kipper liep naar het aanrecht, vulde het etensbakje van de poes en liep met Ginger en het bakje naar de veranda aan de zijkant. Ik ging tegenover Frankie zitten. 'Waarom slaapt papa op de bank?' fluisterde ik.

Frankie haalde zijn schouders op. 'Hij kan die lege slaapkamer niet onder ogen zien, denk ik,' antwoordde hij, geconcentreerd op de krant.

'Frankie? Denk je dat eh...' stamelde ik, 'dat mama boos op me was? Dat het mijn s-s-schuld was?'

Frankie liet de krant uit zijn handen vallen. 'Nee, natuurlijk niet,' zei hij, en hij nam me onderzoekend op. 'Hoe kom je daar nou bij?'

'Papa zei... hij vroeg of ze problemen had. Ik dacht... dat ze misschien verdrietig kon zijn omdat ik Kipper niet meer overal mee naartoe nam...' Ik zweeg en slikte mijn opkomende tranen weg.

'Ethie, nee!' Hij knielde bij me neer totdat hij op ooghoogte met me was. 'Mam is... was vreselijk trots op jou. En op Kipper. Wat er is gebeurd heeft helemaal niets met jullie te maken. Het was gewoon een akelig ongeluk.' Hij spreidde zijn handen en ik liet me in zijn armen vallen.

'Maar waarom was ze op een boot met Marlene?' mompelde ik tegen zijn shirt, dat al vochtig was van mijn tranen.

'Misschien had ze even tijd voor zichzelf nodig, een gesprek met een vriendin. Ik weet het niet.' Hij zuchtte. 'We zullen er nooit achter komen. En als je er te lang over nadenkt, word je gek.'

Op dat moment keek ik over zijn schouder en zag ik tante Mildred door de open voordeur binnenkomen. Er kwam een zachtere blik in haar ogen toen ze ons zo samen in de keuken zag. Het volgende moment draaide ze zich naar de huiskamer. 'Howard!' hijgde ze.

Frankie liet me los en stond op. We stapten de huiskamer binnen toen papa net zijn deken van zich af schoof. Hij had nog dezelfde kleren aan als gisteren. Met een verwilderde uitdrukking op zijn gezicht zwaaide hij zijn voeten op de grond en kwam hij langzaam overeind.

Tante Mildred klakte met haar tong. 'Kijk nou toch,' zei ze, met een blik door de kamer. Overal stonden nog borden en glazen van de vorige avond – volle asbakken en lege drankflessen op het koffietafeltje. 'Wat zou jullie moeder wel hebben gedacht?' zei ze, en ze verdween naar de keuken.

'Ze zou hebben gedacht dat we haar missen,' zei Frankie tegen haar rug.

Tante Mildred liet haar schouders hangen. Ze haalde diep adem en duwde toen het raam open. 'Het stinkt hier,' mompelde ze.

Voor het eerst zag ik de stapels vuile borden in de gootsteen. Snel liep ik naar het aanrecht om de afwas te doen.

'Wie heeft je haar gedaan?' vroeg tante Mildred.

Ik bloosde, schuldbewust dat ik mevrouw Fenwick mijn haar had laten vlechten, en dat ik bij haar had gelogeerd en ontbeten.

Kipper kwam binnen door de zijdeur en gaf antwoord in mijn plaats: 'De moeder van Danny.' Trots voegde hij eraan toe: 'En we hebben wentelteefjes gemaakt.' Ginger sprong uit zijn armen en liep in een rechte lijn de keuken door. Met een hoge rug streek ze langs Mildreds benen.

Tante Mildred gilde en sprong achteruit. 'Vort!' siste ze, terwijl ze Ginger wegschopte.

Kipper ving de vluchtende poes op en verdween naar de woonkamer. Tante Mildred kneep haar lippen op elkaar. Ze legde haar tas op een stoel, kwam ook bij het aanrecht staan en begon de vuile glazen op te stapelen.

Frankie dook achter haar op. 'Alstublieft, tante Mildred,' zei hij, beleefd maar ferm, 'wij zullen wel afwassen.'

'Maar ik wil alleen...' Ze liet de borden weer in de gootsteen zakken en keek hem aan. 'Hoor eens,' zei ze, 'laten we gewoon proberen de eerste dagen door te komen. De begrafenis is op donderdag. Ik kwam kleren uitzoeken voor je moeder.'

'Dat kunnen wij wel doen,' hield Frankie vol.

Ze rechtte haar schouders, liep weer naar de tafel en pakte haar tas. 'Morgenochtend om tien uur kom ik terug,' zei ze. 'Dan ga ik met Ethie winkelen om nette kleren voor haar te kopen voor de dienst. Je vader staat erop dat ze meegaat.' Haar ogen gingen schichtig naar de huiskamer. 'Maar ik vraag me af of je vader nog in staat is om beslissingen te nemen.'

Frankie bracht haar naar de voordeur. 'Als iemand van jullie nog iets nodig heeft,' zei ze terwijl hij de deur voor haar openhield, 'maak dan een lijstje, dan kan ik het morgen halen.'

Frankie kuste haar op de wang. 'We redden ons wel, tante Mildred.' Maar terwijl hij het zei, herkende ik de leugen aan de vlakke klank in zijn stem en wist ik dat hij het zelf ook niet geloofde. Evenmin als ik. Hoe konden we het ooit nog redden?

Toen tante Mildred was vertrokken, ging papa op de rand van de bank zitten, met zijn hoofd in zijn handen en zijn vingers tegen zijn slapen gedrukt. Hij leek kleiner, op de een of andere manier verschrompeld, alsof een groot deel van hem met mijn moeder was verdwenen – en zo veel was er al niet van hem over. Ik dacht aan de woorden van mijn tante. Was dat wat ze had bedoeld toen ze zich afvroeg of mijn vader nog wel in staat was om beslissingen te nemen? Behalve in geldzaken was het altijd mijn moeder geweest die besluiten nam over de dagelijkse gang van zaken, mijn moeder die de problemen oploste. Nu ik mijn vader zo zag zitten, met zijn gedachten maar half bij ons, sloeg er een golf van paniek door me heen. Als hij haar niet meer had om hem overeind te houden, zou hij dan nog verder wegzinken in zijn stille wereld?

Kipper kwam naast hem op de bank zitten. Met zijn ene hand aaide hij Ginger, met de andere klopte hij mijn vader op zijn schouder. Ergens heel ver weg klonk een sissend geluidje, alsof er stoom uit een ketel ontsnapte. Het zwol aan, totdat ik het gepiep uit de buik van mijn vader herkende. 'Een souvenir uit de oorlog, dat zich in zijn darmen heeft verstopt,' zei mijn moeder, als hij weer zo'n aanval kreeg.

Hij hees zich overeind en rende naar de badkamer.

'Ik heb koffiegezet,' riep Frankie hem na.

Hij kwam weer de keuken in toen ik de bovenkant van het fornuis schoonveegde en pakte de koffiepot van het warmhoudplaatje. Met moeite hield hij zijn bevende handen onder controle, schonk zich een kop dikke, zwarte koffie in en liet zich op de stoel aan het einde van de keukentafel zakken.

Bij de gootsteen stond Kipper tot aan zijn ellebogen in het zeepsop. 'We doen de afwas,' verklaarde hij.

'Ja, ik zie het.' Papa probeerde te glimlachen. Hij nam een slok koffie en trok een pijnlijke grimas.

'Het spijt me, het is de eerste keer dat ik koffiezet,' zei Frankie, terwijl hij de tafel afnam.

'Ik heb het wel slechter geproefd,' zei mijn vader, en hij nam nog een slok om het te bewijzen. Toen zette hij de beker neer en pakte hij een pakje sigaretten van de vensterbank.

Frankie schoof een schone asbak over de tafel en ging aan de andere kant zitten. 'Pa?' zei hij, terwijl hij afwezig met de theedoek over steeds dezelfde onzichtbare vlek op het tafelblad wreef, 'heb je gehoord wat tante Mildred zei over eh... de kleren voor mama?'

'Nee.'

'Ze wilde iets uitkiezen. Ik heb gezegd dat wij het wel zouden doen.'

'Ja,' zei papa. 'Dat laten we niet aan je tante over.' Hij nam een diepe haal van zijn sigaret. Terwijl de rook langzaam uit zijn mondhoek kringelde, zei hij zacht: 'Het wordt haar groene jurk.' Hij staarde uit het raam.

Frankie wachtte even. Toen schudde hij zijn hoofd, schoof zijn stoel naar achteren en pakte een theedoek om af te drogen. In één ding had tante Mildred gelijk: we moesten proberen de eerste dagen door te komen. Gewoon doorgaan, hoe verdoofd we ook waren. En als iemand wist hoe dat moest, was het mijn vader wel. Hij was een meester-slaapwandelaar in het ontwijken van de hindernissen van het leven. Maar hij had altijd mijn moeder gehad om de weg voor hem vrij te maken.

De rest van de dag staarde hij uit het raam, terwijl mijn broers en ik zwijgend het huis schoonmaakten. Na de afwas nam ik overal stof af, terwijl Frankie en Kipper het gras in de voortuin maaiden. Later die avond, toen ik boven op mijn kamertje zat, hoorde ik Frankie naar buiten gaan, waardoor het huis nog leger aanvoelde. Ik stapte in bed, met de geur van citroenolie en azijn om me heen. Ik snoof diep, om me het luchtje van mama's schoonmaakspray voor de geest te halen, maar nog altijd kon ik haar gezicht niet oproepen. Ik huilde in mijn kussen totdat ik Kippers piepende ademhaling hoorde. Ik tilde mijn hoofd op en zag hem door mijn tranen heen naast mijn bed staan. Zijn kippenborst rees en daalde met elke moeizame ademtocht.

'Waar is je puffer?' vroeg ik, terwijl ik de tranen van mijn gezicht veegde.

Hij hapte naar adem, zocht in zijn zak en haalde zijn inhalator tevoorschijn. Hij stak het tuitje in zijn mond, klemde zijn ene hand om de capsule en hield met de andere iets omhoog. Toen hij weer uitademde, zei hij met verstikte stem: 'Om je haar gezicht te herinneren.'

Kipper ontging niets. Gisteren had ik geklaagd dat ik mama's gezicht niet voor me kon zien, en nu stond hij hier, met een foto van haar. Dankbaar ging ik rechtop zitten en stak mijn hand uit. Terwijl hij zijn medicijn inhaleerde, keek ik naar het kiekje van mama en Kipper, genomen in Marlenes hobbyshop.

Toen hij weer naar zijn kamer was, legde ik het fotootje onder mijn kussen en viel ik in slaap met in gedachten mama's glimlachende gezicht. De volgende ochtend, dinsdag, werd ik pas laat wakker. Heel even vergat ik dat alles nu anders was, maar toen kwamen alle pijnlijke herinneringen weer boven, alsmede het besef dat ik mijn moeders gezicht nooit meer zou zien, behalve op foto's.

Het geluid van de badkamerdeur beneden die open- en dichtging verbrak de stilte in huis. Ik kwam uit bed. In de huiskamer lagen papa's deken en hoofdkussen nog altijd op de lege bank. Achter de badkamerdeur hoorde ik water plenzen. In de keuken stond de koffiepot op het aanrecht. Iemand had gemalen koffie gemorst. Ik opende de koelkast en staarde naar de schappen met al dat eten van de buren. Honger had ik niet. Ik deed de deur weer dicht en ging aan de tafel zitten. Toen ik uit het raam keek, zag ik de auto van tante Mildred de straat in komen rijden.

Winkelen! Ik zou vandaag met haar gaan winkelen. Voordat ik overeind sprong, wierp ik een blik op het parkje aan de overkant. Het meisje dat ik gisteren bij de schommels had gezien stond op precies dezelfde plek naar ons huis te staren. Toen de auto van mijn tante voor onze deur stopte, liep het meisje weer door, over de stoep.

Achter me ging de badkamerdeur open. Mijn vader kwam de keuken binnen, liep in een soort trance naar het raam en keek naar buiten. Zijn gezicht verbleekte, alsof hij een geest had gezien.

12

Haar naam was Feng Shun-ling. Howard zag haar de ochtend na hun aankomst in Hongkong. Rusteloos na een nacht in een bewegingloos bed – gewend als hij was aan een hangmat – en een verdacht gekriebel dat hem midden in de nacht uit zijn slaap had gehaald, was hij al vroeg uit de veren. Buiten, in de kilte en eenzaamheid van de ochtendschemer, stak hij zijn eerste sigaret op van de dag. Ergens aan de overkant van de haven klonk het gerinkel van een eenzame belboei.

Hij leunde tegen het hek van het kamp en tuurde over de baai. Vissersboten met twinkelende lichtjes waren in flarden ochtendmist op weg naar zee. Beneden het kamp had het afnemend tij allerlei rommel achtergelaten op de slikken. De zilte geur van zeewier en verrotting zweefde met de vochtige lucht omhoog. Howard nam een haal van zijn sigaret toen hij achter zich iets hoorde schuifelen. Hij draaide zich haastig om en zag twee vrouwtjes, oud en krom, aan de andere kant van de omheining op de weg lopen. Gefascineerd volgde hij hun trage voortgang, op voetjes die te klein leken om zelfs het magerste lijfje te kunnen dragen. Achter hen doemden nog meer donkere gestalten uit de nevel op. Ze kwamen van alle kanten, een zwijgende, haveloze stoet mannen, vrouwen en kinderen. Toen ze het talud boven de baai hadden bereikt, negeerden ze de rollen prikkeldraad, glipten door onzichtbare gaten en verdwenen over de rand.

Op de magere gezichten van de mensen die het dichtst langs het hek schuifelden zag Howard de wanhoop van de honger – en dikwijls ook de apathie van het noodlot. Soms wierp iemand een begerige blik op de sigaret in zijn mondhoek. Instinctief zocht hij in zijn zak, maar hij besefte hoe zinloos het was om die paar overgebleven sigaretten in het pakje aan te bieden. Er waren gewoon te veel mensen. Uit schaamte over zijn eigen rijkdom tegenover deze bittere armoe liet hij zijn half opgerookte peuk vallen. Hij drukte hem uit onder zijn hak.

Omdat hij zich een indringer voelde in wat zich hier afspeelde, deed hij al een paar stappen achteruit. Toen zag hij de meisjes.

Arm in arm liepen ze over de weg. De jongste van de twee, leunend op de oudste, liep langzaam en met gebogen hoofd, alsof ze de zwarte linnen schoenen bestudeerde die ze droeg. Een man met een primitief soort spade liep beschermend met hen mee. Toen ze de plek naderden waar Howard stond, keek het jongste meisje op en zag ze hem. Ze slaakte een kreet van schrik, begroef haar gezicht tegen de schouder van de ander en klampte zich aan haar vast. Het langere meisje draaide haar ovale gezicht naar Howard toe en keek hem recht aan.

De grote bruine ogen die zich in de zijne boorden waren zo donker dat ze gitzwart leken in het ochtendlicht, net zo zwart als haar haar, dat in een strakke knot in haar lange, bleke nek was samengebonden en de onverwachte schoonheid van haar gezicht nog accentueerde. Net als haar metgezellen droeg ze een grijze tuniek met een wijde broek. De vormeloze kleren konden de scherpe hoeken van haar vermagerde lichaam niet verhullen, maar haar ronde wangen en volle lippen trotseerden de symptomen van de honger. Nog even keek ze Howard aan, voordat ze haar lange wimpers neersloeg. Ze trok het jongere meisje nog steviger tegen zich aan en mompelde iets geruststellends tegen haar toen ze hem passeerden.

Zodra ze het talud aan het einde van de weg hadden bereikt, zigzagde ze behendig tussen de rollen prikkeldraad door tot ze, als bij toverslag, aan de andere kant opdook. Daar hielp ze de anderen – haar zus en haar vader, wist Howard bijna zeker – door het prikkeldraad.

Hij wist dat hij stond te staren, maar hij kon zich niet losscheuren.

Het meisje keek even terug, alsof ze zich bewust was van zijn blik. Howard voelde zich een schuldige gluurder dat hij het naakte verdriet in haar donkere ogen zag voordat ze haar familie volgde over een verborgen pad.

Een paar minuten later verschenen ze op de moddervlakte beneden. Ze trokken hun linnen schoenen uit, bonden ze aan elkaar om hun nek en liepen op blote voeten langs de menigte die al bezig was met rapen. Toen ze voldoende afstand hadden tot de rest, waadden de meisjes door de ondiepe getijdepoelen en duwden ze het zeewier uiteen met stokken die ze onderweg hadden gevonden. Zo nu en dan bukte het oudste meisje en raapte ze iets op wat ze, met handenvol zeewier, in de katoenen tas op de rug van haar jongere zuster deed.

De man sjokte met hen mee, bleef soms staan en priemde met zijn spade in het zand. Toen hij opeens begon te graven, met een snelheid die Howard verbaasde, renden de twee meisjes naar hem toe om hem te helpen. Ze hurkten tegenover elkaar en schepten met hun blote handen het zand weg totdat de man een verborgen mossel uit het gat haalde. De kostbare vondst werd in de tas geborgen en ze liepen weer door.

Overal op de slikken waren mensen met hetzelfde werk bezig. Niets bleef er achter in het kielzog van dit rapende leger, behalve hun voetstappen in de modder en het gladde zand.

Howard kon zijn ogen niet losmaken van het langste meisje. Zelfs van een afstand was ze nog gemakkelijk te herkennen. Hoewel de meeste anderen dezelfde vormeloze kleren droegen als zij, bewoog ze zich op een manier die haar onderscheidde van de rest. In tegenstelling tot de anderen, die ineengedoken voortschuifelden en heen en weer renden, bang dat ze iets over het hoofd zouden zien, werkte zij systematisch. Ze hield haar hoofd gebogen en haar blik omlaag gericht, maar ze liep met de koninklijke houding van iemand die een beter leven gewend was.

'Waar kijk je naar?' Gordy's stem wekte Howard uit zijn mijmering.

Hij knikte naar het strand. 'Ze sterven van de honger.'

Gordy stak een sigaret op, en ze stonden zwijgend naast elkaar. Allebei hadden ze de honger van de crisisjaren meegemaakt, maar toch konden ze zich moeilijk een bestaan voorstellen dat zo schamel was dat zelfs zeewier als voedsel in aanmerking kwam. Ten slotte draaide

Howard zich om en liep hij terug naar de mess, nog altijd op onzekere benen, gewend aan de deining van de zee.

'Howie, wacht!' riep Gordy, en hij wees naar de barakken. 'Voordat we gaan eten moet ik je iets laten zien.'

Howard haalde zijn schouders op en liep met hem mee naar hun hut. Ze hadden geen haast. De pas gearriveerde troepen mochten het kamp nog niet uit.

In de barak liepen soldaten door elkaar heen in verschillende stadia van ontkleding.

'Moet je kijken,' zei Gordy, wijzend naar de legerbritsen met muskietennetten aan het einde van hun rij.

Howard herkende twee Britse soldaten die hij de vorige avond had ontmoet. Peter en Dick – hij kon zich hun achternamen niet herinneren – lagen in hun ondergoed, met de ogen dicht, alsof ze nog sliepen, terwijl twee oosterse mannen hun ingezeepte gezichten schoren. De vorige avond hadden de twee mitrailleurschutters van het Middlesex Regiment tegen hun nieuwe slapies opgesneden over de Aziatische bedienden die elke ochtend verschenen. Voor twee Hongkong-dollars per week, ongeveer zestig Canadese centen, deden ze alle klusjes: uniformen wassen, schoenen poetsen, bedden opmaken en scheren. Howard voelde een huivering terwijl hij toekeek hoe de barbiers vakkundig hun werk deden. Hij piekerde er niet over om ooit een andere hand dan de zijne met zo'n lang scheermes bij zijn keel toe te laten.

'Jullie leven hier als God in Frankrijk,' zei hij. 'Het lijkt meer een vakantiekamp dan een kazerne.'

'Ja, een betaalde vakantie naar het paradijs, man,' antwoordde de soldaat die Peter heette, met duidelijk sarcasme in zijn stem. 'Hongkong! Jullie zullen moeten wennen aan wat wij allang weten: dat er helemaal niets gebeurt op deze missie. Geen enkele kans om medailles te verdienen.'

Beide punten spraken Howard wel aan, hoewel hij dat niet hardop zou zeggen, zeker niet hier, in die drukke barak met tweehonderd Grenadiers die wanhopig verlangden naar actie. Toch vond hij dit zorgeloze leventje ook verontrustend. 'Denk je niet dat de Japanners zullen aanvallen?' vroeg hij.

Dick pakte de handdoek uit de handen van de barbier en veegde de zeepresten van zijn gezicht. 'Vergeet het maar.' Hij zwaaide zijn voeten op de grond en ging op de rand van zijn brits zitten, terwijl zijn bediende wegschuifelde. 'Dat zou een aanval betekenen op het hele Britse Rijk. Bovendien zijn die Japanners zo kippig als de pest. Ze kunnen niet in het donker vechten en hun piloten zijn te bijziend voor een duikbommenwerper. Nee, die kleine gele ettertjes zullen echt geen oorlog met ons riskeren.' Hij stond op en trok zijn short aan. 'We houden ze met verrekijkers in de gaten, langs de grens. Een haveloos zootje. Ze hangen wat slaperig in hun kamp rond, net zo hongerig als de vluchtelingen. Nee, van die lui hoef je geen problemen te verwachten.'

Zijn bediende kwam terug met een blad. Dick nam een kop thee en proostte met het groepje half aangeklede Grenadiers dat hem stond aan te gapen. 'Maar deze missie heeft ook zijn voordelen, dus waarom zou je er geen gebruik van maken?'

Later, bij het ontbijt, zaten de twee Britse militairen tegenover Howard en Gordy aan dezelfde tafel in de mess. Als hij zo hun gesprekken hoorde, voelde Howard meteen een verwantschap. Net als Gordy en hijzelf kwamen ze van het platteland en waren ze al dik bevriend sinds de lagere school. Ze waren ook samen in dienst gegaan, vastbesloten om bij hetzelfde regiment te komen. Maar anders dan Howard en Gordy, die uiterlijk totaal van elkaar verschilden, leken de soldaten Peter Young en Dick Baxter zo sterk op elkaar dat ze broers hadden kunnen zijn. Ze waren beiden tenger van postuur en niet langer dan een meter zeventig. Zelfs hun kapsel kwam overeen: kortgeknipt tot boven de oren, en wat woester op de kruin. Het enige verschil was de kleur. Peter was donkerblond, Dick rossig, passend bij de sproeten die bijna zijn hele, engelachtige gezicht bedekten.

'Ja, dat is vervelend,' zei hij, toen hij Howard verstrooid aan een plek op zijn arm zag krabben. 'Die beestjes zijn dol op de smaak van vers Canadees bloed.'

Onder het eten adviseerden ze hun Canadese ontbijtgenoten om hun brits uit elkaar te schroeven en de metalen onderdelen met petroleum in te smeren. 'Terwijl dat droogt, hang je je matras buiten in de zon,' zei Peter met een hap worst in zijn mond. 'Bedwantsen hebben de pest aan licht en warmte.'

Het tij kroop weer langzaam omhoog over de slikken toen ze uit de mess kwamen. Alles wat nog boven water lag was afgegraasd en het natte, gladde zand glinsterde in de opkomende zon.

Bij de achterdeur van hun barak bukte Gordy zich om aan zijn kuit te krabben. 'Laten we bij de foerier wat petroleum gaan halen voordat alles op is.' Toen hij zich oprichtte, verscheen de familie die Howard al eerder had gezien op het talud achter het kamp. Howard hoorde dat Gordy zijn adem inhield voordat hij, als gehypnotiseerd, naar de omheining liep. Met zijn handen tegen het hek riep hij: 'Hallo daar! Spreek je Engels?'

Het jongste meisje deinsde terug en verborg haar gezicht tegen de schouder van haar zus. De vader keek minachtend achterom en loodste zijn dochters haastig het pad af.

'Wacht!' riep Gordy. 'Ik wil alleen maar praten...' Zwijgend keek hij hen na.

'Geen probleem, man.' Peter dook naast Gordy op en sloeg een arm om hem heen. 'In de stad vind je snel genoeg een Suzie Q die graag met je wil praten.' Hij knipoogde tegen Howard. 'En niet alleen praten! Kom vanavond maar met ons mee, stelletje provincialen, dan zullen Dicky en ik jullie wegwijs maken. Je hoeft niet achter vluchtelingen aan te zitten om je te amuseren in Hongkong.'

Nadat ze de vorige avond en bijna de hele volgende dag in het kamp opgesloten hadden gezeten, stonden Howard en de rest van het regiment te trappelen om de lichtjes van de stad te gaan zien. Ze hadden een verlofpas voor vier uur. In de klamme hitte van de avond stapte hij voor het eerst in een riksja. Gordy en hij leunden naar achteren op het bankje van de draagstoel, die vervaarlijk kantelde toen de blootsvoetse koelie de lange houten dissels naar zijn heupen tilde en zich op een drafje in het drukke verkeer stortte. Peter en Dick gingen hen al vooruit.

Howard moest lachen om al die andere soldaten van de basis die hun koelies aanspoorden tot een wilde wedren over Nathan Road. De grijnzende Aziaten deden hun best en zigzagden behendig tussen de auto's, bussen en fietsen door, zonder zich iets aan te trekken van het getoeter en de scheldpartijen. Gordy boog zich naar voren en bood hun loper het dubbele bedrag als hij de riksja voor hen wist in te halen. Toen ze inderdaad als eersten bij de geldwisselaar arriveerden, betaalde hij de man vijfentwintig cent.

'Dat is dom,' zei Peter, die uit zijn riksja stapte. 'Zo'n ritje kost tien cent.'

'Ach, wat stelt een kwartje nou voor?' zei Howard, terwijl hij de koelie wegwuifde.

'Ja, maar zo verpest je het voor ons. Onze ponden hebben een andere wisselkoers dan jullie Canadese dollars.'

'Toe nou, man,' zei Gordy. 'Wat maakt het uit?'

'Het gaat erom wat ze gewend zijn.'

'Oké, oké,' zei Howard. 'Laten we nou maar geld wisselen, dan kopen wij het bier.'

'Ja, en dat kost ook tien cent. Geen cent meer, dus.'

'Al goed,' lachte Howard, en hij trok Gordy mee naar binnen. 'We zijn hier niet om de economie van Hongkong naar de knoppen te helpen.'

Even later kwamen ze weer naar buiten, grijnzend om de stapel geld die ze voor hun pokerwinsten hadden gekregen.

'Hou het uit het zicht,' waarschuwde Dick. 'Er lopen overal dieven en zakkenrollers rond. Maar je hebt gelijk: jullie mogen het bier betalen.'

Zelfs verdeeld over alle zakken van zijn uniform en de puttees boven zijn schoenen puilden Howards stapeltjes bankbiljetten nog zichtbaar uit. Voor het eerst van zijn leven ervoer hij de bedwelmende macht van het geld, met de onvermijdelijke angst het kwijt te raken. Terwijl ze hun zelfbenoemde gidsen door een labyrint van smalle straatjes en stegen volgden, controleerde hij voortdurend zijn zakken.

Het bruisende nachtleven van de kolonie overtrof alles wat hij ooit had meegemaakt. Zelfs Winnipeg, dat grote indruk op hem had gemaakt toen zijn ouders hem daar als jochie mee naartoe hadden genomen, viel erbij in het niet. Neonlichten met Engelse teksten en Chinese karakters knipperden boven de donkere gevels. Hoewel Kowloon exotisch had geleken toen ze er de vorige dag doorheen waren gemarcheerd, toonde de stad – zoals alle steden – 's avonds een veel smoezeliger gezicht. Nog altijd was het een drukte van belang in de klinkerstraatjes. Horden mensen bewogen zich vrolijk naar alle kanten, zonder enige aandacht voor de bedelaars die gehurkt hun hand uitstaken. De goten van de smalle stegen fungeerden als open riool en de geur van kruiden vermengde zich met de stank van afval en bederf. Slapende lichamen – die Howard eerst aanzag voor bundeltjes weggegooide kleren – lagen ineengerold in donkere hoeken. Vrouwen met glanzend zwart haar stonden in open deuren. 'Hé, wil je lekkers, soldaat? Plezier maken?' Het viertal werd achtervolgd door uitnodigingen. 'Vijftig cent voor even maar. Dollar voor langer.'

'Vanavond niet, schat,' riep Peter terug, en hij knipoogde tegen Gordy en Howard. 'Je moet geen risico's nemen. Er is een vent in het Sun Sun Café. Als je belangstelling hebt, heeft hij een catalogus met leuke, schone meiden. Allemaal onderzocht door een vooraanstaande legerarts – maar dat heb je niet van mij.'

'Ik ben getrouwd,' zei Howard.

'Ik niet,' lachte Gordy.

Na een kroegentocht, met een buik vol goedkoop bier, kwamen ze uit bij het Sun Sun Café en de Dance Parlour. Boven dansten Aziatische of Europees-Aziatische meisjes voor een dubbeltje met soldaten, matrozen of elkaar. Anderen zaten giechelend aan drukke tafeltjes of de bar. Felgekleurde zijden jurken, met een split tot aan de dij, vielen open over ivoorkleurige benen in verschillende poses. Geborduurde draken kronkelden zich omhoog naar strakke ronde kraagjes onder gepoederde, beschilderde gezichtjes.

De rokerige zaal stonk naar gemorst bier, wierook en te veel zwetende lijven. Muziek schetterde uit de Wurlitzer-jukebox in de hoek. Boven de herrie uit probeerden mannen in uniform de meisjes of elkaar aan de praat te houden. Aan het einde van de bar zat een groepje goedgeklede zakenlui, blanken en Aziaten, die zich duidelijk afzijdig hielden van de militaire clientèle.

Howard en Gordy staken achter hun nieuwe kameraden aan de drukke dansvloer over. Toen er bier was gebracht, leunden de vier soldaten naar achteren, met hun ellebogen op de bar en lieten ze hun blik door de zaal glijden.

Gordy zei iets, maar zijn woorden gingen verloren in het lawaai.

Howard legde zijn hand achter zijn oor. 'Wat?'

'Niemand van deze dames kan in de schaduw staan van die kleine Chinese pop die we vanochtend buiten het kamp zagen.'

Howard had misschien bezwaar tegen de woordkeus van zijn vriend, maar hij was het roerend met hem eens.

Toen Howard de volgende morgen wakker werd, was Gordy's brits verlaten en al keurig opgemaakt. Hij had een gevoel dat hij wist waar zijn vriend te vinden was. Hij stond op en kleedde zich aan. Afgezien van de bankbiljetten in zijn schoenen en zijn puttees, liet hij het grootste deel van zijn Hongkong-dollars in zijn plunjezak in zijn kastje achter. Blij om verlost te zijn van de petroleumstank die rond de metalen bedden hing, slenterde hij naar Gordy bij de omheining. Samen rookten ze een sigaret, terwijl ze naar de rapers op de slikken keken.

Aan het eind van de vorige avond was de ernst van de situatie onder de vluchtelingen hun pijnlijk duidelijk geworden. Toen ze uit het Sun Sun Café kwamen, stopte er een zware truck, een paar meter verderop. 'De kadavertruck,' mompelde Dick, toen er twee mannen uit de cabine sprongen. Met zwarte doeken voor hun mond en neus gebonden haalden de mannen iets uit een steegje wat Howard eerst voor een baal vodden hield. Ze gooiden het achter in de truck, waar het langs een groeiende stapel levenloze lichamen gleed. Toen pas besefte Howard dat de stank onder de exotische geuren van de stad, die lucht van verval en bederf, de stank van de dood moest zijn.

Hij rook het vanochtend ook, zelfs hier.

Howard liet Gordy bij het hek achter en liep naar de mess. Zijn eetlust was verdwenen, maar hij nam wel een kop koffie. Voordat hij vertrok, pakte hij de drie hardgekookte eieren van zijn blad en stak ze in zijn zakken.

De rapers kwamen met de opkomende vloed weer terug van de slikken toen hij naar de omheining liep. Gordy stond er nog steeds en tuurde naar de gezichten van de vluchtelingen. Howard bleef naast hem staan, maar bijna zagen ze haar over het hoofd. Nadat ze door de versperring bij het talud waren geglipt was de familie helemaal aan de andere kant van de weg gebleven. Ze waren al voorbij toen Gordy hen in de gaten kreeg. 'Wacht! Wacht!' riep hij, en hij stak zijn hand, waarin hij drie snoeprepen hield, door de omheining. 'Kijk. Chocola. Voor jullie.'

De meisjes liepen snel door, maar hun vader leek te aarzelen. Gordy trok zijn hand terug en rende met hen mee langs het hek totdat hij een voorsprong had. Toen stak hij de repen weer door het hek en riep: 'Hier. Hershey-repen voor jullie. Neem ze maar, alsjeblieft.'

De man bleef staan. Gordy vatte moed en stak nu ook zijn andere hand door de spijlen. 'Ik ben Gordy Veronick. Aangenaam,' zei hij, met zo'n brede grijns dat Howard ervan overtuigd was dat zelfs de meest achterdochtige geest hem niet zou kunnen weerstaan.

De man kwam naar het hek toe, en tot Howards verrassing schudde hij Gordy's hand. 'Mijn naam is Feng Guo-ren,' zei hij. Howards verbazing nam nog toe nu de man Engels bleek te spreken. 'Dank u wel voor dit cadeau.' Hij griste de repen uit Gordy's hand en liep achter zijn dochters aan.

'Nee! Wacht!' riep Gordy. 'Ik wil met jullie praten. Ik wil uw dochter vragen...' Verslagen keek hij de familie na, die zich haastig uit de voeten maakte. 'Jezus, ik wilde haar alleen mee uit vragen. Naar de film.'

Howard stak hem de eieren toe. Gordy pakte ze grijnzend aan en rende weer langs de omheining. Hij haalde de familie in, bleef op gelijke hoogte met hen en hield hun de eieren voor totdat hij bij de hoek van de afrastering kwam, aan de rand van het kamp.

Net toen Howard zeker wist dat het tijdverspilling was geweest, bleef de vader weer staan. Hij liet de meisjes aan de andere kant van de weg achter en liep naar het hek. Er ontstond een druk gesprek. Howard kon het niet verstaan, maar het duurde een paar minuten. Ten slotte verwisselden de eieren van eigenaar, door de opening in de omheining. De man liep naar zijn dochters terug. Hij sprak even met het oudste meisje, dat naar het hek kwam. Nu volgde een kort gesprek tussen haar en Gordy, voordat ze knikte en terugliep naar haar zusje en haar vader.

Gordy bleef roerloos achter en keek hen na toen ze over de weg verdwenen. Ten slotte propte hij zijn handen in zijn zakken en liep hij met gebogen hoofd en kromme schouders naar de barakken terug.

Howard rende hem achterna. 'Nou? Gaat ze met je naar de film?' vroeg hij. Hij had moeite de jaloezie in zijn stem te verbergen.

Gordy knikte en liep door, ongewoon zwijgzaam voor zijn doen.

'Nou eh... geweldig toch?' zei Howard tegen zijn rug.

Gordy bleef staan en draaide zich om. Zijn gezicht was een masker van verontwaardiging. 'Jezus, Howie,' zei hij met verstikte stem. 'Hij heeft haar aan me verkocht. Niet te geloven. Hij heeft me de diensten van zijn dochter verkocht voor drie Hongkong-dollars per week!'

13

Op dinsdag, vroeg in de middag, kwamen tante Mildred en ik terug van het winkelen. Ze haalde de draagtassen van Woodward's van de achterbank van haar auto, terwijl ik naar onze voordeur rende. De warme zomermiddag rook naar vers gemaaid gras en de duizendschoon die onder onze voorramen bloeide. Ik snoof de geur op van mams lievelingsbloemen en de zware steen landde weer met een klap in mijn maag.

Binnen stond Frankie tegen de keukenmuur geleund, met zijn rug naar ons toe. Hij sprak zachtjes in de telefoon. Kipper zat aan de tafel met zijn verfpotten en schilderspullen voor zich uitgestald. Hij keek op van de tekening waar hij mee bezig was en zag me. 'Ethie!' riep hij. Hij liet zijn penseel vallen, sprong overeind, sloeg zijn armen om me heen en legde zijn hoofd tegen mijn schouder. 'Ik heb je gemist.'

Tante Mildred zuchtte en vroeg: 'Waar is je vader?'

Frankie draaide zich bij de telefoon vandaan en gebaarde naar de woonkamer. Hij wist dat ze het niet aan Kipper had gevraagd. Ze richtte zelden het woord tot hem. Meestal praatte ze langs hem heen alsof hij niet eens in de kamer was. Dat had mijn moeder mateloos geërgerd. 'Praat niet over Kipper alsof hij er niet bij is,' zei ze, als iemand die fout maakte in haar aanwezigheid. Tante Mildred had zich er echter nooit iets van aangetrokken. Als ze rechtstreeks tegen Kipper sprak, was dat meestal om hem een standje te geven. Nog de vorige week had hij met mama op de veranda gestaan toen haar zuster vertrok. 'Doe je mond dicht, Christopher,' zei tante Mildred. 'Zo vang je vliegen.'

Hij keek haar grijnzend aan. 'Omdat ik een grotere tong heb dan andere mensen,' zei hij, met een eerlijkheid die je alleen van Kipper kon verwachten. 'En ik heb een extra chromosoom,' voegde hij er trots aan toe.

Mama lachte. 'Dat is grootspraak,' zei ze, en ze legde haar arm om zijn schouder.

Alles wat ze ooit over het downsyndroom te weten was gekomen had mijn moeder aan ons verteld, en – nog belangrijker – aan Kipper zelf. Ze wilde dat hij 'gewapend' zou zijn met informatie, zoals ze het uitdrukte. En aan haar glimlach die dag, toen mijn tante geïrriteerd vertrok, wist ik dat ze haar inspanningen beloond zag. Later hoorde ik haar tegen papa zeggen dat de waarheid had gewonnen in die discussie met haar zuster.

Mijn moeder deed nooit alsof Kipper net zo was als iedereen. Ze vond dat hij de verschillen moest weten. Geen beperkingen, zei ze, alleen verschillen. Toen hij oud genoeg was voor de eerste klas van de lagere school, weigerde ze de excuses van de autoriteiten te accepteren waarom hij niet tot de school kon worden toegelaten. Van 1954 tot 1958 werd ze voortdurend van het kastje naar de muur gestuurd als ze hem weer wilde inschrijven. Het schoolbestuur liet het over aan het schoolhoofd, het hoofd aan de docenten.

'Hij zal nooit leren lezen en schrijven,' zei de ene na de andere onderwijzer tegen haar. 'We zouden een kinderoppas voor hem zijn, meer niet. En dat is niet eerlijk tegenover de andere kinderen in de klas.' Ze waren vooringenomen, zei mijn moeder beschuldigend. Ze sloten zich af voor ieder argument, nog fanatieker dan de school zijn deuren voor Kipper sloot. Geen moment overwogen ze de mogelijkheid dat de andere kinderen misschien iets van hem konden leren.

Dus gaf mama hem zelf maar les. En samen bewezen ze hun gelijk. Toen hij tien was, kon Kipper wel degelijk lezen – niet vloeiend, maar hij herkende heel veel woorden. En hij kon ze ook schrijven. Maar schilderen kon hij toch het best. Hij schilderde vooral huizen, in alle vormen en maten. De huizen in onze buurt waren misschien identiek, maar in Kippers heldere waterverftekeningen leken ze stuk voor stuk de gezinnen te belichamen die er woonden. Het was alsof ze elk moment konden gaan ademen, vooral ons eigen bruine huis van twee verdiepingen. De ramen van de huiskamer en de keuken aan weerszijden van de voordeur waren als ogen onder het voorhoofd van het steile dak. De deur en de drie treetjes van de veranda leken op een mond, en de opengeslagen ramen aan de zijkant van de bovenverdieping deden aan oren denken. Hij schilderde ons huis in verschillende kleuren, afhankelijk van zijn stemming en het seizoen. Marlene, die dol was op zijn aquarellen, lijstte ze allemaal in en had er een paar opgehangen bij haar laatste expositie. Twee ervan waren zelfs verkocht. Om die meevaller te vieren had Kipper ons allemaal mee uit eten genomen bij de King's Drive Inn aan Kingsway voor hamburgers en milkshakes, mijn vaders lievelingsmaal na een broodje sardines.

Kipper ging door met schilderen en Marlene met inlijsten. We hadden bijna geen vrije plek meer aan onze muren. Ik had zelfs een van zijn schilderijtjes – ons huis in verschillende tinten roze – boven mijn bed hangen. Tante Mildred zei nooit iets over al die kunst bij ons thuis en negeerde nu ook de aquarel waar mijn broer aan bezig was toen ze naar de huiskamer liep om met mijn vader te praten.

Ik bleef in de keuken en keek over Kippers schouder toen hij weer ging zitten. Tot mijn verbazing zag ik niet het begin van een volgend huis, maar een stralend blauwe hemel met allemaal verschillend gevormde wolken. 'Wat nou? Waar is het huis?'

'Mama woont niet meer in een huis,' zei hij. Aan zijn toon hoorde ik dat hij probeerde dapper te blijven. 'Ze woont nu in de hevel.'

Ik kreeg een brok in mijn keel en moest slikken. Daarmee verdween ook de neiging zijn uitspraak te verbeteren.

Op dat moment hoorde ik mijn tante tegen mijn vader zeggen dat ze mams kleren voor het rouwcentrum zou meenemen. Frankie hoorde het ook. Hij nam snel afscheid van wie hij ook aan de telefoon had, hing op en liep haastig langs ons heen. Ik deed een stap opzij om in de huiskamer te kunnen kijken. Mijn tante stond bij de televisie in de hoek, met haar armen over elkaar, wachtend op een antwoord van papa, die ineengedoken in zijn stoel zat. Hij opende zijn mond, maar bedacht zich weer. Frankie kwam naast hem staan. 'Dat regelen wij wel, tante Mildred,' zei Frankie.

'Maar...'

'Ik had Forest Lawn net aan de lijn,' zei hij. 'De lijkschouwer geeft het lichaam vrij...' Hij zag dat ik stond te kijken. 'Pa en ik gaan morgen naar het rouwcentrum. Dan nemen we alles mee wat nodig is.'

'Goed dan. Laat me weten hoe laat, dan zie ik jullie daar.'

'Bedankt,' zei Frankie. 'Maar ik vind dat we eerst samen moeten gaan.'

'O, nou... Ik...' sputterde ze. Maar toen kreeg ook zij me in de gaten. 'Ethie, breng je nieuwe kleren maar naar je kamer,' zei ze, en ze hield de draagtassen omhoog. 'En neem je broer mee,' voegde ze eraan toe toen ik ze aanpakte. 'Ik moet met je vader praten.'

Teleurgesteld dat hij niet door kon gaan met schilderen stampte Kipper achter me aan de trap op. Op mijn kamer gooide ik de draagtassen in een hoek. 'Mary Jane-schoenen heeft ze voor me gekocht!' jammerde ik toen hij binnenkwam. 'Babyschoenen met snoezige babysokjes. En witte handschoenen!'

Kipper keek naar de tassen.

'Die trek ik echt niet aan,' zei ik pruilend, en ik liet me op mijn bed vallen.

Toen, net zo duidelijk als wanneer ze in mijn kamer zou hebben gestaan, hoorde ik mijn moeders stem, die zei: 'Straks poept er een vogeltje op je lip.' Ik zoog mijn onderlip naar binnen. De laatste keer dat ik haar die stomme uitdrukking had horen gebruiken was nog maar een week geleden, toen ik een van mijn lievelingsschoenen was kwijtgeraakt bij Trout Lake. Dat kleine, drassige meertje lag maar tien minuten rijden van ons huis. Mama bracht ons er op warme dagen vaak naartoe om af te koelen. De laatste keer was de dag voordat het begon te regenen. Toen we na het zwemmen bij onze deken terugkwamen, zag ik dat mijn handdoek en een van mijn schoenen weg waren. Mijn moeder troostte me toen ik huilde om de verloren sportschoen. Die geruite sneakers met gele veters waren mijn favoriete schoenen – mijn enige schoenen, op een paar oude, versleten canvasgympen na. We zochten overal, maar er was niets te vinden. De schoen lag ook niet bij de gevonden voorwerpen in het strandhuis. Toen we onze spullen pakten om naar huis te gaan zei mijn moeder dat ik de overgebleven schoen op de plank in de kleedkamers moest achterlaten. 'Waarom?' vroeg ik.

'Dan vindt degene die de andere heeft meegenomen hem misschien,' zei ze. 'Het heeft weinig zin dat er twee mensen rondlopen op maar één schoen.'

De hele weg naar huis zat ik te pruilen. In gedachten hoorde ik nog hoe mam me probeerde op te vrolijken met haar dreigement over die vogelpoep. Maar het was niet mams stem die ik hoorde. Kipper plaagde me, met háár woorden. Ik draaide me opzij en zag zijn grijnzende gezicht. Terwijl de volwassenen beneden zachtjes praatten, gingen Kipper en ik op de rand van mijn bed zitten en keken we naar mams foto.

De dagen tot aan de begrafenis hield ik dat kiekje bij me en ik haalde het iedere keer tevoorschijn als ik haar gezicht begon te vergeten. Maar wat ik ook deed of waar ik ook was, ik kon nergens anders aan denken dan dat ik mijn moeder kwijt was. Zonder haar leek ons huis zo vreemd stil. Iedereen die eten kwam brengen of met papa in de huiskamer zat te praten sprak zachtjes of fluisterde. Zelfs de telefoon, die om de paar minuten ging, leek zachter te rinkelen. Het grootste deel van de tijd was ik bezig met schoonmaken om het huis netjes te houden, uit angst dat tante Mildred onverwachts zou binnenkomen en weer kwaad zou worden op mijn vader.

Ik denk dat Kipper net zoiets dacht. Op woensdag, de dag voor de begrafenis, stond ik aan het einde van de middag in de keuken om een van die eindeloze ovenschalen schoon te schrobben voordat ik hem naar de buren terugbracht, toen ik Kipper hoorde schreeuwen, gevolgd door een explosie van voetstappen, op weg naar de kelderdeur. Ik had mijn vader nog nooit zo snel zien reageren. Hij gooide de deur open en stormde de trap af, met Frankie en ik op zijn hielen. We hielden halt bij de bocht in de trap, waar papa bleef staan, starend naar Kipper, die van top tot teen met zeepsop was bedekt. Het droop van zijn armen en hij had grote ogen van paniek. De wasmachine achter hem produceerde steunend en kreunend de ene witte golf na de andere. De hele vloer was bedekt met schuim, tot boven de onderste tree van de trap. Luchtbellen zweefden door de kelder. Een grote klodder schuim was op Kippers hoed terechtgekomen en lag daar als een pompon. Boven hem, op de vensterbank, zat Ginger, die alles in de gaten hield.

Frankie rende naar de wasmachine om de stekker uit het stopcontact te trekken. Papa en ik renden achter hem aan. Wadend door de zee van schuim onderdrukte mijn vader een hoestbui, die overging in een lach. Achter de wasmachine begon ook Frankie te grinniken. Kipper keek van hem naar papa, en de paniek op zijn gezicht maakte plaats voor een grijns. 'Oeps,' zei hij. 'Te veel belletjes.'

Papa en Frankie kregen de slappe lach. Ik stond er zwijgend en overdonderd bij, totdat Kipper het schuim op zijn armen naar me toe slingerde. Het volgende moment graaiden we allemaal het zeepsop van de vloer en bekogelden we elkaar met klodders schuim, terwijl de tranen over onze wangen biggelden.

Toen we eindelijk weer bij onze positieven kwamen, waren we doorweekt en schuimend. We begonnen de kelder schoon te maken, terwijl Kipper vertelde dat hij had willen helpen door de was te doen. 'Hoeveel waspoeder had je erin gedaan?' vroeg Frankie.

Kipper wees naar de plank boven de wasmachine, waar een groot pak Tide op zijn kant lag. 'Eentje maar,' zei hij trots. 'Dat las ik op de achterkant.'

'Eén bekertje?' vroeg Frankie.

'O,' zei Kipper, en het drong langzaam tot hem door. 'Nee. Eén pak.'

Het opruimen van Kippers goedbedoelde troep was eigenlijk wel leuk, waarschijnlijk omdat we nu samen iets te doen hadden en even ergens anders aan konden denken dan aan mama. Een deel van de tranen die we vergoten was natuurlijk om haar, maar toch konden we een moment ons verdriet vergeten.

Totdat tante Mildred boven aan de trap verscheen en alles bedierf.

14

'Dat is nou precies wat ik bedoelde,' zei Mildred tegen Howards rug,
toen hij bij de gootsteen stond om het plakkerige schuim van zijn handen te wassen. 'Hoe kun jij in vredesnaam voor deze kinderen zorgen
als je weer aan het werk gaat?' *Want het lukt je nu al niet.* Hij hoorde
de onuitgesproken beschuldiging in haar stem, net zo duidelijk als
wanneer ze het hardop zou hebben gezegd. Hij droogde zijn handen
aan een theedoek en draaide zich naar haar om. Zijn schoonzuster
leunde tegen de tafel alsof ze zich schrap zette en sloeg haar armen
over elkaar. Haar zwarte tas bungelde aan haar pols. Ging die vrouw
nooit zitten hier in huis?

'Het is maar zeepsop,' zuchtte hij.

'Nu wel, ja,' zei ze. 'Maar de volgende keer kan het wel brand zijn,
of...' Ze hield een hele tirade over alle rampen die konden gebeuren
door maar één moment van onoplettendheid. Haar woorden regen
zich aaneen tot een monotone klaagzang, terwijl Howards blik naar
het raam achter haar dwaalde.

Sinds gisterochtend had hij voortdurend naar buiten gekeken om te
zien of het spookbeeld dat de vorige dag in het parkje was opgedoemd
opnieuw zou verschijnen. Het kon gewoon niet waar zijn. Begon hij
te hallucineren? Of achtervolgden zijn nachtmerries hem nu ook al
overdag? Er was niet genoeg alcohol in de wereld om zijn schuldgevoel
te kunnen verdrinken.

'Luister je wel, Howard?' sneed haar schrille stem door zijn gedachten.

Hij dwong zichzelf haar aan te kijken en zich te concentreren op
haar gezicht.

'Hoor je me?' herhaalde ze. 'Ik vroeg je wat je plannen waren.'

'Ik weet het niet,' zei hij langzaam. Hij wist eigenlijk niets meer. Zijn
wereld was een chaos van verwarde vragen en beelden, denkbeeldig
of reëel.

'Nou, denk er dan over na. En snel.'

Terwijl ze sprak, voelde Howard een doffe pijn opkomen tussen zijn schouderbladen, via zijn ruggengraat tot onder in zijn nek. Een brandende paddenstoel van pijn explodeerde in zijn schedel. Als uit eigen beweging gingen zijn handen omhoog om zijn bonzende slapen te masseren, terwijl hij naar de gele linoleumvloer voor zijn voeten staarde. Van beneden klonk Kippers plotselinge, luide lach, gevolgd door Ethies gedempte reactie. De kelderdeur in de gang ging open en dicht. Howard tilde zijn hoofd op en vroeg zacht: 'Moeten we daar echt nu over praten?'

Mildred liet haar handen zakken en verplaatste haar tas naar haar andere arm. 'Ik wil er geen punt van maken voordat mijn zuster nog in haar graf ligt, maar herinner je je wat we gisteren hebben besproken? Heb je al over mijn voorstel nagedacht?'

Ja, Howard herinnerde het zich. Hij wist wat ze wilde.

'Denk erover na, Howard,' zei ze nog eens. 'Ze is bijna een tiener, een jonge vrouw. Wie moet haar door die jaren heen loodsen? Wie moet haar eerste beha met haar kopen? Haar vertellen over de veranderingen in haar lichaam? Jij? Frankie?

'En Christopher dan?' ging ze verder, zonder op een antwoord te wachten. 'Er zijn plekken voor kinderen zoals hij: instellingen, speciale scholen, waar ze goed voor hem kunnen zorgen en hem bescherming kunnen bieden. Heus, daar had hij al veel eerder naartoe moeten gaan. Maar nu Lucy er niet meer is... Nou ja, je hebt gewoon geen keus.'

'We redden ons wel,' zei Frankie, die de keuken binnen kwam.

'Hoe dan?' Mildreds stem klonk duidelijk vriendelijker toen ze zich tot haar neef richtte.

'Pa kan nog een paar weken vrij nemen, en daarna neem ik zelf vakantie op,' zei Frankie. 'Verder zien we wel. Misschien kunnen we wisseldiensten nemen bij de fabriek, ik weet het niet. We bedenken wel een oplossing.'

'Geef je je avondschool dan op?'

'Een tijdje.'

Ze draaide zich om naar Howard. 'Vind jij het goed dat je zoon dat doet, uit een misplaatst gevoel van loyaliteit?' vroeg ze hem. 'Wijs je ons aanbod af om zijn universitaire studie te betalen? Wil je dat hij de rest van zijn leven op een fabriek moet werken?'

'Dat is pa's beslissing niet,' viel Frankie haar in de rede met een waarschuwende klank in zijn stem.

'Het is een zinloos offer dat hij brengt, Howard,' hield Mildred vol. 'Als Ethie bij ons komt wonen en Christopher naar een instelling gaat, is Frankie niet langer gebonden. Ons aanbod geldt nog steeds. Je hoeft alleen maar ja te zeggen.'

Howard schudde zijn hoofd in een poging het spinrag – of Mildreds woorden – te verdrijven. Het vreemde was dat haar zakelijke redenering niet helemaal onlogisch klonk. 'Geef ons wat tijd,' zei hij vermoeid. 'Ik zal erover denken. We praten er nog over. Maar niet nu.'

'Goed,' zei Mildred. Toen stak ze haar hand in haar tas, waar ze een bruine envelop uit haalde. 'Dit is informatie over speciale scholen en instellingen in de stad.' Ze legde de envelop op tafel. 'En dit...' Weer zocht ze in haar tas. 'Sidney heeft wat relaties aangesproken en een kopie van het voorlopige rapport van de lijkschouwer gekregen.' Ze keek naar de witte envelop. 'Ik mocht hem niet openmaken van Sidney. Het is jouw beslissing of je ons wilt vertellen wat erin staat.' Met tegenzin hield ze hem omhoog. 'Ik hoop dat je dat zult doen.'

Omdat Howard geen aanstalten maakte de envelop aan te pakken, legde ze hem op de andere. 'Als je eraan toe bent,' zei ze.

Toen Frankie de voordeur achter haar had gesloten, kwam hij naar Howard toe. 'Je bent toch niet van plan om...'

Howard kreeg een droge mond. Hij slikte. 'Ik weet het niet,' mompelde hij. 'Ik weet het gewoon niet.' Hij liep naar de tafel, pakte de twee enveloppen bij de punten op, alsof ze elk moment in brand konden vliegen, en verdween de keuken uit.

Achter hem slaakte Frankie een ingehouden vloek.

In de gang gekomen zette Howard zich schrap bij de slaapkamerdeur. Steeds als hij daar naar binnen moest, overviel hem hetzelfde, wurgende verdriet. Hij kon zich er nog steeds niet toe brengen in hun bed te slapen. Ten slotte haalde hij diep adem en opende hij de deur. Binnen dansten stofjes in het zonlicht dat door een kier in de gordijnen naar binnen stroomde. Iemand had het bed opgemaakt, maar Lucy's spullen lagen nog steeds door de kamer verspreid en ook haar luchtje hing er nog.

Als door een mijnenveld sloop Howard naar zijn kleerkast, waar hij de bovenste la opentrok. Hij gooide de enveloppen op de andere paperassen daar en schoof de la weer dicht. Met zijn hand nog op de knop bleef hij een moment roerloos staan voordat hij zich bedacht. Hij opende de la, haalde de bruine envelop met informatie over instellingen voor Kipper eruit en scheurde hem doormidden zonder de inhoud zelfs maar te lezen. De helften scheurde hij nog eens in tweeën voordat hij ze in de la liet terugvallen.

Toen pakte hij de witte envelop. Hij draaide hem om in zijn handen, aarzelde even, maakte hem voorzichtig open en haalde het rapport van de lijkschouwer eruit. De gedempte geluiden in huis en het tikken van de wekker op het nachtkastje verdwenen naar de achtergrond toen hij het rapport een paar keer doorlas en het technische jargon probeerde te begrijpen.

Verrassend was het allemaal niet. Alles leek precies zoals de politie had gedacht. De conclusie van de lijkschouwer luidde: 'Dood door ongeval, veroorzaakt door een gebrekkige verbranding binnen een defecte petroleumkachel, waardoor de vorming van koolmonoxide is ontstaan...' Maar één enkel zinnetje in het rapport staarde Howard aan. 'Het alcoholpercentage in het bloed van het slachtoffer was dermate hoog dat zij vermoedelijk al bewusteloos was op het moment dat de dood intrad.'

Hoewel het rapport tot de verwachte conclusie kwam, was Howard niet voorbereid op de verpletterende klap van die onpersoonlijke woorden. Lucy dronken? Onvoorstelbaar. Hij ging op het krukje zitten, steunde zijn hoofd in zijn handen en drukte zijn handpalmen tegen zijn gesloten ogen. Toen hij ze weer weghaalde, zag hij door de sterretjes heen dat er iets uit de onderste la van Lucy's toilettafel stak. Hij boog zich naar voren, pakte het stukje papier en staarde er even naar voordat hij besefte wat het was. Langzaam trok hij de hele la open, waarin hij een omgevallen schoenendoos vond. De halve inhoud van de doos, een chaos van krantenknipsels, net als het knipseltje in zijn hand, lag verspreid over de keurige stapeltjes briefpapier op de bodem van de la. Hij pakte een handvol op. Typisch Lucy. Het was een gewoonte, bijna een obsessie, van haar om stukjes uit de krant te knippen, die ze besprak met iedereen die maar geïnteresseerd was. Bijna elke avond, als Lucy de krant eerder te pakken kreeg dan hij, vond Howard gaten in zijn *Daily Province*. Maar deze knipsels leken niet recent. Ze waren vergeeld en bros van ouderdom. Hij liet ze vallen, pakte nog een handvol en las ze door. Ze kwamen allemaal uit de oorlog. Waarom had hij die nooit eerder gezien? Waarom had zij zich heimelijk vastgeklampt aan deze band met een verleden dat hij juist wilde vergeten? Had Lucy ze al die tijd bewaard, hopend op een dag die nu nooit meer zou komen – de dag waarop hij eindelijk in staat zou zijn die verloren jaren met haar te delen?

Ze had het geweten. Natuurlijk had ze geweten dat hij was teruggekomen met iets veel ergers dan die latente parasiet in zijn ingewanden. Toch had ze hem in al die jaren nooit onder druk gezet, nooit gevraagd wat er precies was gebeurd. Hij kneep zijn ogen dicht. God, waarom had hij haar de waarheid niet verteld?

De slaapkamerdeur ging open. 'Papa?' riep Ethie.

Hij schrok en liet iets op de grond vallen. Haastig propte hij de rest in de la en bukte zich om het gevallen papiertje op te rapen. Voordat hij het teruglegde, zag hij dat het geen krantenknipsel was, maar een vergeeld telegram – een telegram van eenentwintig jaar geleden, waarin zijn veilige aankomst in Hongkong werd gemeld.

15

19 NOVEMBER 1941: HONGKONG

```
19 NOVEMBER 1941 17:46
MW. LUCY COULTER
455 VINE ST
VANCOUVER BC CANADA

VEILIG EN GOED AANGEKOMEN / BRIEF VOLGT / VEEL LIEFS.

HOWARD
```

Howard las het veel te korte bericht nog eens door. Een telegram naar huis was onderworpen aan strenge beperkingen. Hij zette zijn handtekening op de achterkant en gaf het aan de klerk, die even knikte. De volgende soldaat stond al te dringen.

Buiten het telegraafkantoor wachtte Gordy hem ongeduldig op. Hij schuifelde ongedurig met zijn voeten, zonder zich er zelf van bewust te zijn.

Howard rende de trappen af. 'Klaar,' zei hij, en hij zag de opluchting in de ogen van zijn vriend. Hij was nogal verbaasd geweest toen Gordy hem had voorgesteld om die avond mee te gaan. 'Ik ben vaak genoeg achter jou en Lucy aangesjokt,' argumenteerde hij, alsof het een schuld was die Howard moest inlossen. Maar hij hoorde ook de smekende klank in de stem van zijn vriend. Gordy, die zenuwachtig was voor een afspraakje met een meisje? Hij zou het niet hebben geloofd als hij het niet met eigen ogen had gezien. Howard kende zijn jeugdvriend bijna niet terug. Waar was de stoere, brutale kwajongen met wie hij was opgegroeid? Op school waren ze onafscheidelijk geweest, totdat hij en Lucy verliefd op elkaar werden. Opeens besefte Howard dat hij nu zelf meemaakte hoe het voelde om buitenstaander te zijn.

Ze sloten zich aan bij de gestage stroom mensen op weg naar de pier van Kowloon. Aan het begin van Nathan Road staken ze haastig de brede laan over, zigzaggend tussen bussen en toeterende auto's door. In zijn achterhoofd vroeg Howard zich af of het meisje wel zou komen opdagen. Misschien had haar vader de chocola en Gordy's drie dollar aangepakt om vervolgens met zijn dochters in de menigte te verdwijnen. Dat zou heel begrijpelijk zijn.

Omdat Gordy zich zo boos maakte dat een vader zomaar de diensten van zijn dochter verkocht, had Howard hem eerder die avond gevraagd waarom hij dan akkoord was gegaan. 'Je denkt toch niet dat ik haar in handen van een andere klootzak wil laten vallen?' snauwde Gordy. Maar de rest van de dag had Howard gevoeld hoe nerveus zijn vriend was.

Toen ze de rij passagiers naderden die op de Star-veerboot stonden te wachten merkte Howard dat hij zelf ook zenuwachtig begon te worden. Opeens voelde hij met Gordy mee. Maar daar stond ze, bij het hekje, met opgeheven hoofd en haar handen gevouwen over een schoner exemplaar van de tuniek die ze ook op de slikken had gedragen. Haar haar was niet langer naar achteren gebonden, maar hing nu los in een ebbenhouten waterval die haar ovale gezicht en donkere ogen omlijstte. Ze keek een beetje verbaasd – heel even maar – toen ze hen zag aankomen. Howard vroeg zich af of ze zich verwonderde over zijn aanwezigheid, maar ze zei niets toen ze voor haar bleven staan.

Weer schuifelde Gordy zenuwachtig met zijn voeten toen hij haastig Howard aan haar voorstelde. Het meisje knikte zwijgend. Ze reageerde niet positief of negatief toen Gordy zijn hand omhoogbracht en weer liet zakken, aarzelend of hij de hare moest pakken of haar zijn arm moest aanbieden. Ten slotte schraapte hij zijn moed bijeen en legde zijn arm om haar schouder om haar door het hekje te loodsen.

Met de stroom van passagiers mee bewogen ze zich naar de houten banken van de veerboot toen die zich kreunend van de pier losmaakte. Toen ze een plekje hadden gevonden viel het Howard pas op dat hij geen andere blanken op het drukke benedendek zag. En er waren vrouwen die geen zitplaats hadden. Gordy en hij sprongen meteen op om hun plaats aan te bieden. Shun-ling volgde hen naar de zijkant, waar ze zich tegen de reling wrongen. Een beetje ongemakkelijk door het fysieke contact – vooral met het meisje, dat tussen hem en Gordy stond ingeklemd – tuurde Howard over de drukke haven.

Aan de overkant van het water verdwenen de laatste stralen van de avondzon achter de hoge bergen die abrupt uit zee oprezen. Een dieprode hemel verlichtte de donkere toppen, de hoge klippen en de steile kustlijn van het eiland Hongkong.

Shun-ling zei iets, maar haar zachte stem ging verloren in het dreunen van de motor en het verkeer op het water. 'Wat zeg je?' Gordy boog zich naar haar toe.

'Geurige haven,' herhaalde ze, boven de herrie uit. De twee soldaten trokken hun wenkbrauwen op. De stank van het troebele water deed Howard eerder denken aan rottende compost.

'De Chinese betekenis van Hongkong,' legde Shun-ling uit. 'Geurige haven.' Ze wees naar de bergtop boven de helder verlichte stad Victoria. 'Neem tram naar de top. Mooi uitzicht,' zei ze.

Afgezien van haar bedeesde groet toen Gordy hen had voorgesteld, was dit voor het eerst dat Howard haar iets hoorde zeggen. Hij boog zich wat naar haar toe om haar zangerige woorden op te vangen toen ze de namen van de kleinere eilanden noemde en de plaatselijke herkenningspunten aanwees.

Gordy's zenuwen leken te verdwijnen toen Shun-ling de rol van toeristische gids op zich nam. 'Kom je uit Hongkong?' vroeg hij. 'Ik bedoel, ben je hier geboren?'

'Nee. We woonden in dorpje bij Nanking.' Ze aarzelde even en ging verder: 'Maar toen Japanners kwamen...' Haar laatste woorden verdwenen in de wind, en Howard en Gordy vroegen haar niet ze te herhalen. De rest van de tien minuten durende overtocht bleef ze stil.

Victoria, dat langs de kust aan de eilandzijde van de haven lag, was al net zo druk als Kowloon. Het geklapper van al die houten sandalen over de planken van de pier wedijverde met de verkeersgeluiden en het geroep van de riksjalopers die in gebroken Engels hun klanten aanspraken. De geur van sandelhout en wierook vermengde zich met de stank van de overvolle haven. Howard liet alle beelden en geluiden op zich inwerken toen hij de drukke straat door liep. Onwillekeurig bedacht hij dat twee soldaten in het gezelschap van een mooi Chinees meisje bij hem thuis wel enig opzien zouden hebben gebaard. Hier vielen ze nauwelijks op, niet meer dan een detail in de drukte op de pier en in de straten.

In gedachten was hij al bezig een brief te schrijven. *Stel je voor, Lucy, twee miljoen mensen! Meer dan twee keer de hele bevolking van de provincie Manitoba!* Niet te geloven. Het tartte iedere beschrijving. Aan de ene kant was Hongkong een kosmopolitische metropool met moderne gebouwen en grotere winkels dan hij ooit had gezien, aan de andere kant had je de oude tempels met hun sierlijke daken, ingeklemd tussen honingraten van wankele constructies. En overal in de drukke straten en donkere stegen struikelde je over bedelaars.

Op de eerste straathoek hurkte een oude vrouw die haar hand uitstak. Howard bleef staan en haalde wat kleingeld uit zijn zak. De muntjes verdwenen in een rafelige mouw. Opeens werd hij omstuwd door een woud van broodmagere vingers, die naar zijn armen klauwden en aan zijn uniform trokken. Een groeiende meute belaagde hem met kreten die geen vertaling nodig hadden, en drong hem achterwaarts over de stoep in hun ijver om zijn aandacht te trekken. Een passerende Engelsman sloeg naar de bedelaars met een opgerolde krant. 'Moedig ze nou niet aan, idioot!' riep hij. 'Anders worden we allemaal onder de voet gelopen.'

Gordy en Shun-ling trokken Howard de straat op, waar ze haastig hun weg zochten tussen het vastgelopen verkeer door.

'Als je aalmoezen wilt geven,' zei Shun-ling, toen ze veilig de overkant hadden bereikt, 'laat het dan aan mij over. Ik doe het zo, dat niemand het ziet.'

Howard knikte. Hij was geschrokken van het incident en schaamde zich. Dit was zeker niet iets waarover hij naar huis zou schrijven. Thuis hadden mensen ook honger gehad tijdens de crisisjaren, maar in al die jaren in Winnipeg had hij nooit zoiets gezien als de wanhoop in de ogen van die bedelaars. Of etalages met zulke rijkdommen, binnen een armlengte van de hongerdood.

Voor het Harbour Hotel stond een straatfotograaf met een camera op statief, die foto's maakte van voorbijgangers. Nou, dat leek in elk geval op thuis, dacht Howard. Toen ze de man hadden bereikt, stak hij zijn arm over Shun-lings schouder, trok Gordy wat dichterbij en grijnsde naar de camera. Het toestel flitste en Howard pakte het genummerde kaartje uit de uitgestoken hand van de fotograaf. Wat had hem bezield? Die recente confrontatie met de bedelaars? Of de herinnering aan die keer dat Gordy en hij met Lucy in Winnipeg voor een straatfotograaf hadden geposeerd op de dag dat ze hun uniformen hadden gekregen? Wat de reden ook mocht zijn, het was het waard. Toen hij het kaartje aan Gordy gaf, werd hij beloond met een verlegen lachje van Shun-ling, de eerste keer dat hij haar had zien glimlachen.

'Nou,' zei Gordy, terwijl hij het kaartje van de fotograaf in zijn zak stak, 'waar gaan we eten?' Voor het hotel bleef hij staan. 'Hier?' vroeg hij Shun-ling.

Ze schudde haar hoofd en liep verder. Howard tuurde naar het helder verlichte raam. Misschien dat ze hier op straat onzichtbaar waren, maar als ze met hun drieën de drukke eetzaal van het hotel waren binnen gestapt zouden de mensen zeker hebben gekeken, daar was hij van overtuigd. Mannen in witte smokingjasjes en officieren in uitgaanstenue zaten aan tafeltjes met linnen tafelkleden, tegenover dames in lange avondjurken. Shun-ling zou met haar armoedige kleren pijnlijk uit de toon zijn gevallen.

Ze volgden haar toen ze een donkere zijstraat in sloeg. In het vage licht bewogen ze zich door een doolhof van smalle stegen totdat Shun-ling voor een etalageruit bleef staan. Ze inspecteerde de rijen gebraden eenden in het gele licht en zei: 'Dit is in orde.'

Binnen vonden ze een vrij tafeltje achter in het drukke restaurant. Howard ging zitten en wierp een blik door de rokerige ruimte. Opnieuw waren Gordy en hij de enige blanken. Ze werden omringd door de klanken van onbekende talen en het geklik van eetstokjes terwijl obers tussen de tafeltjes door manoeuvreerden met grote, uitpuilende etensbladen boven hun hoofd. Gordy keek eens naar de uitstalling van vreemde gerechten op een naburig tafeltje en vroeg Shun-ling om voor hen te bestellen.

De ober verscheen en zette een witte theepot met glazen voor hen neer. Shun-ling wisselde een paar rappe woorden met hem, en hij verdween. Daarna schonk ze de dampende thee in de glazen. Toen bleek dat niemand anders een gesprek begon, zei Howard: 'Je spreekt heel goed Engels, Shun-ling. Hoe heb je dat geleerd?'

'Van mijn vader. Hij was leraar.'

'En je zus? Spreekt zij ook Engels?' vroeg hij.

'Mijn zus, Shun-qin, spreekt niet,' zei ze, starend naar haar handen, die ze in haar schoot gevouwen had.

'Spreekt ze geen Engels?'

Shun-ling tilde haar hoofd op en keek hem aan. 'Geen Engels en geen Chinees. Ze spreekt helemaal niet.'

'O. Ze is stom, bedoel je?' zei Gordy. 'Ze kan niet praten.'

Shun-ling draaide zich naar hem toe. 'Ze kan het wel, maar ze doet het niet. Mijn zus praat niet. Niet meer. Sinds de Japanners naar ons dorp kwamen.'

Howard zag de pijn in haar donkere ogen. Hij herinnerde zich een artikel in *Life*, over het schrikbewind tijdens het beleg van Nanking in 1937. Maar nu hij dat verschrikkelijke verhaal bewaarheid zag, in het meisje tegenover hem, werd het nog gruwelijker. Hij wist niet wat hij moest zeggen. Shun-ling bestudeerde nog steeds haar handen, totdat de ober haastig drie borden met drie stel eetstokjes voor hen neerzette.

'Als ik daarmee moet eten, krijg ik geen hap naar binnen,' zei Gordy.

Howard kromp ineen.

'Ik leer het je wel,' zei Shun-ling. Even later, toen de dampende schalen met eten verschenen, pakte ze Gordy's rechterhand. Haar lange, sierlijke vingers tilden zijn handpalm op en legden de stokjes erin, op de juiste manier. Met zulke efficiënte, vloeiende bewegingen dat het leek of haar handen geen gewrichten hadden, leerde ze haar vriend een glibberig wit hapje uit de grijze saus in de eerste schaal op te pakken. Langzaam deed hij haar na. Shun-ling liet hem los. 'Iets wat zwemt,' zei ze, toen hij met een triomfantelijke grijns het eten naar zijn mond wist te brengen. Ze pakte haar eigen stokjes en wees elk van de onduidelijke gerechten aan. 'Iets wat kruipt en iets wat vliegt.'

Howard moest haar maar geloven. Hij wist nog steeds niet wat hij at – en of hij dat wílde weten – maar elke kruidige hap was in elk geval beter dan de prak uit de mess.

Terwijl Gordy en hij wedijverden om de lastige eetstokjes in bedwang te houden, volgde Shun-ling hun vorderingen met een spoor van een glimlach. Ze at langzaam en kauwde zorgvuldig op elke hap. Van alle drie hapjes die ze uit de drie schalen nam, zag Howard, at ze er maar eentje op. Hij keek Gordy even aan, zonder dat ze het merkte, en als bij afspraak laadden ze allebei wat minder op hun bord. Tegen het einde van de maaltijd waren de schalen nog minstens voor de helft vol. De ober kwam om af te ruimen en sprak even met Shun-ling. Toen hij met de rekening kwam, zette hij een doos in bruin pakpapier voor haar neer.

Buiten volgden ze de aanwijzingen van Peter en Dick om bij het Empress Theatre te komen.

'Niet slecht,' zei Gordy, toen hij de mooie luifel ontdekte. 'Daar kunnen ze in Hollywood nog een puntje aan zuigen.' Binnen zochten ze drie stoelen naast elkaar op het balkon. De geur van gember en sesamolie steeg op uit het pakje op Shun-lings schoot, terwijl op het doek het Britse oorlogsnieuws te zien was. Howard keek naar de zwartwitbeelden van bommenwerpers boven het Kanaal en vroeg zich af of zijn broers al overzee waren gestuurd.

Toen de hoofdfilm, *The Grapes of Wrath*, begon en Henry Fonda op het scherm verscheen, fluisterde Gordy: 'Sprekend Howard, toch?' Dat herhaalde hij nog een paar keer, totdat iemand achter hen begon te sissen.

Na de film, op weg naar de uitgang, keken een paar vrouwen nog eens naar Howard, waarbij ze achter hun hand met elkaar fluisterden.

'Zie je wel? Ik zei toch dat je op hem leek.' Gordy porde hem in zijn zij.

Afgezien van de neus en de vierkante kin kon Howard de overeenkomst niet ontdekken, hoewel ook Lucy het vaak zei. Een beetje ongemakkelijk liep hij langs de poster van Henry Fonda als de idealistische jonge pachter Tom Joad, die naar de hemel tuurde met de pijn van de hele wereld in zijn blauwe ogen.

Shun-ling bestudeerde de poster en keek een paar keer van Howard naar het gezicht van de acteur en terug. 'Het zijn de ogen,' zei ze. 'Jullie hebben zelfde ogen. Lieve ogen.' Haar vingers raakten heel even zijn arm aan. Het was een aanraking zo zacht en licht als een fluistering, en meteen weer verdwenen, maar toen ze naar de pier van de veerboot liepen, voelde hij de hitte ervan nog door zijn arm stralen.

Bij de haven was een avondmarkt op het plankier, waar de meest uiteenlopende zaken te koop waren, van papieren waaiers tot zijden jurken. Soldaten en zeelui, maar ook Britse en Aziatische burgers, slenterden tussen de kraampjes door, inspecteerden de waren en onderhandelden in gebroken Engels. Onwillekeurig vergeleek Howard de bijna feestelijke sfeer van de stad met de verwoestingen in Londen die hij eerder die avond in het bioscoopjournaal had gezien. Hier geen verduistering of rantsoenering.

Opeens bleef Gordy staan. 'Eén momentje,' zei hij tegen de anderen. 'Ik moet even de geit verzetten. Te veel thee gedronken.' Hij wees naar een hotel vlakbij en verdween.

Terwijl ze op hem wachtten liepen Howard en Shun-ling langs een paar kraampjes. Een van de verkopers hield een geborduurde rode jurk omhoog. 'Jij kopen voor jouw meisje,' riep hij.

'Ze is niet...' begon Howard, maar toen zag hij hoe Shun-ling naar hem keek. Haar donkere ogen glinsterden speels en uitdagend. Howard lachte. 'Shun-ling,' zei hij, 'help me iets uitzoeken voor mijn vrouw.'

'O... je bent getrouwd.' Ze stapte naar het kraampje toe om de opge-vouwen zijden jurken te bekijken.

Howard vroeg zich af of hij iets van teleurstelling in haar zachte stem had gehoord. Hij pakte een *cheongsam* met een rijk motief. 'Wat vind je hiervan?' vroeg hij.

'Verkeerde kleur,' zei Shun-ling. 'Misschien te opvallend.'

'O, dat kan Lucy wel hebben.' Maar Howard vouwde hem weer op en legde hem terug.

Shun-ling betastte de ronde kraag van een blauw-witte bloemetjes-jurk.

'Deze veel minder duur,' zei de verkoper over de simpele jurk. Hij keek Howard aan en voegde eraan toe: 'Zelfde blauw als je ogen.'

Shun-ling streelde het katoen. 'Deze is beter,' zei ze. 'Die kun je vaker dragen.'

Howard haalde een groene zijden jurk uit de stapel vandaan en vouwde hem open. 'En deze?'

Terwijl Shun-ling over de prijs onderhandelde, kwam Gordy terug. 'Voor Lucy,' zei Howard, en hij liet hem de jurk zien.

'Ja, daarin zie ik haar wel door Winnipeg lopen, met alle ogen op haar gericht,' zei Gordy.

De verkoper deed Howards aankoop in een papieren zak. Gordy stak een hand uit naar de oranje *cheongsam*. Hij hield hem voor Shun-ling omhoog en vroeg of ze het leuk vond als hij de jurk voor haar kocht. Haar gezicht betrok. 'Wil je me als meisje van plezier?'

'Nee. O, nee, nee. Wacht even.' Hij legde hem weer terug. 'Ik wilde alleen iets moois voor je kopen.' Verlegen raakte hij haar schouder aan. 'Hoor nou eens,' stamelde hij, 'je hoeft helemaal niets. Je hoeft mijn schoenen niet te poetsen, me niet te scheren en mijn kleren niet te was-sen. Dat vraag ik allemaal niet. Ik wil gewoon vrienden zijn, oké?'

Achter haar knikte Howard in de richting van het kraampje.

Gordy draaide zich om. 'Wat dacht je van deze?' vroeg hij, en hij pakte de blauw-witte jurk die Howard hem had aangewezen. 'Mag een vriend die wel voor je kopen?'

Ze keek er verlangend naar, en knikte toen.

Terug in Kowloon wilde ze niet dat Gordy haar thuis zou brengen. Haar zus was bang voor alle mannen, behalve haar vader, zei ze. 'Er zal me niets gebeuren,' verklaarde ze. 'Ik heb niets wat ze kunnen stelen, behalve dit.' Maar als hij zag hoe ze de pakjes met haar jurk en de kliekjes van het eten tegen zich aan klemde, betwijfelde Howard of iemand ze uit haar handen had kunnen grissen.

Toch drong Gordy aan. Hij zou niet mee naar binnen gaan, zei hij, 'maar ik moet je toch minstens tot de deur brengen. Als ik je alleen door deze straten laat gaan, zou ik vannacht geen oog dichtdoen.'

Howard nam afscheid van hen op Nathan Road. In plaats van een riksja aan te houden liep hij de paar kilometer naar het kamp, met de zak met Lucy's jurk onder zijn arm geklemd. Terug op de kazerne ging hij op het trapje van de barak zitten en stak hij een sigaret op. Toen hij de lucifer uitblies, zag hij dat er iemand in de schaduw van het gebouw gehurkt zat. Hij herkende de man als een van de bedienden die 's ochtends de soldaten in de barak schoren. Zat hij hier de hele nacht te wachten?

Howard hield zijn pakje sigaretten omhoog. Met een glimlach kwam de man dichterbij. Hij nam een sigaret aan en stak hem tussen zijn lippen. Howard gaf hem vuur en gebaarde de man om bij hem te komen zitten. Hij stelde hem een paar vragen, maar de bediende schudde zijn hoofd. Hij sprak geen Engels. Dus rookten ze in stilte. Howard keek op naar de stralende sterrenhemel en dacht aan Lucy onder diezelfde sterren, totdat hij besefte dat het in Canada nu geen nacht maar dag was. Hoe laat? En wat zou ze nu doen? Howard haalde zijn zakboekje uit zijn borstzak, sloeg het open en nam de foto eruit. Hij bekeek hem een tijdje en liet hem toen aan zijn metgezel zien. 'Mijn vrouw,' zei hij trots.

'Ah.' De man knikte, een universeel teken van waardering.

'Ze is mijn jeugdliefde,' zei Howard.

'Jeug... jeug...' De man probeerde de klanken na te bootsen, maar gaf het op.

'Ja, mijn jeugdliefde,' herhaalde Howard, tegen haar glimlachende gezicht. Zijn Lucy. Ze was alles voor hem. 'Ik ben de gelukkigste man op aarde,' zei hij, meer tegen zichzelf dan tegen de ander. God, wat miste hij haar.

Waarom voelde hij dan nog steeds dat warme plekje op zijn arm waar Shun-ling hem had aangeraakt?

16

Het deugde niet dat de zon weer scheen, die ochtend. Ik vond dat de hele wereld zou moeten huilen. Zware regendruppels moesten de grond doorweken, opspatten van de straat, langs de ramen druipen als eindeloze tranen. Maar zonlicht viel de woonkamer binnen. Tegen tien uur was het al benauwd in huis, zomers warm. Buiten dreven pluizige witte wolken tegen een helderblauwe hemel, net als in Kippers tekeningen, bijna griezelig. Het geluid van de asynchrone tuinsproeiers bij de buren zweefde door de open ramen naar binnen, samen met de lucht van nat gras en zonverwarmd asfalt. De geuren van de zomer. Geuren die meestal betekenden dat alle kinderen in de straat buiten speelden. Ik keek naar buiten. Niemand te zien. Waar was iedereen? Waarschijnlijk verborgen ze zich in huis, zodat ze niet hoefden te zien hoe wij vertrokken voor mama's begrafenis.

Ik zat op de bank op mijn oom en tante te wachten. Mijn woede over de zonneschijn strekte zich uit tot bijna alles. Ik was kwaad op mijn tante omdat ik die stomme witte Mary Jane-schoenen moest dragen met dat rare jurkje, en kwaad op Jezus, die ik nu nooit meer in mijn hart zou toelaten. Maar ik was vooral kwaad op mezelf, omdat ik afgelopen zaterdag naar het Bijbelklasje was gegaan. Als ik die dag was thuisgebleven, zou mama misschien niet de stad in zijn gegaan.

Naast me zat Kipper aan zijn hoed te prutsen. De mouwen van zijn jasje waren wat te kort en zijn witte sokken kwamen onder zijn broekspijpen uit, maar verder was zijn pak – dat mama voor de kunstexpositie had gekocht – nog als nieuw. Hij trok zijn hoed over zijn voorhoofd en bewoog zijn wenkbrauwen om hem op en neer te laten dansen. Het was een onbewuste tic van hem, als hij zenuwachtig was.

'Hou daarmee op!' snauwde ik. Ik sloeg met mijn hakken tegen de bank en keek naar papa om te zien of hij reageerde. Hij zat ineengedoken in zijn stoel, in het pak dat Frankie uit het niets tevoorschijn had getoverd. Toen ik zijn gezicht zag, had ik meteen spijt van mijn uitbarsting. Mijn vader lette echter niet op Kipper en zijn hoed, of op mijn hakken die tegen de bank sloegen. Hij staarde naar mijn handen.

'Geen handschoenen,' fluisterde hij met verstikte stem. 'Trek ze uit, alsjeblieft, Ethie.'

Opgelucht trok ik de witte handschoenen uit die mijn tante voor me had gekocht en propte ze tussen de kussens.

Mijn vader trommelde met zijn vingers op de leuning van zijn stoel. Zweet glinsterde op zijn voorhoofd. Frankie hield op met ijsberen, zocht in zijn zak en stak papa een zakdoek toe.

Mijn broer Frankie had ik altijd als een volwassene beschouwd: papa's beschermer en mams beste vriend. Gewoon een jongere versie van mijn vader, dezelfde versie als op papa's oude foto's van voor de oorlog. Maar toen hij weer begon te ijsberen, trilde zijn onderlip en zag ik in hem de jongen die hij ooit moest zijn geweest. 'Je ziet er heel knap uit,' zei ik in een opwelling. Meteen voelde ik me stom. Hij moest wel gewend zijn aan complimentjes van vrouwen, maar niet van zijn kleine zus. En zeker niet op de dag van zijn moeders begrafenis.

Frankie trok een mondhoek op in een poging tot een glimlach, maar het leek meer een grimas. Hij boog zich naar me toe en raakte mijn wang even aan, zo'n teder en onverwacht gebaar dat ik tranen in mijn ogen kreeg. 'Dank je, zus,' zei hij.

Ik beet op de binnenkant van mijn wangen en rolde mijn ogen naar achteren, een trucje dat ik van mijn moeder had geleerd om mijn tranen terug te dringen. Toch ontsnapte er nog een. Ik sprong op en liep naar het raam om weer naar de zonovergoten straat te kijken.

De geur van de duizendschoon zweefde omhoog uit het bloembed onder het raam. Die geur riep ook een beeld op van mama die in de tuin knielde om een boeket te snijden. *Ze steekt haar neus in de kleurige bloemen, snuift diep en geeft ze dan aan mij. 'Is dat geen hemelse geur, Ethie?'*

Sinds Kipper me op maandag haar foto had gegeven, omdat ik me haar gezicht niet meer voor de geest kon halen, zag ik haar nu overal.

Als ik de badkamer binnen ging keek ze me aan vanuit de spiegel op het medicijnkastje. *Ze tuit haar lippen, stift ze robijnrood, houdt haar hoofd een beetje scheef, glimlacht om het effect, draait zich om en stift ook mijn lippen, met overdreven gebaren.*

Toen Kipper in zijn pak de huiskamer binnen kwam, zag ik in gedachten hoe ze zijn strikje fatsoeneerde, zoals die keer toen ze naar Marlenes expositie waren gegaan om zijn schilderijen te verkopen. *Ze trekt zijn strikje strak, geeft er een klopje op en kijkt hem stralend aan.* 'Mijn knappe jongen. Wat zul je indruk maken.'

Eerder die ochtend, toen mevrouw Fenwick mijn haar vlocht, stelde ik me voor dat mijn moeder daar stond. *Ze glimlacht en steekt een hand uit naar een lok op mijn voorhoofd. 'Er was een kleine meid met een krul in haar haar...'*

Toen ik uit het raam staarde, zag ik mijn moeder met één voet op de treeplank van een geparkeerde auto staan. Ik knipperde met mijn ogen en onze oude groene Hudson stond weer eenzaam en verlaten langs de stoep.

Hoewel ze altijd zei dat ze hem voor mijn vader had gekocht, was het eigenlijk mams auto. Dat was de reden waarom tante Mildred erop stond ons met een limousine voor de rouwdienst te komen halen, zei Frankie. 'Ze is doodsbang dat we zullen verschijnen in die "dievenbak" van mam.'

Mama's dievenbak. Zo had hij hem genoemd vanaf het eerste moment dat ze thuiskwam met die Hudson uit 1947, vooral vanwege tante Mildreds geschokte reactie toen ze hoorde waar hij vandaan kwam.

Ik was negen toen mijn moeder de aankondiging van een politieveiling in de *Daily Province* zag. Ze had het stukje uitgeknipt en die avond voor mijn vader op tafel gelegd.

Geld was een gevoelig onderwerp bij papa. Het was het enige waarvoor hij aandacht scheen te hebben in de dagelijkse gang van zaken. Elke betaaldag besteedde hij een gespannen weekend aan het organiseren van witte envelopjes en het betalen van de maandelijkse rekeningen. Elke verwijzing naar geld leek hem pijn te doen. 'Een ouderwets idee, overgehouden aan de crisisjaren,' mompelde mama, die het onderwerp geld maar liever meed. Behalve toen het om een gezinsauto ging. Mijn vader hield vol dat hij het niet erg vond om met de bus naar zijn werk te gaan en dat een auto een luxe was die wij ons niet konden veroorloven.

We waren niet het enige gezin in Barclay Street zonder auto, maar toen mama het artikeltje over de veiling las, besloot ze dat dit het teken moest zijn dat de tijd nu rijp was. Ze begon mijn vader te bewerken. Zijn gebrek aan belangstelling voor het krantenknipsel ontmoedigde haar niet. Die week herinnerde ze hem elke avond aan de veiling en hield ze steeds wildere verhalen over de koopjes die je daar kon halen. Toen papa zei dat hij niet zomaar vrij kon nemen, was dat geen probleem. Mijn moeder ging wel in haar eentje, zei ze. Hij trok zijn wenkbrauwen op. 'Een vrouw bij een politieveiling?' vroeg hij.

'Waarom niet?' wilde ze weten.

'Tja, waarom niet?' gaf hij toe, met een glimlach om zijn lippen. En hij voegde eraan toe: 'Behalve dat we het ons niet kunnen veroorloven.' Zijn bewering dat hij failliet was maakte geen indruk. Hier waren koopjes te krijgen en die kans liet mijn moeder zich niet ontglippen. Eindelijk, op de ochtend van de veiling, voordat hij naar zijn werk ging, opende mijn vader zijn portefeuille, waarin één enkel briefje van twintig dollar zat. Voordat hij kon protesteren had mijn moeder het er al uitgehaald.

Ik zat op haar bed en keek hoe ze zich aankleedde. Ze rolde de zijden kousen over haar benen, bevestigde ze aan een rafelige gordeltje en gebruikte een stuiver als vervanging voor de gesp van een van de jarretels. Toen inspecteerde ze haar kast en haalde er een geplastificeerde hanger uit. Ze knipoogde tegen me. 'Een speciale jurk voor een speciale gelegenheid,' zei ze. Haar kousen hadden ladders en een muntje om ze op te houden, maar toen ik zag dat ze die appelgroene jurk over haar schouders liet glijden wist ik dat het menens was.

In de ochtendregen kropen Kipper en ik onder haar kromme zwarte paraplu bij de bushalte op Victoria Drive. Ik herinner me nog het pakhuis in Water Street, zwart en wit. Grijs licht viel naar binnen door de grote schuifdeuren. Aan het plafond hingen naakte peertjes aan lange snoeren. Hun felle witte schijnsel werd geabsorbeerd door de zwarte muren en de met olievlekken besmeurde betonvloer. Het rook er naar stof en wagensmeer. En naar mannen. Zoals mijn vader al had voorspeld, waren er geen andere vrouwen dan mijn moeder.

Kipper en ik sjokten achter haar aan toen ze zich bij de menigte voegde die het aanbod inspecteerde. Ze liep om elke auto heen alsof ze er verstand van had. Ze opende portieren om naar binnen te kijken, schopte tegen banden, en als de motorkap omhoog stond bekeek ze ook de motor. Nieuwsgierige en waarderende blikken negeerde ze, alsof ze niet wist dat ze de enige vrouw hier was, en ook nog in het gezelschap van haar kinderen.

Toen ze klaar was, bleven we samen achterin staan, wachtend tot de veiling zou beginnen. Mama amuseerde ons door de beroepen van de mannen te raden. Ze knikte naar de groepjes die bijeenstonden om ervaringen uit te wisselen. 'Autohandelaren,' fluisterde ze. Nerveuze jongemannen die een nonchalante indruk probeerden te maken waren 'jongens op zoek naar hun allereerste auto', en oudere mannen in pakken die zenuwachtig op hun horloge keken schatte ze in als 'zakenlui die een ochtend vrij hebben genomen om op koopjes te jagen'. Volgens mijn moeder was elk beroep hier vertegenwoordigd, van zuinige leraren tot antiekverzamelaars. Arbeiders in grijze overalls en politiemensen in blauwe uniformen waren gemakkelijk te herkennen. Maar al die mannen, wie ze ook waren, deden alsof mijn moeder er niet was. Toch zag ik dat er heel wat steelse blikken in haar richting werden geworpen terwijl zij ons haar observaties toefluisterde.

Toen de wijzers van de klok achter de ijzeren kooi aan de muur exact op tien uur stonden, maakte de menigte plaats. De veilingmeester liep naar de eerste auto toe. Hij haalde de kaart met het nummer van de voorruit, legde zijn hand op de motorkap en begon met de verkoop. De bieding begon bij honderd dollar. Ik kreeg een somber voorgevoel toen ik aan die twintig dollar van mijn vader dacht, die mam nu in haar portemonnee had.

Voordat ik het wist, daalde de vlakke hand van de veilingmeester op de motorkap van de auto neer. 'Verkocht!' riep hij. 'Voor één honderd en vijfenzeventig dollar!'

Hij liep naar de volgende auto en begon weer op zangerige toon het proces van loven en bieden, totdat hij eindelijk diep ademhaalde en riep: 'Verkocht!' Zo veilde hij de ene auto na de andere.

De bedragen werden hoger naarmate hij vorderde. Als mijn moeder verbaasd was over de prijzen, liet ze dat niet merken. Ze wachtte rustig af. Ten slotte kwam hij bij de donkergroene Hudson uit 1947. De stoffige sedan was absoluut de oudste wagen in het pakhuis, en de auto waaraan mama bij haar inspectie de meeste aandacht had besteed. Zodra de veilingmeester zijn hand op de gebogen voorbumper legde, kwam ze in actie. Ze greep Kipper en mij bij de arm, wrong zich naar voren en ging vlak voor de veilingmeester staan, zodat hij haar onmogelijk over het hoofd kon zien. Met ons, haar kinderen, voor zich uit als een soort schild, wachtte ze op de strijd.

Er kwam geen enkele reactie op het openingsbod van vijftig dollar. De veilingmeester haalde adem en riep: 'Veertig dollar? Hoor ik veertig dollar in de zaal?'

'Vijf dollar!' riep mijn moeder.

Er klonk een gedempt gelach, dat zich al snel verspreidde. Zelfs de veilingmeester moest een glimlach onderdrukken. Hij negeerde haar bod en herhaalde zijn verzoek om veertig dollar. Een andere stem riep: 'Tien!'

Het gegrinnik verstomde. Hoofden draaiden zich in de richting van de andere bieder. Ik volgde de blik van de veilingmeester naar een van de autohandelaren, die tegen de muur stond geleund met een tandenstoker in zijn mondhoek en een grijze gleufhoed naar zijn kruin geschoven. Blijkbaar zonder op het verloop van de bieding te letten consulteerde hij een klembord in zijn hand.

Ik keek op naar mijn moeder, die haar concurrent nu ook had ontdekt. Ze kneep haar ogen tot spleetjes, staarde de man aan en riep: 'Ik bied elf dollar.'

Deze keer werd er niet gelachen. Het hele pakhuis was stil, alsof het zijn adem inhield. De autohandelaar tilde lui zijn hoofd op en keek de zaal door naar waar mijn moeder stond, in al haar trots en glorie. Hun blikken kruisten elkaar. Hij nam haar uitvoerig op, en de tandenstoker bewoog langzaam van zijn ene mondhoek naar de andere. 'Twaalf,' zei hij uitdagend.

'Dertien,' reageerde ze onverstoorbaar.

Opnieuw bekeek mama's tegenstander haar, alsof zij de enigen in de zaal waren en hij alle tijd van de wereld had.

'Dertien dollar geboden. Eenmaal...' riep de veilingmeester.

Ze staarden elkaar aan in een meedogenloze strijd, waarin geen van beiden, mijn moeder noch de autohandelaar, maar een duimbreed wilde toegeven.

'Andermaal...'

Ze rechtte haar rug en stak haar kin vooruit. Mijn moeder wist van geen wijken.

Met zijn ogen strak op haar gericht tilde de autohandelaar zijn pen op. Ik zag zijn mondhoeken omhoogkomen met de suggestie van een glimlach. Hij vond het wel leuk. Ik keek van hem naar de veilingmeester, die bijna met zijn werk was gestopt in afwachting van het bod van de handelaar. De man, die nog steeds haar kant op keek, tikte met twee vingers tegen de rand van zijn hoed en maakte een lichte buiging voor haar. Langzaam gleed zijn blik naar het vragende gezicht van de veilingmeester voordat hij zijn hoofd schudde.

De man sloeg met zijn vlakke hand op de motorkap. 'Verkocht voor dertien dollar aan de dame in het groen!'

Alle ogen waren op mijn moeder gericht toen ze triomfantelijk naar voren stapte om haar bewijsje van de veilingmeester in ontvangst te nemen. En iedereen zag – hoe kon het ook anders – het muntje tussen haar benen vallen. Geschokt staarde ik naar de stuiver uit haar jarretelgordel, die rinkelend tegen het beton sloeg en over de vloer rolde.

Mijn moeder zei altijd dat je maar een paar centen in je zak hoefde te hebben om je te gedragen alsof je een miljoen dollar bezat. En dat was precies wat ze deed toen haar stuiver voor de voeten van de verbijsterde autohandelaar tot stilstand kwam. Met opgeheven hoofd nam ze het bewijsje van de veilingmeester aan en liep ze naar ons terug. 'Nou,' zei ze, 'laten we deze heren maar overlaten aan hun mannenzaken.' Ze pakte ons bij de hand en marcheerde door de uiteenwijkende menigte naar de achterkant van de zaal om haar nieuwe auto te betalen. Het geluid van schuifelende voeten, een onderdrukt kuchje en een schrapende keel hield nog even aan voordat de veiling verderging.

Maar mam was nog niet klaar. Nadat ze het bedrag had voldaan, kreeg ze te horen dat ze de auto uit het pakhuis moest wegrijden zodra de veiling achter de rug was. Omdat ze niet kon autorijden, sprak ze af dat iemand de auto op straat zou parkeren totdat haar man hem kon komen halen. Het was een jonge politieman die achter het stuur stapte en het sleuteltje omdraaide. Er gebeurde niets. Hij trapte een paar keer het gaspedaal in en probeerde het opnieuw. Tevergeefs. Ten slotte stapte hij uit en opende hij de motorkap, terwijl mijn moeder over zijn schouder keek. De auto had geen accu.

Als een kip met al haar veren overeind stapte mama weer naar de balie achterin, verontwaardigd dat de politie van Vancouver een nietsvermoedende vrouw een auto zonder accu durfde te verkopen. De regels schreven voor dat alle goederen werden verkocht zoals ze waren, maar daar nam mijn moeder geen genoegen mee. Ze hield een woedend betoog, waarop de politie een nieuwe accu in de auto zette, die vijftien dollar kostte, twee dollar meer dan zij voor haar aankoop had betaald – zoals ze later altijd fijntjes opmerkte wanneer ze het verhaal vertelde.

Triomfantelijk stapte ze achter het stuur nadat ze haar zus had gebeld, terwijl Kipper en ik op en neer sprongen op de achterbank, die grote stofwolken verspreidde.

Na een tijdje verscheen tante Mildred, die meer gegeneerd dan onder de indruk leek van mams aankoop. 'Verdorie, Lucy, als je een auto wilde had je van ons wel geld kunnen lenen om iets fatsoenlijks te kopen. Wie weet waar dit ding vandaan komt?' En daarmee was haar verontwaardiging nog niet compleet. Er was een politieverslaggever van de *Daily Province* bij de veiling geweest, en de volgende dag stond er een foto in de krant van mijn moeder met haar voet op de treeplank van haar auto van dertien dollar, als een mooie jachtgodin met woeste haren, die zich over haar buit boog.

'Lucy! Hoe kon je?' jammerde tante Mildred.

Maar mam was trots op haar aankoop en vertelde graag hoe ze naar een politieveiling in de stad was geweest met enkel een briefje van twintig dollar op zak, een auto voor haar man had gekocht en nog geld had overgehouden ook. Elke keer werd het verhaal nog mooier. Ze beweerde dat ze zo'n goede aankoop had gedaan omdat ze de autohandelaren had overboden en keek heel onschuldig als papa plagerig zei dat het misschien iets te maken had met haar effect op de mannen bij die veiling. Misschien had hij wel gelijk, want ik had de blik gezien die ze de autohandelaar toewierp, een dreigende blik waarmee ze lastige kinderen en volwassen mannen in makke schapen kon veranderen. Diezelfde vernietigende blik had ik waargenomen in de stalen ogen van het legertje mannen dat achter haar stond.

Zodra Frankie bij de fabriek ging werken kocht hij van zijn eerste loon een tweedehands Studebaker, die een paar jaar nieuwer was dan de Hudson, maar volgens mijn moeder veel minder karakter had. Frankie was het daar niet mee eens. Alle meisjes vonden zijn blauwe coupé met de kogelneus heel sexy. Toen mijn vader met Frankie mee ging rijden naar zijn werk, haalde mijn moeder haar rijbewijs en nam ze de Hudson over. Frankie of mijn vader, een van beiden, lag altijd onder die auto. 'Hij hangt met plakband en mooie beloften aan elkaar,' plaagde Frankie haar. 'Op een dag slaakt hij gewoon een zucht en geeft hij de geest.' Maar hij stond nog altijd voor de deur, alsof hij op haar wachtte om in te stappen en weg te rijden.

Een zwarte limousine stopte erachter. 'Ze zijn er,' zei ik, met bonzend hart. Hoewel ik absoluut naar de begrafenis wilde, was ik plotseling bang.

'Ik moet plassen.' Kipper sprong op en rende naar de badkamer.

Het portier van de limousine ging open en oom Sidney en tante Mildred stapten uit.

Ik zag hen naar de voordeur komen. Mijn tante was helemaal in het zwart: haar jurk, haar hoed, haar schoenen, zelfs haar kousen.

Frankie deed al open voordat ze konden aankloppen. Mijn vader hees zich omhoog uit zijn stoel en ik kwam naast hem staan. 'Zijn we allemaal klaar?' vroeg tante Mildred van achter haar zwarte voile.

'Klaar!' riep Kipper vanuit de gang. Hij kwam de hoek om en veegde zijn handen aan zijn broek af.

Ik zag dat mijn tante achter haar sluier haar wenkbrauwen optrok toen hij naar ons toe kwam in de huiskamer, maar ze zei geen woord en wuifde ons naar buiten. Als veroordeelde gevangenen dromden we het felle zonlicht in. Toen Kipper de deur uit stapte, snauwde tante Mildred: 'Zet die belachelijke hoed af.'

Ontdaan tastte Kipper naar zijn hoed en hield hem vast, terwijl hij me hulpeloos aankeek. Zijn ogen vulden zich met tranen.

Met een brandend gevoel in mijn borst besefte ik precies wat mijn moeder zou hebben gedaan, en van mij zou hebben verwacht. Ik rechtte mijn schouders en sloeg een arm om Kipper heen. 'Het geeft niet,' zei ik. 'Hou hem maar op.' En ik nam hem mee. 'Hij draagt die hoed,' zei ik toen we langs mijn tante liepen. 'Die heeft hij van mama gekregen.'

17

Pas jaren later zou ik begrijpen dat de dood geen vreemde was voor mijn vader. Hij was maar al te vertrouwd met de rauwe realiteit ervan. Hij wist hoe de dood eruitzag, klonk en rook. Hij had allebei zijn ouders verloren voordat hij twintig was. En hij was volwassen geworden door de eerste explosie op het slagveld, toen zijn helm werd besproeid met vlees, bloed en botten.

Hij wist dat de dood nog een diepe, bittere wond sloeg lang nadat Magere Hein zijn werk had gedaan. Toen hij na de oorlog terugkwam, hoorde hij dat alle drie zijn broers waren gesneuveld, vermist tijdens bombardementsvluchten over het Kanaal, nog geen zes maanden nadat ze in Engeland waren aangekomen.

Ja, hij kende de dood. Maar zelfs Frankie herinnerde zich hoe papa ineengedoken had gezeten achter in die limousine, op weg naar de begrafenis van onze moeder. Ook Frankie was bang geweest dat haar onverwachte dood zo'n klap voor hem zou betekenen dat hij er nooit meer overheen zou komen.

Het geheugen is grillig en werkt hooguit met vage flarden, maar mijn herinnering aan die dag is helder genoeg. Achter in de begrafenisauto hing de benauwde lucht van leer. De roestbruine bekleding van de banken – dezelfde kleur als mijn vaders vliegeniersjack – was gebarsten en verschoten, niet door de regen, maar misschien wel door de tranen van duizenden treurende nabestaanden. Die dierlijke geur zou me voor altijd herinneren aan de rit vanaf ons huis naar Forest Lawn.

Ik zat ingeklemd tussen mijn vader en mijn broers. Recht tegenover ons zaten tante Mildred en oom Sidney aan de uiteinden van net zo'n leren bank. Niemand zei iets, verzonken als we waren in onze eigen gedachten toen de wagen langzaam door Kingsway reed. Ik staarde uit het raampje en vroeg me af hoe de wereld er zo normaal kon uitzien.

Het verkeer om ons heen remde af om ruimte te maken voor de zwarte begrafenisauto met nabestaanden. *Opgelucht dat ze zelf nog niet aan de beurt zijn.* Ik herinnerde me dat mam dat ooit had gezegd toen ze zelf aan de kant ging om een begrafenisstoet door te laten.

We kwamen langs Boundary Road en het dichte bos van Central Park, en ik besefte dat ik nooit meer over die paden zou lopen terwijl zij vertelde hoe het prairiemeisje in haar zich altijd overweldigd voelde door die grote, prachtige bomen midden in de stad. Alles, echt alles, was mijn moeder. Hoe kon de wereld nog bestaan zonder haar?

Te snel waren we op Royal Oak. Langzaam reden we het grote, smeed-ijzeren hek van de begraafplaats Forest Lawn binnen. De limousine slingerde zich over de smalle weg tussen de uitgestrekte velden met platte stenen op het onberispelijke gras. Naast me klemde papa zijn kaken op elkaar bij het zien van dat ene eenzame graf, omgeven door kransen en een berg aarde.

De kapel stond op de hoogste heuvel naast het uitpuilende parkeerterrein. We stopten recht voor de marmeren trappen. Niemand bewoog zich voordat de chauffeur uitstapte en om de auto heen liep om de portieren open te houden. Toen we buiten stonden en onze ogen lieten wennen aan de zonnige dag, geloof ik dat niemand meer wist hoe het nu verder moest, maar tante Mildred nam ons mee de trappen op.

Binnen, in de foyer, hing een doordringende geur van lelies. Kipper keek om zich heen en constateerde: 'Het is een kerk.' Hij zette zijn hoed af en hield hem tegen zijn borst.

Zo bleven we met ons vieren staan, terwijl buren, vrienden en onbekenden de toch al drukke kapel binnen stroomden. Sommigen raakten even papa's schouder of arm aan als ze voorbijliepen, en mompelden zachtjes een paar woorden. Een man kwam ons de weg wijzen en samen met tante Mildred en oom Sidney liepen we door een gang naar een schemerige ruimte voor in de kapel. Een groot raam met grijze vitrage scheidde ons van de andere mensen en de met bloemen bedekte kist.

Ik liet me op de met stof beklede bank zakken, naast mijn vader, terwijl Kipper aan de andere kant ging zitten. Met zijn ene hand gaf hij vader een klopje op zijn knie, met de andere hield hij zijn hoed vast. Frankie zat naast me, kaarsrecht, en staarde voor zich uit. Ik drukte me tegen hem aan, alsof ik in hem kon wegkruipen.

Vanuit de kapel klonken vage geluiden van mensen die snikten of hun neus snoten. Ik tuurde door het gordijn heen, over de bloemen, naar de volle zaal. Alle plaatsen waren bezet en achterin moesten mensen zelfs staan. Ik herkende mevrouw Manson, met haar man en kinderen, op de voorste bank. Achter hen zag ik de gezichten van nog meer buren: de Prices, de Blacks en de Johnsons. Ardith, Mary, Susie. Heel Barclay Street was er. Maar die anderen? Het waren er zo veel. Ik herkende een paar dames uit Marlenes hobbywinkel, van hun kaartavondjes. Tussen hen in zag ik het betraande gezicht van Dora Fenwick, met Danny naast haar.

De zachte orgelmuziek, die me nu pas opviel, zweeg en op een houten preekstoel schraapte de onbekende dominee zijn keel. Hoe lang had hij daar al gestaan? Hij begon te spreken. Ik schakelde die onbekende stem uit toen hij allerlei dingen vertelde die niets met mijn moeder te maken hadden. Ten slotte eindigde de preek en begon de orgelmuziek opnieuw. Een paar dappere stemmen sloten zich bij de dominee aan toen hij zong: 'Er staat een oud, ruwhouten kruis...'

Op het lied volgde een korte stilte, slechts verstoord door nog meer gehoest en het snuiten van neuzen. 'Nu zingen we een van de lievelingsliederen van Lucy Coulter,' kondigde de dominee aan. 'Nummer zevenentachtig in uw gezangboek.'

Hoe kende hij mams lievelingsliederen? Wie kon hem dat hebben verteld? Tante Mildred? Mijn vader? Zou papa dat wel weten?

Bladzijden ritselden toen iedereen de juiste tekst zocht. Frankie knikte bij de eerste klanken van het orgel. Kipper sprong overeind. Marcherend op zijn plaats zong hij: 'Onward Christian so-o-oldiers.' Zijn luide stem vulde de kleine ruimte. Frankie en ik stonden op om met hem mee te zingen. Toen ook oom Sidney overeind kwam, liet tante Mildred zich terugzakken, met haar hoofd in haar handen. Mijn vader staarde naar een plek die niemand van ons kon zien.

Na het laatste couplet, toen iedereen weer zat, zei de dominee dat de familie een paar woorden wilde spreken. Frankie boog zich naar voren en haalde een opgevouwen vel papier uit zijn borstzakje. 'Pa,' drong hij aan. Toen er geen reactie kwam, stak hij zijn arm voor me langs en stootte papa aan met het papier. 'Het gedicht,' fluisterde hij.

Maar mijn vader hoorde hem niet. Frankie slaakte een zucht en stond op. Hij wierp nog een laatste blik op papa voordat hij zijn schouders rechtte en door de deur de kapel binnen stapte. De dominee trok zich terug en maakte de kansel vrij.

'Dit is niet gemakkelijk,' begon Frankie, terwijl hij het papier glad-streek, 'maar ik moet mijn belofte houden.' Zijn stem brak, hij slikte en begon opnieuw. 'Iedereen die onze moeder kende, weet dat ze van gedichten hield. Allerlei soorten gedichten, goed of slecht, grappig of serieus. Ze kon net zo gemakkelijk Byron citeren als Ogden Nash, of een simpel kinderversje, op het meest geschikte of ongeschikte moment.'

We hoorden wat gegrinnik vanuit de rijen, en een paar mensen knikten. 'Ze hield vooral veel van dit gedicht van William Words-worth, al was het maar omdat haar naam erin voorkomt. Mam heeft nooit ontkend dat ze ijdel was,' voegde hij er met een half lachje aan toe. Hij wachtte even tot het gemompel was verstomd. 'Het was haar wens' – hij keek even naar papa – 'dat het ooit op haar begrafenis zou worden voorgelezen. Niemand van ons kon vermoeden dat *ooit* al zo snel zou zijn.' Zijn gezicht verstrakte en hij knipperde een paar keer met zijn ogen. 'Voordat ik aan haar wens gehoor geef, wil ik graag zeg-gen dat ik het een mooie preek vond' – hij draaide zich verontschuldi-gend naar de dominee toe – 'maar dat het niet mijn moeder was. Het ging niet over de sterke, bezielde vrouw die altijd bereid was om te vechten voor haar ideeën, haar kinderen en haar man. Ze is... was een vrouw met een vurig temperament, net zo vurig als haar rode haar, een vrouw die graag huilde bij een mooie film, maar ook genoot van de tv-show *Name That Tune*, hoewel ze niet muzikaal was. Een vrouw die geen bridge maar poker speelde.' Hij keek op naar het plafond en fluisterde: 'Sorry, mam.' Weer schraapte hij zijn keel. 'Ze moedigde haar kinderen aan om het beste uit zichzelf te halen en ze geloofde niet dat er *gewone* mensen waren, omdat iedereen op een of andere manier wel bijzonder is, zoals ze altijd zei.' Hij haalde diep adem. 'Ze was heel veel dingen, voor u allemaal, dat weet ik zeker. Misschien was ze niet de beste huisvrouw van de wereld, of zelfs de beste kokkin, maar God weet, zoals haar kinderen weten, dat ze de beste moeder was.' Hij boog zijn hoofd en streek het papier weer glad. 'Dit is voor haar,' zei hij. Toen, met krachtige, heldere stem, begon hij te lezen:

> She dwelt among the untrodden ways
> Beside the springs of Dove,
> A maid whom there were none to praise,
> And very few to love.
>
> A violet by a mossy stone
> Half hidden by the eye!
> Fair as a star, when only one
> Is shining in the sky.
>
> She lived unknown, and few could know
> When Lucy ceased to be;
> But she is in her grave, and, oh,
> The difference to me!

Hij wachtte even, keek toen op en voegde eraan toe: 'Dat er maar weinig mensen van haar hielden, zoals in het gedicht staat, heeft natuurlijk geen betrekking op onze moeder. Iedereen die haar kende, hield van haar. Maar de laatste zin is maar al te waar. Haar verlies zal een verschil, een verschrikkelijk groot verschil, maken voor ons allemaal.' Zorgvuldig vouwde hij het papier weer op; hij stak het in zijn borstzak en stapte van de kansel.

Buiten bleef ik tussen Frankie en Kipper staan terwijl de stoet langs ons heen liep. Opmerkingen dat ze er zo mooi bij lag maakten me kwaad. Hadden die mensen mijn moeder wel gekend?

'Net als Marilyn Monroe,' fluisterde een vrouw tegen haar metgezel. 'Wat eeuwig zonde.'

Ik keek op naar mijn vader, maar hij had het niet gehoord. Weer leek het alsof hij er niet bij was, ook al stond hij naast ons.

Toen gebeurde er iets vreemds. Opeens verdween de doffe sluier voor zijn ogen. Hij schudde zijn hoofd, alsof hij niet geloofde wat hij zag, en deed een stap in de richting van twee mannen die naar hem toe kwamen. Ik had hen nooit eerder gezien. Ze droegen dezelfde blauwe jasjes, maar de mouw van de kleinere man was dichtgespeld bij zijn elleboog, waar zijn rechterarm had moeten zitten. De langste van het tweetal stak mijn vader zijn hand toe.

'Ken Campbell,' zei papa. Zijn stem was een hees gefluister.

'We hebben het gelezen over Lucy, in de krant van de Legion,' zei de man, terwijl hij papa's uitgestoken hand in zijn beide handen vatte. 'Natuurlijk moesten we komen.'

18

20 NOVEMBER 1941: HONGKONG

'Ik geloof dat Lawson ons dood wil hebben,' kreunde Ken Campbell, terwijl hij zich met gespreide armen en benen op de brits naast Howard wierp. Het metalen frame trilde onder de aanslag van dat bijna een meter negentig lange lichaam.

Howard zette zijn stalen helm af en grijnsde tegen de radioman. De lengte en het gewicht van zijn mede-Grenadier vormden een schril contrast met zijn engelachtige gezicht, dat nog altijd onder de modder zat. Toch was er niets kinderlijks aan soldaat Campbell. Howard had staaltjes van zijn brute kracht gezien tijdens de oefeningen van die dag en hij was blij dat ze in hetzelfde peloton zaten.

'De commandant denkt blijkbaar niet dat die Jappen zich langs de grens hebben verzameld voor een liedje bij het kampvuur,' zei Howard, en hij knoopte zijn met zweet doordrenkte uniform los.

'Dat is een afleidingsmanoeuvre,' verklaarde Peter Young, de Britse mitrailleurschutter, vanaf zijn bed. 'Als er een invasie komt, wat me niet waarschijnlijk lijkt, wordt het een aanval vanuit zee, zegt majoor Maltby.'

De meeste Britse soldaten binnen gehoorsafstand mompelden instemmend. Maar sommige Canadezen onderschreven de mening van hun eigen commandant dat de belangrijkste actie over land zou komen, vanuit het noorden. Die ochtend in alle vroegte had brigadecommandant Lawson aangekondigd dat ze zich zo snel mogelijk vertrouwd moesten maken met het terrein, zowel op het vasteland als op het eiland. Het werden zware manoeuvres, beloofde hij de troepen, maar wie aan het eind van de dag nog zin en energie had, kon rekenen op een ruimhartig avondverlof.

Howards pijnlijke spieren waren het bewijs van die zware eerste dag.

Maar hoe uitgeput hij ook was na het beklimmen en afdalen van de lastige heuvels in de brandende zon, toch kon hij geen nee zeggen toen Gordy hem weer uitnodigde om met hem en Shun-ling de stad in te gaan.

'Hé, Campbell,' riep Gordy, op weg naar de douches, 'kom vanavond ook mee naar de Sun Sun.'

'Nee,' zei Ken, en hij hees zich overeind. 'Ik ga naar de film met Black en Richards. Ik ben een getrouwd man, weet je.'

Shun-ling stond buiten de poort van het kamp in haar blauw-witte bloemetjesjurk. Heimelijk tevreden over zichzelf bloosde ze, en ze sloeg haar ogen neer toen ze hen zag aankomen.

'Zo! Kijk nou eens.' Gordy floot waarderend. 'Jij bent straks het mooiste meisje op de dansvloer.'

Ze keek op. 'Gaan we eerst naar Kowloon, alsjeblieft? En daarna naar de Peak?'

'We zijn als was in je handen,' lachte hij, en hij spreidde machteloos zijn armen.

Howards riksja volgde die van Gordy en Shun-ling door het drukke verkeer. Ze namen kleine klinkerstraatjes, bij het bruisende commerciële centrum vandaan, naar een ouder deel van de stad. In de donkere stegen hingen spandoeken boven de deuren van de snuisterijenwinkeltjes en rooksalons. De zwart geschilderde karakters golfden in het kleinste zuchtje wind. Boven hun hoofd hing wasgoed uit open ramen en aan wrakke balkons, waar hele families verkoeling zochten van de namiddaghitte. Zwartharige kinderen zaten tussen de spijlen met bungelende benen, terwijl hun ouders onderuitgezakt in rieten stoelen hingen en zich met waaiers koelte toewapperden. Op een druk balkon, vier verdiepingen boven de straat, leunde een groepje tieners over een balustrade die elk moment onder hun gewicht kon bezwijken. Ze riepen een groet naar de soldaten in de riksja's beneden, giechelend achter hun hand toen Howard terugzwaaide.

De vriendelijkheid van de Chinezen verbaasde hem. Overal waar ze kwamen werden ze hartelijk verwelkomd, als helden die waren gekomen om de kolonie te beschermen. Hopelijk konden ze aan die verwachting voldoen.

Hun riksja's minderden vaart en kwamen tot stilstand voor een smalle winkel. Zodra de lopers waren betaald, verdwenen ze in het halfdonker. Het schijnsel van het RX-symbool in de etalage wierp een oranje aura rond Shun-lings profiel toen ze hen mee naar binnen nam.

Er klonk een belletje in de winkel, die deed denken aan een kleinere versie van de drugstore van Howards schoonvader, thuis in Canada. Hij herkende allerlei vertrouwde producten op de uitpuilende schappen, van Bayer-aspirine tot rubberen klysmaslangen. Maar de man die net de glazen vitrine tegen de muur achter de toonbank afsloot leek in geen enkel opzicht op Lucy's vader. In plaats van een witte apothekersjas droeg hij een mantel tot op de grond. Op zijn hoofd had hij een bijpassend rond satijnen mutsje met een lange vlecht eronder.

Hij borg de sleutel ergens in de plooien van zijn mantel en draaide zich om. Een glimlach brak door op zijn ronde gezicht. 'Feng Shunling!' riep hij uit.

'Ah Sam.' Ze maakte een buiging voor hem en ze praatten even met elkaar in het Chinees.

Toen ze Howard en Gordy voorstelde, nam de man hen onderzoekend op. Hij boog voor ieder van hen, met zijn handen in zijn wijde mouwen.

Shun-ling praatte nog even verder. Toen ze uitgesproken was, knikte de winkelier. 'Ik begrijp het,' zei hij. 'Maar wat de heren willen, is hier niet te krijgen.' Hij maakte een handgebaar alsof hij de westerse medicijnen wegwuifde, en kwam achter de toonbank vandaan. 'Wat u nodig hebt tegen uw klacht, *Cimex lectularius*, die akelige beestjes in de nacht, vereist de deskundigheid van een apotheker,' zei hij, niet alleen in het Engels, maar zelfs met een Brits accent. Hij gaf hun een teken en ze volgden hem door het labyrint van kasten. Zijn lange vlecht danste met elke stap, terwijl hij over zijn schouder een hele verhandeling hield over de plaag van de bedwantsen. Achter hem trok Howard zijn wenkbrauwen op naar Gordy. Hij vroeg zich af of zijn vriend Shun-ling over hun probleem had verteld, maar Gordy schudde zijn hoofd en haalde zijn schouders op.

In een donkere hoek trok Ah Sam een bamboegordijn opzij voor een wand met kleine houten laatjes, elk voorzien van een ander symbool. Op de planken erboven stond een hele batterij flesjes en potjes met poeders, gedroogde bladeren, kruiden en wortels, verschrompelde kikkerpootjes, gedroogde hagedissen en nog andere, onherkenbare dierlijke delen.

'Hoe is het met je eerbiedwaardige vader, Shun-ling?' vroeg Ah Sam, terwijl hij een pot met groen poeder pakte en behendig een kleine hoeveelheid in twee ampullen met olie strooide.

'Heel goed, dank je,' antwoordde ze.

'Waarom komt hij niet op bezoek? Ik mis onze schaakpartijen. En,' voegde hij er met een lachje aan toe, 'onze filosofische discussies.'

'Mijn vader is een drukbezet man.'

Ah Sam trok bijna onwaarneembaar een wenkbrauw op, maar gaf geen commentaar. Hij deed een kurk op de ampullen, pakte een brandende kaars van de toonbank en goot er was overheen. 'En je zus?' vroeg hij, terwijl hij de ampullen weglegde om de was te laten harden.

'Met Shun-qin is alles nog hetzelfde.'

Hij zocht onder de toonbank en haalde een blikken trommeltje tevoorschijn, zo groot als een boek. Hij verpakte het in bruin papier. 'Voor haar keel,' zei hij, terwijl hij er een touwtje omheen bond. 'Ze zullen misschien niet helpen om haar weer te laten praten, maar wie weet? Als ze erin gelooft? En...' voegde hij eraan toe met een knipoog, die Howard bijna komisch voorkwam, 'ze smaken als snoep.'

'Het spijt me.' Shun-ling sloeg haar ogen neer. 'Ik heb geen geld.'

'Nee, nee, kind. Het is een cadeautje van mij. Wees zo lief om het aan te nemen.'

'Dank je, Ah Sam. We staan weer bij je in het krijt.'

'Onzin,' zei hij, en hij pakte de ampullen in. 'Het is niets. Ik vond het fijn je weer te zien. Breng alsjeblieft mijn groeten over aan je vader.'

Hij gaf de pakketjes aan Howard en Gordy. 'Een oud Chinees medicijn,' legde hij uit, nu weer ernstig. 'Het werkt. Eén keer aanbrengen, dan is de jeuk weg en zullen de beestjes u verder met rust laten.'

Hij aarzelde niet hun geld aan te nemen, een bedragje dat omgerekend nog geen twee dollar was. Een geringe prijs, als het werkelijk een eind kon maken aan die onverdraaglijke jeuk.

De apotheker maakte een buiging toen Howard hem bedankte. 'Het was me een genoegen.'

'Waar hebt u zo Engels leren spreken?' vroeg Gordy. 'Als een echte Brit?'

'Nou, waarde heer...' zei Ah Sam met een toegeeflijke glimlach, waarmee hij Gordy zowel excuseerde voor die onbeleefde vraag als hem vriendelijk terechtwees, 'ik bén een Brit, zoals u het zo passend verwoordt. Ik ben geboren in Londen en ik heb in Oxford gestudeerd. Toen ik was afgestudeerd in de farmacie ben ik naar Hongkong verhuisd, dat natuurlijk ook Brits is.'

'O, ik...' stamelde Gordy. 'Ik bedoelde alleen... nou ja, die kleren, en...'

'Goed voor de zaken, vindt u niet? Een Chinees in traditioneel gewaad?' Hij spreidde zijn armen om de golvende satijnen mantel te benadrukken. 'Het is een leuk detail dat zowel bij Europeanen als Aziaten in de smaak valt.'

Terwijl de kabeltram langzaam de steile helling beklom naar de Peak, vroeg Howard aan Shun-ling hoe ze Ah Sam had leren kennen.

'We ontmoetten hem toen we in Hongkong aankwamen, drie jaar geleden,' antwoordde ze, met een starende blik naar de weelderige plantengroei die vlak langs de raampjes van de tram gleed. 'Toen we aan de Japanners waren ontkomen.'

Opeens drong het tot Howard door dat ze in de winkel vloeiend Engels had gesproken, terwijl ze nu weer verviel in steenkolenengels.

Net als de apotheker scheen Shun-ling een rol te spelen, in haar geval die van een onderdanige gids.

En waarom ook niet? Ze vertrouwde Ah Sam. Ze had geen enkele reden iemand te vertrouwen die haar gezelschap had gekocht.

'Mijn zus had medicijnen nodig,' vervolgde ze. 'Andere mensen uit het noorden zeiden ons dat Ah Sam wel zou helpen. Hij was niet duur. Vaak bood hij zijn middeltjes ook gratis aan. Maar mijn vader is een trots man. Ah Sam en mijn vader... allebei intellectuelen, die graag praten. Ah Sam regelde soms werk voor hem, als tolk. Maar dat wordt minder. Mijn vader is te trots om dikwijls bij hem aan te kloppen. Zijn vriend mag niet weten hoe diep hij is gezonken.'

Howard verbaasde zich over die vreemde cultuur. Te trots om liefdadigheid van een vriend te accepteren, maar niet te trots om zijn dochter aan een vreemde te verkopen?

In de rokerige zaal boven het Sun Sun Café waren alleen nog staanplaatsen. Boven het geroezemoes van de gesprekken uit klonken de blikkerige klanken van Glenn Millers 'The Nearness of You', uit een Wurlitzer-jukebox in de hoek. Op de dansvloer drukten dansmeisjes zich dicht tegen hun partners in uniform aan, terwijl hun beschilderde gezichtjes al rondkeken naar een volgende klant.

Howard liet Gordy en Shun-ling bij de jukebox achter en wrong zich door de dansende menigte om de drankjes te halen. Toen hij bij de bar Dick Baxters oranje haar ontdekte, stapte hij naar hem en Peter toe. 'Hallo, kerels,' zei hij, met een mislukte poging een Brits accent na te bootsen. 'Drie bier,' riep hij naar de barman. Hij moest zijn stem verheffen om boven het gedruis uit te komen. 'En twee voor mijn vrienden hier,' voegde hij eraan toe, leunend tegen de bar.

'Je hebt de lol gemist,' zei Peter.

Terwijl ze op hun bier wachtten, kreeg hij van de twee mitrailleurschutters het verhaal te horen. 'Een paar Britten hadden problemen met de Canadezen,' zei Dick. 'Dat werd matten, maar alles is weer rustig nou.'

'Wat gebeurde er dan?'

Dick haalde zijn schouders op. 'Blijkbaar kregen onze jongens er genoeg van dat jullie maar met geld lopen te smijten. Dat pikken ze niet van een stelletje kolonialen.'

'Ach, ze maken gewoon plezier,' zei Howard. Hij haalde een handvol muntjes uit zijn zak en telde ze uit op de bar. 'Ze voelen zich als kinderen in een snoepwinkel,' zei hij, terwijl hij zijn hand uitstak naar de glazen bier die zijn kant op gleden.

'Nou, waarschuw ze maar dat het afgelopen moet zijn,' zei Peter, en hij pakte de druipende pul aan die Howard hem doorgaf. 'De mannen stellen dat niet op prijs. Bovendien gaat het gerucht dat jullie nauwelijks materieel hebben meegenomen.' Hij tilde zijn glas op en keek Howard over de schuimkraag aan. 'Dat jullie op het garnizoen parasiteren,' voegde hij eraan toe, een beetje uitdagend.

'Dat komt wel goed als ons bevoorradingsschip is aangekomen,' zei Howard, en hij gaf Dick zijn bier. 'Het is al onderweg.'

'Dat is maar beter ook,' vond Dick. Hij nam een slok en veegde zijn bovenlip af. 'We hebben zelf al nauwelijks genoeg materieel en munitie. Nu komen jullie er nog bij, met veel te diepe zakken en lege handen. Ik bedoel het niet persoonlijk, man, maar een heleboel mensen vragen zich af wat wij aan jullie hebben.'

'Wanneer?' vroeg Howard, terwijl hij de andere pullen pakte. 'Als die denkbeeldige aanval van de Japanners komt?'

Peter grijnsde. 'Geen probleem, man.' Hij sloeg Howard op zijn schouder. 'Dicky en ik plagen je maar een beetje. Weet je wat?' Hij knipoogde tegen zijn vriend. 'Als ze eindelijk komen, jullie schip óf de Japanners, dan geven wij een rondje.'

'Afgesproken,' lachte Howard.

Balancerend met de drie bierpullen stak hij de zaal weer over. Hopelijk zou het materieel inderdaad binnenkort arriveren. Vandaag had het Britse leger een stel brengun-carriers aan de Canadezen uitgeleend, maar zijn eigen regiment had achter het net gevist. Tijdens de manoeuvres hadden Gordy en hij om beurten de wapens van de ene positie naar de andere moeten dragen. Die dingen waren loodzwaar, en het steile terrein hielp ook niet mee. Opnieuw was Howard dankbaar voor de maanden dat ze in Winnipeg met blokken ijs hadden gezeuld, maar terwijl hij langs de danspaartjes zigzagde, op weg naar Gordy en Shun-ling, had hij nog steeds kramp in zijn kuiten door de inspanningen van die dag.

Later, terug in het kamp, ging hij op zijn brits zitten om een brief aan Lucy te schrijven. Hij schreef niets over de eindeloze schietoefeningen, het graven van loopgraven of de slagveldexercities. In plaats daarvan probeerde hij zijn indrukken van deze opwindende stad weer te geven. Hij schreef over de tramrit naar de Peak, hoog boven het eiland.

De trams rijden loodrecht een steile helling op! Dwars door de jungle, tot boven de daken van dure huizen, zo groot als paleizen! Echt, Lucy, het is alsof je naar de top van de wereld rijdt. Maar je hebt ook hele families die op vreemde bootjes wonen en soms hun hele leven geen voet aan wal zetten, zeggen ze hier.

Alles wat ik hier zie, zie ik door jouw ogen. Zou jij ervan genieten? Ik denk het wel. Je zou versteld staan van sommige dingen. Ik ben bang dat wij allemaal nog rondlopen met grote ogen van verbazing. De belangrijkste tijdsbesteding in deze stad is winkelen, zo lijkt het. Ik heb een groene zijden Chinese jurk voor je gekocht. Geen zorg, die kost hier bijna niets. Iedereen rookt; zelfs de armsten hebben nog geld voor sigaretten. Ik moet je iets bekennen, Lucy. Ik ben zelf ook gaan roken. Verslaafd aan het legerrantsoen van gratis sigaretten. Als ik thuiskom, stop ik er wel mee.

Ik ben zo'n beetje bevriend geraakt met een Aziatische man, een barbier, die 's ochtends de Britse soldaten komt scheren. Ik deel mijn sigaretten met hem als ik 's avonds terugkom in de barak. Vanavond heb ik een biertje voor hem gekocht. Hij spreekt geen woord Engels, maar we hebben op het trapje van de barak gezeten en naar jouw foto gestaard als twee verliefde schooljochies.

Hij schreef niet over de honderdduizenden vluchtelingen die de stad binnen stroomden of over de enorme kloof tussen rijk en arm. Daar zou hij Lucy geen plezier mee doen. Hij vertelde niets over de lijken die achter in de kadavertrucks werden gegooid. En hij zweeg over zijn ontmoeting met Ah Sam, een man tot wie hij zich aangetrokken had gevoeld en die hij zag als een product van twee culturen. Eén moment in die kleine winkel had hij overwogen om zijn eigen droom van een farmaceutische studie met hem te delen, maar hij had het voor zichzelf gehouden. Dat zou hij Lucy allemaal wel vertellen als hij thuiskwam.

Ook schreef hij niets over de gedachte die bij hem was opgekomen toen hij op de Peak boven de Zuid-Chinese Zee stond. Het was een adembenemend uitzicht, maar het verloor zijn charme toen hij zich afvroeg of brigadecommandant Lawson gelijk had en er een invasie vanuit het noorden zou komen. Als ze werden teruggeworpen tot het eiland, waar moesten ze dan heen?

19

Frankie vond me. Ik tuurde tegen het licht in dat de kast binnen viel en zag hem in de open deur staan, met papa's jasje over zijn arm gevouwen. 'Hallo, Ethie,' zei hij, alsof het heel gewoon was dat ik op de vloer van mama's kast zat met een van haar blouses tegen mijn gezicht gedrukt. De muskusgeur van haar zweet en parfum sijpelde met de duisternis de kastdeur uit.

Frankie tastte naar een hanger boven mijn hoofd. 'Wat doe je daar?' vroeg hij.

'Ik zit hier.' Ik sloeg mijn armen om mijn knieën.

'Hm. Dat zie ik.' Hij hing papa's jasje op. 'Buiten staan een paar vriendinnen van je,' zei hij, terwijl hij zijn eigen jasje uittrok. 'Ga even gedag zeggen.'

Ik schudde mijn hoofd. Zij waren het juist voor wie ik me verborg. Zij, en alle buren die zich bij ons thuis hadden verzameld. Ik had gezien hoe ze naar me keken aan de rand van het graf. Van nu af aan was ik het meisje met de moeder die in een gat in de grond was gelegd. 'Ik wil ze niet zien,' mompelde ik.

Frankie hing zijn jasje op en maakte de knoop van zijn dunne stropdas los. 'Oké,' zei hij, terwijl hij zijn mouwen oprolde. 'Maar het is hier bloedheet. Ga in elk geval naar Kipper toe. Hij zoekt je.' Hij bukte zich en stak me zijn hand toe. 'Hij is in het parkje.'

Ik liet me overeind trekken en meenemen, uit de slaapkamer vandaan. Buiten in de gang zat een meisje met getoupeerd blond haar als van Sandra Dee op de onderste tree van de trap, met haar kin op haar handen gesteund. Ze sprong op toen ze ons zag aankomen. Met haar grote reeënogen, zwaar aangezet met zwart, keek ze Frankie aan met dezelfde uitdrukking als Kipper wanneer hij op de stoep stond met zijn hockeystick, in de hoop dat de jongens hem zouden vragen om mee te doen.

Toen we langs haar heen liepen, fluisterde Frankie haar iets in het oor. Ik had met haar te doen, totdat ze zich pruilend tegen de muur liet zakken. Mijn moeder zou wel raad hebben geweten met die pruillip. Ik liet Frankies hand los, liet hem bij het pruilende meisje achter en wrong me tussen de mensen in de drukke gang door.

Iedereen praatte zachtjes maar dringend, alsof ze bang waren om te zwijgen, één seconde maar, omdat de stilte dan zou bewijzen hoe leeg het huis nu was. Het geroezemoes van hun stemmen achtervolgde me. Zelfs met alle ramen open was het te benauwd in huis en leken de kamers te klein voor al die mensen.

In de keuken zaten de vrouwen van Barclay Street – allemaal in dezelfde zwarte katoenen jurken en de meesten met zo'n raar zwart begrafenishoedje op hun hoofd – rond onze tafel. Vorige week hadden ze het over de regen gehad, vandaag praatten ze over de drukkende hitte. Hoe konden ze daar zo zitten, rokend en kletsend, alsof dit een van mams wekelijkse koffieochtendjes was? Alsof haar lege stoel het enige verschil was.

De rest van de vrouwen, van wie ik er een paar herkende en anderen niet, was bezig met de borden en het eten dat op alle beschikbare oppervlakten klaarstond. Dora Fenwick stond bij het aanrecht in een kan limonade te roeren. Ze keek op toen ik opdook, tussen twee dames door. 'O, daar ben je, Ethie,' zei ze. 'Wil je limonade? Of ijsthee?'

Ik haalde mijn schouders op.

'Danny is naar huis met mijn moeder,' zei ze, terwijl ze een glas inschonk en het me gaf. 'Waarom ga je daar ook niet heen, om met hem te praten?'

Ik pakte het glas aan, maar negeerde haar voorstel. Ik had geen behoefte aan Danny met zijn droevige ogen en zijn medelijden, of aan zijn grootmoeder, die misschien niet eens meer wist hoe ik heette.

Achter me viel het gesprek aan de keukentafel stil. Ik voelde hoe ze rondcirkelden, als een vlucht zwarte vogels, terwijl ze al mijn bewegingen volgden, wachtend op een kans om op me neer te duiken en me te troosten. Als nog iémand zou vragen 'Hoe is het nou met je, kind?' of me probeerde te omhelzen, zou ik gaan gillen. Wat hadden ze hier te zoeken? Waarom gingen ze niet allemaal naar huis, net als mijn oom en tante?

Dora Fenwick stak haar hand uit en veegde een krul van mijn voorhoofd. 'Heb je honger?' De zachte aanraking van haar vingers bezorgde me een naar brok in mijn keel. Ik schudde mijn hoofd en deinsde terug.

Buiten op de gang stond Frankie tegen de muur geleund, nog steeds in gesprek met het pruilende meisje – zijn nieuwste vlam, nam ik aan. Ik vroeg me af hoelang dat zou duren. Ooit, toen hij een meisje had gedumpt op wie mijn moeder erg gesteld was, had ze hem een naarling genoemd.

'Ik kan er ook niks aan doen dat de dames me onweerstaanbaar vinden,' had Frankie lachend geantwoord.

Mama rolde met haar ogen. 'Weet je, er was een tijd dat jouw vader ook naast zijn schoenen liep omdat hij zo knap was. Toen wij nog jong waren, vond hij zichzelf een hele charmeur. Maar daar heb ik wel een eind aan gemaakt. Als je het juiste meisje tegenkomt, val je net zo hard.'

Frankie had grijnzend haar wang gekust, voordat hij de keuken uit liep. Hij wilde net zo'n vriendin als het meisje met wie zijn goeie ouwe vader was getrouwd, riep hij nog, terwijl hij naar mij knipoogde. 'Wie kan er in haar schaduw staan?'

Niet deze kloon van Sandra Dee.

Ik drukte mijn glas limonade in haar hand. Haar zwaar opgemaakte ogen bleven strak op Frankie gericht toen ze het glas aanpakte. Ze bracht het naar haar lippen en merkte toen pas dat ik er stond. 'O, jij bent Eva, hè?' zei ze, op suikerzoete toon.

'Ethie,' verbeterde Frankie.

'Ethie. O, ik vind het zo vreselijk van je moeder,' kweelde ze, en ze stak een arm naar me uit.

Ik stapte achteruit en ontsnapte naar de huiskamer. Een wolk van blauwe rook zweefde boven de hoofden van de mannen die daar zaten. Door een opening in de menigte zag ik mijn vader ineengedoken op de rand van zijn stoel zitten, met zijn ellebogen op zijn knieën. Als een vogelverschrikker waaruit het stro is verdwenen staarde hij naar het glas in zijn gekromde hand, terwijl de twee mannen op de bank zich naar hem toe bogen en op hem in praatten. In tegenstelling tot de anderen in de kamer, die allemaal in een wit overhemd zaten, met opgerolde mouwen, droegen de twee onbekenden die op de begrafenis waren verschenen nog steeds een jasje en een das.

Ik sloop in de richting van papa's stoel.

'Ik had geen idee dat je nu in Vancouver woonde, Howard,' zei de man die zelfs nog lang leek nu hij zat. 'Waarom heb je nooit contact...' Hij keek op en zag me. 'Hallo daar,' zei hij, en hij leunde naar achteren.

Ik ging op de armleuning van mijn vaders stoel zitten. Hij keek me aan met een moeizaam lachje dat niet tot zijn ogen reikte.

'Ze lijkt sprekend op dat fotootje dat je altijd bij je had,' zei de man. 'Het evenbeeld van haar moeder, zeker?'

Papa klopte me op mijn knie. 'Ja,' fluisterde hij, 'dat is ze.'

De man met maar één arm schraapte zijn keel. 'Zeg, wist je dat soldaat Ken Campbell hier nu dokter Ken Campbell is?'

Mijn vader keek van de een naar de ander, zichtbaar opgelucht dat hij over iets anders begon. 'Nee, dat wist ik niet,' zei hij. 'Maar het verbaast me niets.'

De dokter glimlachte. 'En heb jij nog farmacie gestudeerd na de oorlog, Howard?' vroeg hij.

'Nee, ik ben in de techniek gegaan, op een fabriek,' zei papa. 'En jij, Jack?' vroeg hij de man met de ene arm. 'Ben jij in Vancouver gebleven?'

'Ja, ik werk bij een visconservenbedrijf,' antwoordde de man. 'Toen de directeur hoorde wat ik had doorgemaakt, kreeg ik een baan voor het leven.' Hij tilde zijn glas op. 'Mijn arm in nu wormenpoep daar in het oosten, omdat een politicus met slappe knieën geen nee durfde te zeggen tegen Moeder Engeland...' Hij staarde in zijn glas en lachte bitter. 'Maar ik kan verdomme nog wel op een paar knoppen drukken.' Hij sloeg zijn glas achterover en zag me staan. 'O, sorry, jongedame. Dat is ongepaste taal.'

Mijn vader scheen de vloek of mijn nerveuze lachje niet te hebben opgemerkt. Hij pakte zijn eigen, bijna lege glas op, en ik rook de dampen van het amberkleurige vocht. Terwijl mijn vader de rest van zijn ijsthee dronk, die geen ijsthee was, leunde de man met de ene arm ongemakkelijk opzij. Met zijn linkerhand haalde hij een klein flesje uit zijn jaszak. Op het moment dat hij papa's glas bijvulde, kwam Frankie net de kamer binnen. Abrupt bleef hij staan, met een frons op zijn gezicht. Toen draaide hij zich om en verdween naar buiten, met zijn vriendinnetje achter zich aan.

Ik keek weer naar mijn vader en zag wat Frankie had gezien: de kloof tussen papa en de buitenwereld werd steeds groter.

Ik had de hele dag niet gehuild, niet in de begrafenisauto en niet bij de dienst. Ook toen ze mams kist in de kuil lieten zakken en de dominee een handvol aarde erachteraan gooide, die tegen het glimmende hout kletterde, waardoor Dora Fenwick begon te huilen, had ik geen traan gelaten. Niet omdat ik niet verdrietig was of omdat ik niet wilde huilen, maar eenvoudig omdat ik het niet kón. Mijn tranen bleven ergens steken achter mijn verdriet. Maar toen mijn vader zijn borrel in één keer achteroversloeg, werd dat verdriet weggevaagd door de angst dat hij deze keer volledig in het niets zou verdwijnen. Ik liet me van de stoel glijden en vluchtte de voordeur uit.

Buiten bleef ik een tijdje op de veranda staan, met een waas voor mijn ogen, en probeerde me te concentreren op het parkje aan de overkant. Frankie had zijn vriendinnetjes, papa had zijn whisky, ik had Kipper.

'Ken je haar?' vroeg iemand achter me.

Haastig veegde ik de tranen uit mijn ogen. Toen ik me omdraaide, zag ik Irene Manson tegen de deur geleund staan, met haar armen over elkaar geslagen. Ze keek me aan door de donkere glazen van haar kattenogenbril.

'Wie?'

'Dat Chinese meisje,' zei ze met een knikje naar de overkant van de straat. 'Daar in het parkje, waar ze met Kipper staat te praten.'

20

Ik zal nooit helemaal begrijpen waarom ik loog tegen mevrouw Manson. Misschien omdat alle buurtkinderen nog op onze veranda, het trapje en het grasveld zaten, ongemakkelijk in hun zondagse kleren, en mijn blik ontweken. Misschien omdat ik weg wilde, weg van die kinderen, van haar en van ons huis vol fluisterende stemmen. Of misschien omdat ik op dat moment gewoon geloofde wat ik zei.

'Ik vraag het alleen omdat ik haar al eerder heb gezien,' zei Irene Manson, toen ik niet meteen antwoord gaf. Ze keek me strak aan, stak een sigaret tussen haar lippen en gaf zichzelf vuur. 'Meestal komt ze 's ochtends,' ging ze verder, terwijl ze een rookwolk uit haar mondhoek blies. 'En dan staat ze daar te kijken, naar jullie huis.'

Hetzelfde meisje dat ik op maandag en dinsdag had gezien? Haastig draaide ik me om, net op het moment dat er iemand uit het parkje kwam en de straat uit liep. Ik keek wat scherper. Ja, het was hetzelfde meisje. 'O, ze is gewoon iemand die op Frankie valt,' zei ik achteloos over mijn schouder, terwijl ik langs Ardith en Debra op het trapje stapte. Ik negeerde hun groet en liep naar de stoep, waar ik ongeduldig wachtte tot er twee auto's door de krappe ruimte tussen de geparkeerde auto's aan weerskanten van de straat waren gekropen. Zodra de weg vrij was, rende ik naar de overkant. Kipper stond in zijn eentje bij de schommels en zwaaide naar de verdwijnende rug van het meisje alsof ze een oude vriendin was.

'Wie was dat?' vroeg ik.

'Weet ik niet.'

'Waar praatte ze over?'

'Over mam.'

'Over mam!' riep ik verbaasd. 'Wat zei ze dan over haar?'

'Ze wilde weten waar ze was.'

'En wat heb je gezegd?' vroeg ik, hoewel ik het antwoord al wist.

'Hevel. Ik zei dat mama in de hevel was.'

Aan het eind van de straat verdween het meisje om de hoek.

Ik keek naar ons huis, met al die silhouetten achter de ramen, en mevrouw Manson, die weer naar binnen stapte. Naar de kinderen op de veranda en het grasveld, die er net zo uitzagen als ik me voelde: alsof ze liever ergens anders zouden zijn geweest, waar dan ook.

Ik greep Kippers arm. 'Kom, dan gaan we achter haar aan.'

Mijn broer liep nogal zwaar, zelfs als hij zijn best deed. Zijn voeten waren loden gewichten. Met zijn trage, waggelende tred had hij altijd moeite om me bij te houden. Maar nu probeerde hij het niet eens. Hij keek steeds over zijn schouder.

Ik bleef staan. 'Ik wil niet naar huis voordat ze allemaal vertrokken zijn,' zei ik, en ik pakte hem weer bij zijn arm. 'Kom mee,' drong ik aan. 'Dit is een avontuur.'

'Oké, Ethie.'

Toen we bij de hoek kwamen, liep het meisje zo'n honderd meter voor ons uit. We bleven op veilige afstand en volgden haar helemaal tot aan Victoria Drive, waar ze in de rij bleef wachten op de bus.

Ik trok Kipper mee tot achter het bushokje. 'Heb jij geld bij je?' fluisterde ik.

Grijnzend zette hij zijn hoed af en keerde hem om. Zijn stompe vingers tastten onder de linnen band en haalden een zilveren dollar tevoorschijn.

'Zo! Hoe kom je daaraan?'

'Van toen ik mijn schilderijen heb verkocht. Het is voor iets speciaals.'

'Nou, dit is speciaal. We gaan een ritje maken met de bus.'

'Oké, is goed,' zei hij, net toen de bus naar Hastings Street bij de halte stopte.

De deuren vouwden zich open en de rij mensen schuifelde naar binnen. Ik wachtte tot het meisje was ingestapt en duwde toen Kipper voor me uit. We volgden de laatste passagiers het trapje op. Achter ons sloten de deuren zich met een mechanische zucht. Kipper gaf zijn dollar aan de chauffeur, die hem in het glazen kistje gooide. Ik pakte het wisselgeld dat in het metalen bakje rinkelde en gaf het aan Kipper.

'Achter de streep,' snauwde de chauffeur, en met een schok kwam de bus weer in beweging. Kipper en ik lieten ons op de eerste vrije dubbele bank vallen. Ik deed alsof ik uit het raampje keek, terwijl ik uit mijn ooghoek het meisje in de gaten hield. Ze zat achterin, achter de uitgang. Ik keek weer voor me uit terwijl de bus de straat in draaide.

'Wat zei dat meisje nog meer?' fluisterde ik tegen Kipper, die bezig was de muntjes in zijn hand te tellen.

Fronsend dacht hij na. 'Ze zei dat ze het erg vond.'

We kwamen langs Kingsway en Broadway. Steeds als we stopten, keek ik voorzichtig achterom om te zien of ze uitstapte. Maar ze bleef zitten, starend uit het raampje, tot Victoria Drive overging in Commercial Drive.

Ik kende deze route. Voordat mijn moeder leerde autorijden, had ze ons altijd met deze bus meegenomen als we de stad in gingen. Toen we de afslag naar Trout Lake passeerden slikte ik een snik weg bij de herinnering aan hoe ze me had getroost op de dag dat ik de schoenen was kwijtgeraakt die ik zo belangrijk vond.

In Hastings Street reden we langs een winkel van het Leger des Heils – de Sally Ann, zoals mijn moeder altijd zei als ze me er mee naartoe nam om kleren voor school te kopen. Er was er ook een op Victoria Drive, maar ze wilde mijn kleren niet zo dicht bij huis kopen, uit angst dat ik op school zou verschijnen in de afdankertjes van een klasgenote.

In Main Street stopte de bus voor een rood licht. Toen ik het museum op de hoek zag, dacht ik onwillekeurig aan die dag, afgelopen voorjaar, toen we daar met mijn moeder waren geweest. Ik verdrong de herinnering aan de mummie in de glazen vitrine op de eerste verdieping.

Het licht sprong op groen. De bus reed door naar de volgende halte, voor de Army & Navy Department Store. Hoe kon het nog maar een paar weken geleden zijn dat ik mama had geholpen de bakken met beha's voor negenentwintig cent te doorzoeken totdat ze er triomfantelijk een uithaalde in haar maat?

Ze was overal. Behalve bij ons. *Waarom had ze ons in de steek gelaten?*

Ik liet me tegen de hoek van de bank zakken en vroeg me af wat ik eigenlijk in deze bus deed – waarom ik dat meisje volgde. Wat verwachtte ik te ontdekken? Maar toen Kipper me tegen mijn schouder porde en door het raampje naar het meisje wees dat al over de drukke stoep liep, sprong ik overeind en rende ik naar de voorste deur. Met een geërgerde zucht haalde de chauffeur de hendel van de vouwdeuren over, zodat Kipper en ik nog konden uitstappen.

De straten in de binnenstad roken naar gebrande suiker en versgezette koffie. Mijn maag rammelde toen we tussen het publiek door zigzagden.

We haalden het meisje weer in bij de hoek, waar ze wachtte tot ze kon oversteken naar de andere kant van Hastings Street. Ik hield Kipper tegen totdat ze weer doorliep, zodat we ons in de menigte konden verstoppen. Inmiddels had ik wel een idee waar ze naartoe ging.

Chinatown, een van mama's favoriete plekken. Ze vond het heerlijk om daar in de exotische winkeltjes te snuffelen, in de drukke restaurantjes te eten of naar de straatfeesten te kijken. Ik herinnerde me de eerste keer dat ze ons had meegenomen naar het Chinese nieuwjaar. Kipper en ik waren doodsbenauwd voor al die herrie van de trommels en het vuurwerk in de drukke straten. We kropen weg achter mams rokken bij het zien van de grote, gekke draak die zich door de straat slingerde, totdat Frankie naar de menselijke benen onder de rood-gele franje van het kostuum wees. Ik kon me niet herinneren dat mijn vader ooit meeging.

We volgden het meisje door de drukke straten, tot het punt waar de hoge gebouwen plaatsmaakten voor kleine winkeltjes, dicht opeen onder kleurige markiezen, waarvan een groot deel was beschilderd met rode of gouden Chinese karakters. De geur van heet braadvet en de aanblik van gebraden kippen die onder de gele lampen achter de ramen van de eettentjes hingen deden mijn maag nog luider rammelen.

Voor ons uit stapte het meisje een kruidenierswinkel binnen, aan het einde van de straat. Ik hield Kipper een paar seconden tegen en loodste hem toen naar de groente- en fruitkisten langs de stoep. Daaroverheen tuurden we de winkel in. Het meisje stond te praten met een man in een wit schort. Hij gaf haar een sinaasappel.

'Ik heb honger,' jammerde Kipper.

'Sst, straks gaan we wel wat eten,' fluisterde ik.

'Wanneer dan?' probeerde hij terug te fluisteren.

'Als we weten waar ze naartoe gaat.'

'Maar waarom?' vroeg hij verbaasd. 'Waarom volgen we haar?' Op dat moment kwam het meisje weer naar buiten en verdween ze in het steegje achter de winkel.

'Doe maar net alsof we spionnen zijn die de vijand schaduwen,' zei ik, terwijl ik achter haar aan liep.

'Maar ze is geen vijand. Ze is heel aardig,' zei Kipper achter me.

'Doe nou maar net alsof, oké?' Ik sloop naar de hoek van de winkel om in het steegje te kunnen kijken. Het meisje was verdwenen. 'Kom mee.' Ik wenkte Kipper.

'Die man gaf haar een sinaasappel voor niks,' zei hij, terwijl hij achter me aan sjokte en probeerde nog eens de winkel in te gluren. 'Misschien is het meneer Fong. Misschien krijgen wij er ook wel een.'

'Het is niet meneer Fong.'

Het steegje naast de winkel werd afgescheiden door een houten hek, grijs en verweerd. We liepen naar het eind en keken om de hoek. Daar was ze ook niet. We waren haar kwijt.

Ik vroeg me al af waar we nu naartoe moesten toen ik de wilde braamstruiken ontdekte die tegen het hek achter de winkel groeiden. Bij het zien van de rijpe bramen kon ik mijn honger niet langer negeren. Ik stak mijn arm tussen de doorntakken en plukte een handvol. Kipper liep langs het hek en stak de bramen in zijn mond. Hij bleef staan bij een opening tussen de struiken. 'O, mooi,' zei hij.

'Wat?' Ik liep naar hem toe en zag dat hij door een kier van een hoge houten poort tuurde.

'Een klein huisje.' Hij stapte naar achteren, zodat ik ook kon kijken. Ik tuurde door de kier tussen de planken. Hij had gelijk. Daar, op het erf achter de winkel, stond een klein gebouwtje, niet veel groter dan een speelhuisje van een kind. Het was een kleine versie van de Chinese tempels die ik wel eens in een boek had gezien. De rode verf was verbleekt en de pannen van het steile, gewelfde dak waren hier en daar gebroken of ontbraken helemaal. De gebogen daklijsten waren misschien ooit mooi geweest, maar nu resteerden enkel wat schilfers goudverf. Toch vond Kipper het mooi. 'Wat is dat voor huis?' vroeg hij.

Voordat ik kon antwoorden zag ik het meisje een open trap achter de winkel op lopen. Ze nam de laatste paar treden naar de overloop op de eerste verdieping, opende een deur en verdween naar binnen. *Dus hier woont ze.*

Het voelde als een anticlimax. Het spel was voorbij. Ik plukte nog wat bramen. 'Kom mee,' zei ik, terwijl ik mijn handen schoonveegde aan mijn jurk. 'Dan kopen we een sinaasappel.'

Kipper propte de laatste bramen in zijn met sap besmeurde mond en we liepen terug naar de straat, waar we de keurig opgestapelde sinaasappels in de kist voor de winkel bekeken. Ik koos er een en wilde naar binnen stappen om te betalen, toen ik het meisje achter de toonbank zag staan. Ze deed net een schort voor.

Kipper zag haar ook. 'Ze werkt hier!' riep hij.

Het meisje keek op. Ik gooide de sinaasappel terug in de kist, greep Kipper bij zijn shirt en sleepte hem mee, de straat uit.

Pas twee straten verder bleef ik staan, en wachtte ik terwijl hij zijn inhalator uit zijn broekzak haalde. 'Waarom...' hijgde hij tussen twee pufjes door, 'zijn we niet naar binnen gegaan?'

Daar had ik geen antwoord op. Ik wist niet waarom, en ik had nu al spijt dat we het niet hadden gedaan.

Hij nam nog een pufje en zei: 'Laten we teruggaan.'

Ik keek de straat door. Ik wilde naar huis. Misschien zou iedereen eindelijk verdwenen zijn tegen de tijd dat we thuiskwamen. Waarschijnlijk was het waar wat ik tegen mevrouw Manson had gezegd. Ze was gewoon een meisje dat verliefd was op mijn grote broer.

We bleven bij het volgende fruitstalletje staan. Ik controleerde of Kipper nog twee dubbeltjes overhield voor de bus, en we kochten een sinaasappel. Ik pelde hem en we deelden de partjes toen we naar de bushalte in Hastings Street liepen, via de kortere route over Victoria Square. Ik kende het kleine park in het centrum van Vancouver nog van de plechtigheden op Remembrance Day, waar mijn vader en moeder ons elke november mee naartoe namen. Ieder jaar, aan het einde van de dienst, legde mijn vader zijn klaproos aan de voet van de granieten cenotaaf in het midden van het park. Nu we erlangs liepen, lag er een man in oude, vuile kleren tegen de grijze steen. Ik liep met een boog om hem heen, maar Kipper bleef abrupt staan. 'Hij slaapt buiten,' zei hij verwonderd.

De man opende zijn ogen en grijnsde zijn zwarte tanden bloot. 'Hé, jongen,' zei hij met dubbele tong, 'heb je een paar stuivers over voor een oude soldaat?'

Kipper stak zijn hand in zijn zak. Ik trok hem haastig mee en hield zijn hand vast totdat we bij de bushalte waren. Terwijl we stonden te wachten gaf ik hem de rest van de sinaasappel. De zuiplap die op straat lag te slapen had me van mijn eetlust beroofd.

De bus stopte en ik vroeg Kipper om de rest van het geld.

Hij stak het laatste partje in zijn mond, wreef zijn handen aan zijn shirt af – oranje vlekken over die van de bramen heen – en zocht in zijn zak. Niets. Hij probeerde zijn andere zak, en keerde ze toen allebei binnenstebuiten. 'Het is weg,' riep hij, bijna in tranen.

'Dat kan niet.' Ik voelde ook in zijn zakken en klopte zelfs op zijn borstzakje. Maar hij had gelijk. De dubbeltjes voor de buskaartjes waren verdwenen.

'We moeten terug om ze te zoeken, Ethie.'

Ik dacht aan de dronken man op de stoep. Daar moest het geld uit Kippers zak zijn gevallen. Het zou er nu niet meer liggen.

'Het is weg,' zei ik gelaten. 'We moeten lopen. Het is niet zo ver.'

Maar dat was het wel. Ik weet niet hoeveel uur we door de straten sjokten terwijl de zon onderging. Tegen de tijd dat we in Kingsway kwamen was het al donker. En toen we eindelijk Fifty-first Avenue in sloegen voor het laatste eindje naar onze straat, brandden er al lampen boven de veranda's. Sproeiers klikten in de voortuintjes en de geur van vochtige bloemen en gras zweefde door de avondlucht.

Die hele weg naar huis had Kipper niet één keer geklaagd, hoewel hij net zo moe en hongerig moest zijn als ik. Als hij ademnood kreeg, gebruikte hij zijn inhalator. En om de vier of vijf straten zei hij: 'Het spijt me, Ethie. Het spijt me.' Hij was zo droevig dat ik niet boos op hem kon blijven, maar ik was wel opgelucht toen we eindelijk in Barclay Street waren.

Alle auto's die langs de stoep hadden gestaan waren verdwenen en ons huis was donker. Achter het raam van de huiskamer was zelfs niet het geflakker van de tv te zien. Toen we ons grasveld overstaken, wierp ik een blik op de achtertuin. Frankies Studebaker stond er niet. Hij moest nog bij zijn vriendinnetje zijn. Of misschien reed hij rond, op zoek naar ons. Papa en hij zouden wel ongerust zijn. Misschien hadden ze de politie gebeld en zocht iedereen nu naar ons.

Iemand had de ramen van de huiskamer wijd opengezet, en de voordeur stond op een kier. Het huis was stil. *Verlaten?* We glipten naar binnen en ik deed het licht aan. Bij het schijnsel vanuit de gang zag ik mijn vader in zijn stoel hangen, precies zoals ik hem had achtergelaten. Hij opende zijn ogen, tuurde onze kant op en ging rechtop zitten. Toen streek hij het haar van zijn voorhoofd en vroeg slaperig: 'O, zijn jullie nog op?'

Hij had niet eens gemerkt dat we weg waren.

21

Witte handschoenen leken uit eigen beweging door het donker te zweven. Bijna lichtgevend bewogen ze zich boven Howards vage blik in een macabere dans. Worstelend met de onzichtbare boeien die hem gevangen hielden wist hij dat er geen ontsnappen mogelijk was aan de bloedrode gruwel die hem wachtte. Een hese kreet welde op uit zijn keel, en hij schrok wakker. Hij merkte dat hij recht overeind op de bank zat, schoppend naar het verdampende gevaar, terwijl de smeekbeden om genade verstierven op zijn lippen.

'Pa?' Een hand raakte zijn schouder. 'Pa, ik ben het. Frankie.'

Klam van het zweet en met bonzend hart zoog Howard de vochtige lucht in zijn longen. Hij probeerde helder te denken en zich te concentreren op de schaduwen tegenover hem. Het silhouet van zijn zoon, tegen het licht van de straatlantaarns buiten, kreeg langzaam vorm, en de pijn van de waarheid deed hem met een klap in de werkelijkheid belanden.

'Die hobbelige oude bank kan niet erg comfortabel zijn,' zei Frankie zacht.

'Ik heb wel op slechtere matrassen geslapen.' Howard verwachtte tegenspraak, een voorzichtige aansporing om naar zijn eigen bed te gaan, maar Frankie verdween de kamer uit. Even later kwam hij terug met een kussen, een deken en Howards geruite ochtendjas. Hij liet alles op het voeteneinde van de bank vallen en zei welterusten. Op de drempel draaide hij zich nog eens om en hij vroeg: 'Je redt het toch wel, pa?'

Howard hoopte dat zijn zoon in het donker niet zou zien hoe zijn handen beefden toen hij met moeite zijn overhemd losknoopte. 'Ja,' zei hij. 'Welterusten, jongen.'

Zonder haast kleedde hij zich uit. Hij trok zijn ochtendjas aan en ging weer liggen, maar hij hield zijn ogen open, bang om te slapen, bang voor de confrontatie met de gruwelijke visioenen die achter zijn oogleden loerden, en voor de steeds terugkerende nachtmerrie waaruit hij, zonder Lucy om hem te redden, misschien nooit meer wakker zou worden. Ook wakend had hij echter geen verweer tegen de benauwende herinneringen die bij hem bovenkwamen door de levende nachtmerrie van haar dood, en door de verschijning van die twee Hongkong-veteranen, vandaag. Vooral Ken Campbell.

22

Op het balkon in de donkere bioscoop kreunde Howard met de andere bezoekers mee toen de film met wat gekraak werd onderbroken. Op het doek worstelde de hoofdfiguur, sergeant York, met het dilemma om voor zijn land te vechten of voor zijn godsdienstige overtuiging te kiezen. Maar de woorden uit de luidsprekers pasten niet bij de bewegingen van Gary Coopers lippen.

'Attentie, alle landmacht- en marinepersoneel. Alle verloven en weekendpassen zijn hierbij ingetrokken. Herhaal, alle passen zijn ingetrokken. Alle infanteristen dienen onmiddellijk naar de basis terug te keren, alle marinepersoneel naar de schepen in de haven. Herhaal, onmiddellijk.'

'Nou, misschien is het zover,' zei Ken Campbell, en hij kwam overeind. Howard wrong zich door de rij voor hem heen en excuseerde zich toen hij de knieën raakten van de mensen die achterbleven om de film uit te kijken. Door de hele bioscoop was gemopper te horen, boven de herhaalde boodschap uit.

'Midden in de film, verdomme!'

'De Jappen zijn blijkbaar onderweg.'

'Morgenochtend zitten we midden in de oorlog.'

'Het is gewoon weer een oefening. Niks aan de hand.'

'Ja, waar is al die haast voor nodig?' vroeg de soldaat aan het einde van de rij, die weigerde ruimte te maken toen Howard hem had bereikt. 'We kunnen toch wel blijven tot het einde van de film?'

'Ben je doof, soldaat? *Onmiddellijk* betekent nu meteen! Opschieten!' blafte de grote, donkere gedaante achter Howard. De soldaat sprong haastig op en verdween uit de rij.

Howard lachte. 'Maar goed dat het hier te donker is om je rang te kunnen zien, Ken,' zei hij. 'Of je gezicht. Niemand zou orders aannemen van zo'n babyface.'

'Maar ze luisteren wel naar mijn radiostem,' dreunde Ken lachend toen ze zich aansloten bij de rij naar buiten. Op het doek kwam de weifelende schutter Alvin York tot de slotsom dat sommige dingen het toch waard waren om voor te vechten.

Tijdens de overtocht, terug naar Kowloon, vroeg Howard zich af of Ken gelijk had. Was het nu echt begonnen? Zou hij er net als sergeant York in de Eerste Wereldoorlog achter komen dat het gemakkelijk was om te doden als je daarmee nog veel meer doden kon voorkomen? Zouden de zware manoeuvres van de afgelopen drie weken nu hun nut bewijzen, of was dit gewoon weer een oefening?

Howards blik gleed over de soldaten op het benedendek van de Starveerboot. Sommigen, zoals Ken Campbell, stonden aan de reling, in gedachten verzonken, terwijl de boot naar de pier van Kowloon tufte. Anderen klaagden over het intrekken van hun pas of deden wilde gissingen naar de kans op actie. Hij herkende de bravoure van de jeugd, getemperd door de mogelijkheid van een echte oorlog. Zelf voelde hij zijn bloed ook sneller stromen bij het vooruitzicht van die test, de vraag hoe hij zich zou gedragen in gevaar. Maar aan de andere kant, in schrille tegenstelling met zulke heldhaftige overwegingen, loerde het kille besef van de angst.

Toen ze in Sham Shui Po aankwamen, waarschuwde luitenant-kolonel Sutcliffe de mannen om die nacht goed te slapen, maar verder liet hij hen – ook letterlijk – in het duister.

Eenmaal in bed, niet in staat de slaap te vatten, dacht Howard aan Gordy, die 's ochtends uit het kamp was vertrokken met een weekendpas. Zou hij hebben gehoord dat alle verloven waren ingetrokken? Vanavond moest hij ergens in Victoria zijn, met Shun-ling.

De afgelopen drie weken had Gordy – die altijd had gezworen dat geen enkele meid hem ooit aan de ketting zou leggen – al zijn vrije tijd met Shun-ling doorgebracht. Toch al verbaasd dat zijn vriend zo gauw verliefd was geworden had Howard helemaal met zijn oren geklapperd toen Gordy aankondigde dat hij een flat op het eiland wilde huren voor Shun-ling en haar familie. 'Loop je niet te hard van stapel?' had hij gevraagd.

'Wat zeur je nou?' snauwde Gordy. 'Ik kan me niet herinneren dat jij ooit mijn toestemming hebt gevraagd om met Lucy te trouwen.' Hij grinnikte, maar Howard hoorde de waarschuwende klank in zijn stem.

Na een moment van ongemakkelijke stilte ging Gordy verder: 'Je gelooft niet hoe ze moeten leven, Howie.' Op normale toon beschreef hij het hutje van golfplaten dat zij hun thuis noemden. 'Eén kamer maar. Je zou nog geen hond laten slapen in dat krot.'

Met de hulp van Peter en Dick, die hem een 'achterlijke idioot' noemden omdat hij de zorgen van een hele familie op zich nam, had hij een flat gevonden in de wijk Wanchai. Die ochtend hadden hij en Shun-ling de veerboot genomen om alles gereed te maken voor de familie. Haar vader en zus zouden pas op maandagochtend in de flat trekken, als Gordy weer terug was in het kamp.

De afgelopen week was Howard 's avonds met Ken Campbell de stad in gegaan. 'Als oude, getrouwde kerels moeten wij elkaar steunen,' zei hij, als excuus om niet met het stel op te trekken. In werkelijkheid voelde hij zich gewoon niet prettig in het gezelschap van Gordy en Shun-ling. Hij maakte zichzelf wijs dat hij Lucy daardoor nog erger miste, maar hij kon ook niet vergeten wat er vorige week zaterdag was gebeurd.

Die middag had hij in zijn eentje door de stegen van Kowloon geslenterd. Hoewel hij niet wist of de winkel in het weekend open was, nam hij een kijkje bij Ah Sam. Ken Campbell had hem gevraagd om nog wat voorraad van het middeltje tegen de bedwantsen te kopen. Het was een goed excuus om bij de apotheker langs te gaan.

Het belletje boven de deur rinkelde toen hij naar binnen stapte. 'Hallo, Ah Sam,' zei Howard tegen de man achter de toonbank. 'Ken je me nog?'

Ah Sam keek hem uitdrukkingsloos aan en haalde zijn schouders op. 'Voor mij lijken jullie allemaal op elkaar.'

Howard opende zijn mond. 'Ik eh...' stamelde hij.

Ah Sam hief een hand op. 'Het was maar een grapje,' zei hij met een glimlach op zijn ronde gezicht. 'Natuurlijk kan ik me de twee Canadese vrienden van Feng Shun-ling nog herinneren. Hoe gaat het met de insectenbeten?'

Opgelucht lachte Howard terug. 'Geweldig,' zei hij. 'Ik bedoel, ze zijn verdwenen. Ik wil graag nog zo'n flesje kopen voor een vriend.'

Ah Sam nam hem mee naar de achterkant van de zaak, waar hij de ingrediënten verzamelde. Toen zei hij: 'Ik vertrouw erop dat de beide heren mijn goede vriendin Feng Shun-ling met respect behandelen?'

'Natuurlijk,' antwoordde Howard, een beetje geschrokken.

'Ze is een heel bijzondere jonge vrouw,' zei Ah Sam, terwijl hij zijn aandacht weer op zijn werk richtte. 'Je hebt natuurlijk al begrepen dat zij en haar familie heel wat hebben doorstaan.' Terwijl hij handig het groene poeder in een kleine ampul goot, vertelde hij Howard dat Shun-ling en haar vader in de val hadden gezeten op de universiteit toen de Japanners Nanking binnen vielen. 'Ze kwamen terecht in de veiligheidszone, een beschermd gebied in de binnenstad, dat was ingesteld door buitenlanders. Duitsers.' Hij keek op en hield zijn hoofd schuin. 'Ironisch, nietwaar? Gered door het hakenkruis?' Zonder op een antwoord te wachten ging hij verder: 'Daar waren ze ooggetuigen van een bloedbad. Vluchtende, ongewapende burgers werden massaal neergeschoten, kinderen vermoord, vrouwen verkracht en aan stukken gesneden. Onder het oog van iedereen.' Hij schudde zijn hoofd. 'Feng Guo-ren, Shun-lings vader, vertelde me over twee hoge Japanse officieren die daadwerkelijk een "vriendelijke" weddenschap hadden afgesloten wie van hen de meeste burgers zou kunnen doden met zijn zwaard.'

Howard luisterde ongelovig toen Ah Sam vertelde hoe de slachtoffers in een rij werden opgesteld voor de slachting.

'Jong of oud, dat maakte niet uit. Het ging om het aantal doden,' zei hij, terwijl hij gesmolten was over de kurk van de ampul druppelde. 'Na afloop werden in de hele stad affiches opgehangen met foto's van de officieren in hun met bloed besmeurde uniform en daaronder hun score. Een medewerker van het Rode Kruis meldde dat een van de officieren zich beklaagde omdat hij zijn zwaard had beschadigd toen hij een man doormidden hakte.' Hij zweeg. Het was akelig stil in de winkel. Ah Sam legde de ampul op de toonbank om de was te laten harden. 'Na een week wist Shun-lings vader twee soldaten van het terugtrekkende leger van Tjiang Kai-sjek om te kopen om hen mee te nemen,' zei hij. 'Ze ontsnapten door een rioolgang onder de stadsmuur, in het holst van de nacht. Op de terugweg naar hun dorp zagen ze dat alles was geplunderd en platgebrand. Ze hadden moeite hun eigen afgebrande huis terug te vinden. In de puinhopen ontdekten ze het verkoolde lichaam van Shun-lings twee jaar oude broertje. Zijn darmen waren uit zijn lijf gesneden. Het lijk van hun moeder lag buiten, naakt en verminkt.'

Howard slikte de bittere gal in zijn keel weg. 'En haar zus?'

'Zij had zich verstopt in een kuil met kool. Toen de Japanners haar daar vonden, had een van hen medelijden gekregen en haar leven gespaard. Toen het zijn beurt was om haar te verkrachten, begroef hij haar onder de gistende kool. Daar lag ze dagenlang, met de ratten om zich heen, totdat ze door haar vader en Shun-ling werd gevonden, nog nauwelijks in leven. Sindsdien heeft het arme kind geen woord meer gesproken.'

Nog steeds ontdaan toen hij zich later die avond bij Gordy en Shun-ling aansloot, kon Howard de verschrikkelijke beelden uit het verhaal van Ah Sam niet uit zijn hoofd verdrijven. Hij voelde zich beschermend tegenover Shun-ling, in het besef dat zij en haar familie die gruweldaden werkelijk hadden meegemaakt.

In de Sun Sun liep hij met haar en Gordy naar de bar. Toen de barman zich omdraaide, deinsde Shun-ling geschrokken terug. '*Guizie!*' fluisterde ze. 'Japanner.'

Howard en Gordy namen haar bevend mee de trap af, naar buiten.

Nu, starend in het donker, wachtend op de ochtend en de terugkomst van Gordy, herinnerde Howard zich onwillekeurig dat het zijn arm was die Shun-ling had gegrepen toen ze terugdeinsde van de bar. En hij was ook de blik in Gordy's ogen niet vergeten toen zijn vriend dat zag.

De volgende dag tegen het middaguur waren alle soldaten, zeelui en vrijwilligers op hun posten. Althans, min of meer, want Gordy ontbrak nog steeds.

Aan de zuidwestkant van het eiland, in een loopgraaf met uitzicht op de Zuid-Chinese Zee, leunde Howard tegen de zandzakken langs de wand. Hij was in volledig gevechtstenue en had het restant van zijn Hongkong-dollars over zijn uniform verspreid. Voor alle zekerheid. Lucy's foto zat in het zakboekje in zijn borstzak. Hij was er klaar voor. Maar voor wat?

Tweehonderd meter beneden hem, op de smalle hoofdweg die zich rond het eiland slingerde, leek alles nog in orde. Zo nu en dan passeerde er een auto, een fietser of een voetganger, ogenschijnlijk onbezorgd. Zelfs de kleine muntjaks die over de hellingen zwierven op zoek naar verspreide polletjes gras negeerden hen. In het begin van de middag wandelde een bejaard Brits echtpaar de weg op met een picknickmand.

Een paar meter bij Howard vandaan kwam Ken Campbell in de loopgraaf overeind. 'Hé, mensen, dit is niet het geschikte moment,' riep hij naar beneden.

De man bleef staan, leunend op zijn wandelstok, en beschutte zijn ogen tegen de zon. 'En waarom niet, als ik vragen mag?' informeerde hij. 'We gaan elke zondag in de heuvels picknicken.'

'Hebt u het niet gehoord? De hele kolonie is in staat van paraatheid. Ik zou maar snel naar huis gaan als ik u was. We kunnen elk moment worden aangevallen.'

'Belachelijk! Alsof de Japanners het Britse Rijk durven uit te dagen.'

Howard keek verbaasd toe toen het stel de weg verliet en naar een richel liep waar ze hun deken uitspreidden. De vrouw zette een parasol op en samen genoten ze van hun thee in de middagzon. Het was er een mooie dag voor. Zwarthalsspreeuwen doken neer en vingen de kruimels die ze kregen toegeworpen, terwijl de zee beneden lag te glinsteren onder een helderblauwe lucht. Toch viel het Howard op dat de vloot van jonken, sampans en vissersboten die normaal op dit water lagen te dobberen bijna helemaal was verdwenen, alsof de schippers wisten dat er iets dreigde.

Twee uur later stond het echtpaar weer op. Ze verzamelden hun spullen en slenterden weg. Howard bewonderde hun kalmte terwijl het zweet langs zijn nek droop.

In de hitte van de middag gingen er allerlei geruchten door de loopgraven. De Japanse vloot zou zijn gesignaleerd in de Zuid-Chinese Zee, op weg naar Hongkong.

Geen probleem. De twee slagschepen, Prince of Wales *en* Repulse, *de trots van de Britse marine, waren al onderweg.*

Het Japanse leger langs de grens groeide aan. Elk uur kwamen er meer troepen. Tegen vijf uur 's middags stond de officieuze telling op veertigduizend.

Geen probleem. Vanaf de andere kant rukte het leger van Tjiang Kaisjek al op.

Hun schip met ontbrekend materiaal was omgeleid naar Europa.

Reken maar dat ze niet het risico nemen die kostbare lading te verliezen. Dus wat zegt dat over onze situatie?

Het geklets in de loopgraven brak de verveling van die lege zee verderop, waar niets gebeurde. Maar terwijl de zon begon te zakken, besloot Howard niet langer naar al die tegenstrijdige berichten te luisteren. Hij zou alleen nog geloven wat hij met zijn eigen ogen zag, en dat was Gordy, die op hetzelfde moment achter uit een bevoorradingstruck sprong en over de rand van de greppel klom. Met gebogen hoofd rende hij als een buldog de heuvel op en liet zich naast Howard in de loopgraaf zakken.

'Leuk dat je langskomt.'

'Ja. Ik had niet veel keus, wel?'

Howard schrok van het botte antwoord van zijn vriend, maar hield zich in.

De bevoorradingstruck kwam het avondeten brengen, maar Gordy raakte zijn kaakjes en vlees in blik niet aan. Hij leunde met zijn ellebogen op de rand van de loopgraaf en tuurde over de schemerige zee. 'Op de veerboot hoorde ik dat de Japanse burgers dit weekend uit de stad verdwenen zijn.' Toen hij zich omdraaide, was zijn gezicht een masker van ongerustheid. 'De vluchtelingen raken in paniek. Shun-ling ook.'

Howard, die haar verhaal kende, kon dat goed begrijpen. Hij vroeg zich af hoeveel Gordy ervan wist, maar hij zei er niets over.

Gordy schroefde de dop van zijn veldfles, nam een flinke slok en veegde zijn mond af met de rug van zijn hand. 'Het is een chaos in Kowloon,' ging hij verder. 'Toen we van de veerboot kwamen, moesten we ons een weg vechten door een hele menigte vluchtelingen die allemaal naar het eiland probeerden te komen. Zodra wij erdoorheen waren, rende Shun-ling weg om haar vader en zus te halen. Ik mocht niet mee, maar ik deed het toch. Van een afstandje keek ik toe totdat ze veilig op de veerboot zaten voordat ik naar het kamp terugging om mijn spullen te halen. Het zal me een zorg zijn dat ik te laat was.'

'Je hebt niets gemist.'

Gordy hurkte in de loopgraaf en haalde een verfrommeld pakje sigaretten uit zijn mouw. Zwijgend hield hij het Howard voor. Achter zijn hand gaf hij hun allebei vuur. Toen leunde hij naar achteren en keek hij Howard aan. 'Weet je, Howie, het kostte me de grootste moeite om hier terug te komen,' zei hij zacht. 'Ik ben geen deserteur. Goed, ik ben bang, maar niet om te vechten of misschien te sterven. Ik ben bang om wat haar en haar familie kan overkomen als de Japanners aanvallen.'

'Misschien gebeurt dat niet,' zei Howard, met zo veel mogelijk overtuiging in zijn stem. 'Het kan ook loos alarm zijn. Morgenavond deze tijd zitten we misschien weer in de bioscoop.'

De volgende morgen om zeven uur probeerde Howard de bron te ontdekken van het gezoem in de verte, het onmiskenbare gedreun van vliegtuigen, hoog in de lucht. Aan de hemel was niets te zien, maar aan het geluid te oordelen moesten er tientallen vliegtuigen onderweg zijn. *Versterkingen?* Het gedreun ging over in het synchrone gejank van een squadron dat snel hoogte verloor. Een paar seconden later maakte een serie zware explosies op het vasteland een einde aan zijn kortstondige hoop. 'Jezus, ze bombarderen de basis!' schreeuwde hij, en hij schudde Gordy wakker.

Uit de richting van het vliegveld van Kai Tak klonk het geluid van het luchtalarm, gevolgd door het geratel van de luchtafweer. Samen met de rest van hun eenheid hurkten Howard en Gordy hulpeloos in hun loopgraaf op het eiland, zonder iets te zien, zonder iets te kunnen doen, terwijl even verderop, over het water, verschrikkelijke verwoestingen werden aangericht. Nog geen tien minuten later trokken de vliegtuigen zich weer terug. In het oosten waren dichte, zwarte rookwolken te zien. Howard keek omlaag en zijn blik kruiste die van Ken Campbell, die doodsbleek was. Met de radio-ontvanger nog tegen zijn borst geklemd, schreeuwde hij: 'Pearl Harbor is aangevallen. Zes uur geleden...' De rest van zijn woorden werd overstemd door het gebulder van een laagvliegend toestel.

De eenzame Zero-jager scheerde vlak over hun hoofd. Het geratel van het machinegeweervuur bereikte Howards oren toen de salvo's de helling teisterden en fonteinen van zand deden opspatten die neerdaalden over de loopgraven. Vlak voordat hij zich tegen de grond wierp, zag hij nog de bloedrode cirkel op de vleugels. Geen twijfel meer mogelijk. Ze waren in oorlog met Japan.

Twee dagen later zaten ze nog altijd in dezelfde loopgraaf. De oorlog bestond uit gerommel in de verte en berichten over de radio. Het ging niet goed op het vasteland. Zoals brigadecommandant Lawson had voorspeld, was de belangrijkste aanval over land gekomen, vanuit het noorden. De Gin Drinkers Line, bemand door de Royal Scots en de Indiase brigades, de Punjabi's en de Rajputs, was doorbroken. De zware, zeventien kilometer lange verdedigingslinie van oost naar west, nog geen vijftien kilometer ten noorden van Kowloon, had het weken moeten volhouden. In de loopgraven was geen puntig commentaar meer te horen op de rapporten. Mannen sneuvelden.

Op woensdag begonnen Gordy's zorgen om Shun-ling hun tol te eisen. Hij lag weggedoken in de loopgraaf, terwijl het zweet tappelings van zijn voorhoofd liep.

'Man, ik zou nu wel een van die ijsblokken kunnen gebruiken die wij in Winnipeg afleverden,' zei Howard in een poging zijn vriend wat op te beuren.

Gordy zei niets.

'Weet je nog hoe de kinderen de afgebroken schilfers uit de laadbak van onze truck pakten en ermee vandoor gingen alsof het een gestolen schat was?' drong hij aan. 'Daar waren ze echt blij mee.'

Opeens denderde er een truck naar hen toe die onder hun loopgraaf stopte. Een sergeant kwam naar boven, op zoek naar vrijwilligers. De D-compagnie werd naar het vasteland overgebracht als versterking voor de Royal Scots, die zich na hun zware verliezen naar het eiland terugtrokken. Howard en Gordy klauterden uit hun loopgraaf en stormden al de heuvel af voordat de man was uitgesproken. Ken Campbell rende met grote passen een paar meter voor hen uit.

Op het vasteland stond Kowloon in brand. De chaos was compleet. Toen ze van de veerboot kwamen, werd hun truck bestormd door burgers die in blinde paniek nog steeds naar het eiland probeerden te ontkomen. Politiemensen in uniform sloegen zich met de wapenstok een weg door de menigte en bevrijdden de truck, die langzaam verder reed. Toen ze langs Sham Shui Po kwamen, zagen ze plunderaars, beladen met buit, vanuit het leeggeroofde kamp alle kanten op rennen. Howard dacht met spijt aan Lucy's groene jurk die hij in zijn kastje had laten liggen. Die zou nu wel weg zijn. Hij had hem beter kunnen opsturen.

Hun compagnie legerde zich aan de rand van de stad en Howard en Gordy brachten de nacht door op het poloveld, terwijl de rokerige hemel zo nu en dan werd verlicht door de explosies van bommen en mortiergranaten.

De volgende morgen, toen ze de terugtrekkende Royal Scots dekking gaven, ving Howard zijn eerste glimp op van de vijand. Even later stormde een eenheid Japanse soldaten met verbeten, zwart geschminkte gezichten de heuvel over, onder het gebrul van hun strijdkreet: '*Banzai-ai-ai!*' Eindelijk was het moment voor actie aangebroken, en het viel Howard niet mee. Gehurkt in de inzakkende deuropening van een gebombardeerd gebouw, rug aan rug met Gordy, gooide hij zijn eerste granaat. En toen nog een. Allebei blindgangers. 'Jezus christus,' vloekte hij. 'We kunnen net zo goed met stenen gooien.' Een paar seconden later sprongen ze op en renden ze achter de uitgeputte Royal Scots aan. Ze schoten in het wilde weg en trokken zich haastig terug met de rest van de Grenadiers, achtervolgd door de krijsende Japanners.

Met bonzend hart zag Howard vanaf het dek van de vluchtende veerboot hoe de achterhoede, de East Indians, in een lijf-aan-lijfgevecht verzeild raakte met de Japanners die door de straten en over de kades van Kowloon zwermden.

'Niet bepaald de bijziende kleine mannetjes zoals ze ons hebben verteld,' hijgde Ken Campbell naast hem.

Een Royal Scot met wijd opengesperde ogen zat tegen de reling aan voor zich uit te praten, tegen niemand in het bijzonder. 'Jezus! Ze bleven maar komen. Er kwam geen eind aan!' jammerde hij. 'Gestoorde zelfmoordenaars! De voorsten stortten zich op de prikkeldraadrollen en de rest liep er gewoon overheen, met de lichamen van hun kameraden als brug. We konden ze niet snel genoeg neerknallen. Als er één neerging, kwamen er tien voor in de plaats!'

23

De dagen na mijn moeders begrafenis was het eerste wat ik 's ochtends deed uit mijn raam kijken, naar het parkje aan de overkant. Het meisje liet zich niet meer zien, maar elke ochtend vond ik mijn vader aan de keukentafel, met een ongeschoren gezicht dat met de dag grauwer leek te worden. Op zaterdagochtend vroeg ik me af of hij ook naar het parkje keek. Maar net zo snel als die gedachte bij me opkwam, verwierp ik hem weer. Dat sloeg nergens op. De bittere werkelijkheid waren de lege whiskyflessen in de vuilnisemmer.

'Howard heeft nog nooit een dag van zijn werk verzuimd door drank,' had ik mijn moeder ooit horen zeggen in een gesprek met mijn tante. Bij wijze van antwoord schoof tante Mildred een buisje met pillen over de tafel. 'Doe hier een van in zijn koffie, elke morgen,' zei ze. 'Als hij dan drinkt, wordt hij vreselijk ziek.'

'Nee, Mildred! Je kunt soms de raarste dingen zeggen!' riep mijn moeder uit. 'Howard is geen alcoholist.'

'O nee?'

'Hij heeft veel meegemaakt in de oorlog.'

'Dat geldt voor een heleboel mannen.'

'Zo nu en dan een borrel, dat is zijn manier om ermee om te gaan,' zei mama, zonder op haar woorden te reageren. 'Heel onschuldig.'

'O ja?' De blik van mijn tante gleed door de kamer van ons armoedige huis.

'In elk geval slaat hij me niet,' antwoordde mama, verontwaardigd om haar insinuatie. 'En hij rolt niet midden in de nacht vechtend over straat met zijn zoons, zoals sommigen van onze buren. En als jij denkt dat ik mijn Howie ziek ga maken door pillen in zijn koffie te doen, ben je niet goed bij je hoofd.'

Toen ik die zaterdagochtend in de deuropening van de keuken stond en mijn vaders handen zag trillen terwijl hij zijn koffie dronk, begon ik te twijfelen aan mama's geloof in hem. Die nacht was ik wakker geworden van zijn angstige kreten. Half in slaap wachtte ik op haar stem om hem te bevrijden uit de greep van zijn afschuwelijke herinneringen, maar opeens was ik klaarwakker door het verlammende besef dat mijn moeder dat nooit meer zou doen. Dus kwam het op iemand anders neer. Ik sprong uit bed en was al halverwege de trap toen ik Frankies stem hoorde. Nog lang nadat mijn vader uit zijn nachtmerrie was gewekt, mijn broer alweer terug was naar zijn kamer en er stilte heerste in de huiskamer, lag ik nog wakker, luisterend, klaar om mams plaats in te nemen.

Die zaterdagochtend zat hij weer kromgebogen aan de keukentafel, starend uit het raam. Kipper zat tegenover hem met zijn schilderspullen. Hij droeg een van Frankies oude hemden en concentreerde zich op zijn potjes. Zijn handen en wangen zaten onder de verf, en een gele klodder sierde de dikke schelp van zijn linkeroor. Met zijn tong uit zijn mondhoek mengde hij de kleuren, evenals mijn vader doof en blind voor zijn omgeving.

Ik keek toe hoe hij zijn penseel van het ene potje in het andere doopte, totdat hij een helderrode kleur overhield. Op het moment dat hij langzaam en zorgvuldig zijn eerste streken zette, landde er een vlieg op de tafel, die tussen zijn doek en papa's hand door kroop. Ik pakte de vliegenmepper van het haakje bij het fornuis en sloop naar voren. Met een snelle polsbeweging sloeg ik de vlieg van de tafel. Papa keek om, en ik zag die bekende verre blik in zijn ogen.

Ik vroeg me vaak af wat mijn vader eigenlijk zag in die fractie van een seconde voordat hij je herkende. Waar was hij, als hij die glazige blik in zijn ogen kreeg? Zag hij wel wat er voor hem gebeurde, maar moest hij zich dwingen om terug te keren van die plek waar hij was? Wílde hij wel terug?

Zijn ogen volgden de vlieg naar de grond. Toen keek hij op naar mij. 'Dank je, Ethie,' zei hij, en ik voelde me even trots dat ik mijn moeders missie had overgenomen om ons huis vrij te houden van de vliegen waar hij zo'n hekel aan had.

Gewekt uit zijn trance keek mijn vader naar Kipper die aan zijn aquarel werkte. Zijn penseel bewoog langzaam toen hij de contouren invulde met helderrode verf.

'Wat schilder je, Kipper?' vroeg papa.

Ik verstijfde.

'Een klein huisje.'

'Waar heb je zo'n huisje ooit gezien?'

Ik schrok van het luide gerinkel van de telefoon. Bij ons thuis was de telefoon altijd het domein van mijn moeder geweest. Meestal was het een van haar vriendinnen die belde. Dan ging ze zitten, met de hoorn tegen haar oor, en kon ze soms uren kletsen. De afgelopen dagen, als de telefoon ging, was het tante Mildred of iemand die net het nieuws over mijn moeder had gehoord en ons wilde condoleren. Frankie was nu degene die officieel onze telefoon bemande. Maar Frankie lag nog boven in bed.

Mijn vader en ik staarden naar de muur alsof het toestel een gif-slang was. Ten slotte kwam Kipper overeind en hij liep erheen om op te nemen. 'Hallo,' zei hij, en hij luisterde even. 'Ja, hij is hier, meneer Telford.' Hij gaf de telefoon aan mijn vader, die ernaar keek alsof hij kon bijten.

'Ja?' zei hij, met de hoorn een eindje van zijn oor.

Ik hoorde meneer Telford iets zeggen over Kippers schilderijen in de hobbyshop. Terwijl papa naar hem luisterde, kwam Frankie de trap af. Hij stak zijn hoofd om de keukendeur en verdween naar de badkamer.

In een nerveuze opwelling om Kippers tekening te verbergen herin-nerde ik me een idee dat bij me was opgekomen toen ik me die och-tend aankleedde. 'Laten we lege flessen gaan zoeken,' zei ik, zo geest-driftig mogelijk, zodat Kipper mijn enthousiasme zou overnemen. En ik fluisterde in zijn oor: 'Misschien kunnen we wat geld verdienen om papa te helpen.'

'Oké!' Kipper stond al te popelen. Hij veegde zijn penseel af aan een doek. 'En als we genoeg verdienen, kunnen we misschien naar de drive-inbioscoop.'

'Ja, dat is een goed idee,' zei ik. Ik pakte zijn tekening van het rode huisje met het Chinese dak. 'Die hangen we in mijn kamer.'

Ik wilde niet uitleggen waarom we een paar dagen geleden naar Chinatown waren geweest. Misschien wist mijn vader niet dat een busrit naar de binnenstad ver buiten onze grenzen viel, maar Frankie wist dat wel.

24

Al heel jong besefte ik de macht van het geld, of beter gezegd: van het gebrek eraan.

'Ik hou te veel maand over aan het einde van mijn geld,' had ik mijn moeder eens lachend horen zeggen toen ze op een ochtend geen koffiemelk meer had voor de dames. 'Als de bedelstaf onze deur nog niet heeft bereikt, moet hij toch ergens in de buurt zijn,' voegde ze er met geforceerde vrolijkheid aan toe.

En nu dreigde geld een nog groter probleem te worden, als ik de gesprekken met tante Mildred beluisterde. Het inkomen van mijn moeder was weggevallen, en papa en Frankie waren al een hele week niet naar hun werk geweest. Tegen de tijd dat Kipper en ik naar buiten stapten, was ik ervan overtuigd dat ik de druk op mijn vader kon verlichten en misschien, heel misschien, zou kunnen voorkomen dat hij nog verder wegigleed als ik nu wat geld verdiende.

Kippers roestige oude wagen, waarvan één wiel alleen nog met een ijzerdraadje aan de as vastzat, hobbelde rammelend achter ons aan toen we over de zandpaden boven Marine Drive liepen. Met onze rubberlaarzen schopten we het onkruid opzij, op zoek naar lege flessen in de greppels. Tegen lunchtijd hadden we de wagen gevuld met rinkelende limonadeflesjes.

De eerste lading brachten we naar de kruidenier aan Victoria Drive. Kipper en ik bleven op de houten vloer staan wachten terwijl de Chinese dame, die een gerimpeld gezicht had waarin je haar ogen bijna niet meer terug kon vinden, onze flessen telde. Kipper staarde gefascineerd naar het snoep in de glazen potten op de toonbank.

'Zevenentwintig flessen,' zei de oude vrouw. 'Tegen twee cent per fles, dat maakt vierenvijftig cent.' Ze opende de kassa en gaf me de muntjes. Ze zag waar Kipper naar keek en vroeg: 'Nog wat snoep, misschien?'

'Nee.' Hij glimlachte trots tegen haar. 'We sparen het geld voor onze pa.'

Samen ploeterden we weer de heuvel op, Kipper met zwarte lippen van de grote toverbal waar hij op zoog. De vrouw van de winkel had ons er allebei een gegeven.

Vierenvijftig cent was natuurlijk niet genoeg, voor wat dan ook. Het kostte al twee dollar om de Cascade drive-inbioscoop binnen te komen. Als papa tenminste mee wilde. Ik wist niet eens welke film er die avond draaide. Eigenlijk wilde ik zelf ook niet, maar ik vond het wel een goed idee van Kipper om iets samen met pap te doen – wat dan ook.

Mijn schoenen voelden warmer en zwaarder bij elke stap omhoog. Op de top van de heuvel lieten we onze eigen straat links liggen. We liepen door naar het bouwterrein met nieuwe huizen. 'Kom mee,' zei ik, terwijl ik een grindpad af liep. 'Laten we kijken of de bouwvakkers nog flesjes hebben achtergelaten.'

De huizen in aanbouw aan weerskanten van het weggetje stonden er stil en verlaten bij. Het was weekend. De middagzon scheen op de kale muren neer. De warme lucht rook naar vers hout en drogend cement. Zonder op het bordje met VERBODEN TOEGANG te letten stapte ik de eerste achtertuin in. Kipper bleef met de kar op het weggetje achter.

'Wat betekent verv-vervold?' riep hij me na.

Ik draaide me om en keek naar het bordje dat hij probeerde te lezen. 'Vervolgd,' zei ik. 'Als je iets van het bouwterrein steelt en je wordt betrapt, ga je de gevangenis in. Maar wij stelen niets. Niemand is geinteresseerd in oude limonadeflessen.'

Ik slenterde langs de stapels bouwmaterialen en vond een bruin Orange Crush-flesje tussen de proppen boterhampapier en rottende klokhuizen die de bouwvakkers hadden neergegooid. Ik kon de scherpe geur van de softdrink nog ruiken toen ik het zand van het flesje veegde en keek of het nog heel was en geen barsten had.

Ik liep van de ene tuin naar de andere en vond minstens één of twee lege flesjes bij elk huis in aanbouw. Op sommige plaatsen stonden ze keurig naast elkaar, alsof ze op ons wachtten. Naast een stapel planken vond ik zelfs een lege whiskyfles, een lelijk ding, dat niets opleverde. Ik gooide de fles in een donker keldergat en hoorde met voldoening hoe hij tegen de betonnen wanden kletterde.

Toen ik met armen vol naar het weggetje terugliep, zag ik een grote houten kar naast de onze staan. Twee jongens stonden tegenover Kipper. Een van hen had zich over onze kar gebogen en hield een paar flesjes tegen zijn borst geklemd. *Ze stelen onze flessen!* Ik liet de mijne vallen en wierp me op de jongen, waardoor hij tegen de grond ging. De flesjes in zijn armen rolden om ons heen.

'Wat nou?' brulde hij, toen ik boven op hem klom en hem begon te stompen en te krabben.

'Ethie, hou op!' riep Kipper.

Iemand greep me van achteren vast. 'Rustig nou, Ethie.' Het was Danny Fenwick. 'We gaven Kipper een paar flessen,' zei hij, terwijl hij me wegtrok.

'Jezus,' vloekte de andere jongen, die weer overeind sprong. 'Die meid is gestoord!' Hij klopte het zand van zich af en verdween over het weggetje. 'Hou die stomme flessen maar,' riep hij nog. 'Je hebt ze hard nodig, geloof ik.'

Danny rende achter hem aan en praatte zachtjes op hem in. Ik wist wat hij hem vertelde.

De uitdrukking op het gezicht van de jongen veranderde. Hij keek mijn kant op. 'Het spijt me,' riep hij, zo luid dat ik het nog net kon verstaan.

'Ja, mij ook.' Ik schopte met mijn schoen tegen het zand. Ik had zijn medelijden niet nodig. En zijn flessen ook niet. 'Kom, Kipper,' zei ik, en ik pakte het handvat van de kar. 'We gaan.'

Danny kwam haastig terug en begon de flesjes te verzamelen die over het weggetje waren gerold. 'Hij bedoelde het niet verkeerd,' zei hij, terwijl hij de flessen in onze kar laadde. 'We bouwen een fort in de bosjes bij de golfbaan. Willen jullie het zien?'

'Nee,' zei Kipper, wijzend naar de bouwmaterialen in de houten wagen. 'Jullie worden verv-vervold.'

'Om die paar spullen?' lachte Danny. 'Welnee. Het zijn maar wat oude, kromme spijkers en weggegooide planken die de bouwvakkers voor ons laten liggen. Net als die flessen.'

Dat had ik altijd het prettigst gevonden aan Danny: dat hij rechtstreeks tegen mijn broer praatte. 'Nou, wat vind je?' vroeg hij hem nu. 'Willen jullie ons fort zien?' Kipper zei ja, voor ons allebei.

De moerassen en bosjes rond onze wijk werden steeds verder teruggedrongen. Overal verrezen nieuwe straten en nieuwe huizen, maar er lag nog wel een flink bos rond de golfbaan van Fraserview. Danny had zijn fort gebouwd tussen de bomen boven Marine Drive. We klommen omhoog langs de touwladder om het te bekijken.

De rest van de middag brachten Kipper en ik met Danny door, net als vroeger. We slenterden door het bos, waadden door de troebele beek om kikkers te vangen, en trokken stinkende moerasplanten uit de grond waar we elkaar mee achternazaten. We schreeuwden door de nieuwe betonnen rioolbuizen en luisterden naar de echo's. Danny en ik kropen een van de buizen in, zogenaamd als soldaten die zich voor de vijand moesten verschuilen. Toen het te donker werd om nog iets te zien, kropen we er weer uit, terug naar Kipper, die niet naar binnen had gedurfd. Hij zat bij de opening en tekende met een stok een huisje in het natte zand. Een huisje met een Chinees dak. Hij kon het maar niet uit zijn hoofd krijgen. Ik had gehoopt dat hij het nu wel vergeten zou zijn.

Later liepen we naar de golfbaan, waar Danny ons liet zien hoe je golfballen kon vinden in het hoge gras langs de randen van de fairways. Het was net zoiets als lege flesjes zoeken, maar toen we de ballen naar het parkeerterrein brachten, betaalden de golfers er heel wat meer voor.

Kipper was de beste verkoper. Omdat je aan zijn eerlijke gezicht kon zien dat hij niet de green op was gerend om ze te stelen, zoals sommige kinderen deden, zei Danny. Alweer een manier om geld te verdienen, dacht ik enthousiast.

We kwamen thuis toen Frankie net naar zijn avondschool vertrok.

Hij trok zijn neus op bij de geur van het moeras en de stinkende planten die nog om ons heen hing, en vroeg wat we hadden uitgespookt. Kipper vertelde hem over de limonadeflesjes en de golfballen. 'Goed plan,' zei Frankie, toen hij hoorde dat we papa wilden vragen om naar de drive-inbioscoop te gaan. 'Maar ik zou eerst schone kleren aantrekken voordat hij met jullie in de auto stapt.'

Ik dekte de tafel en legde twaalf dollar bij papa's bord neer. 'Wat is dit?' vroeg hij, toen hij ging zitten.

'Voor jou, pap,' straalde Kipper. Onder het eten legden hij en ik om beurten uit hoe we het hadden verdiend.

'En Kipper dacht dat we misschien een deel ervan konden gebruiken om vanavond naar de film te gaan,' voegde ik eraan toe.

Mijn vader keek naar de stapel muntjes en verkreukelde dollarbiljetten. 'Toen ik zo oud was als jullie, moest ik meer dan een maand de *Star Weekly* rondbrengen om zo veel geld te verdienen,' zei hij hoofdschuddend.

Een krantenwijk. 'Zouden Kipper en ik ook een krant kunnen bezorgen?'

'Dat is een idee,' zei papa. Zijn blik ging naar de bovenkant van de koelkast toen hij het geld weer terugschoof over de tafel.

Mijn hoop vervloog. Geen drive-inbioscoop vanavond.

'Houden jullie dit maar,' zei hij. 'Jullie hebben het eerlijk verdiend.' Hij legde zijn vork neer. 'Nou...' Hij schoof zijn stoel naar achteren. 'Waar wachten jullie nog op? Laten we de afwas doen, dan kunnen we weg.'

Toch kwamen we die avond niet bij de Cascade drive-in terecht. Toen papa in de krant keek en zag dat daar *Judgment at Nuremberg* draaide, reden we in plaats daarvan naar de New Westminster drive-in, waar *To Kill a Mocking Bird* werd vertoond.

Niemand van ons zag het einde van de film. We vielen allemaal in slaap op de voorbank van de Hudson. Maar dat gaf niet. Tijdens de rit naar huis, tussen mijn vader en Kipper in genesteld, deed ik alsof ik nog sliep. Ik liet me door papa naar mijn kamer dragen en in bed stoppen zonder dat ik mijn ogen opendeed. Toen hij me een kus op mijn voorhoofd gaf en de deken over me heen trok, begon ik te hopen dat het misschien toch werkte. Door hem zo veel mogelijk te helpen kon ik hem laten zien hoe hard we hem nodig hadden. Voordat ik in slaap viel, herinnerde ik me wat mevrouw Fenwick had gezegd. Ze had gelijk. Het verdriet en de pijn waren er nog, maar ik mocht toch blij zijn als ik naar de film ging met mijn vader en mijn broer, of als ik weer met vriendjes speelde.

Papa moest ook een soort besluit hebben genomen. Voor het eerst sinds mams dood sliep hij die nacht weer in hun bed.

25

Howard trok zijn dunne legerdeken wat strakker om zijn schouders. Na hun terugkeer vanaf het vasteland waren Gordy en hij in deze kleine betonnen bunker met uitzicht op de Zuid-Chinese Zee gedetacheerd. Afgezien van wat schrammen en oppervlakkige verwondingen was de hele compagnie er betrekkelijk goed vanaf gekomen. Iedereen was nog present, behalve soldaat John A. Gray. Howard probeerde zich het gezicht van de boerenzoon uit Manitoba te herinneren, maar tevergeefs.

Hij huiverde. De motregen van de afgelopen nacht was hun bunker binnen gesijpeld. Zelfs in de hitte van de middag voelde hij zich nog kil en klam.

'Wat doen we hier in godsnaam?' viel Gordy uit, voor de zoveelste keer die dag. Een antwoord verwachtte hij allang niet meer.

Ze praatten er niet over. Er kwamen afschuwelijke geluiden vanuit Kowloon, onmenselijke kreten, zo luid dat ze over het smalle water tussen het vasteland en het eiland schalden. En ze wisten allebei wat dat betekende.

Nadat de laatste eenheden van het garnizoen naar het eiland waren geëvacueerd hadden de Japanners – die de radiostations van de kolonie op het vasteland hadden overgenomen – een verklaring uitgezonden dat alle Chinese vrouwen lichtekooien waren. Wat ze bedoelden te zeggen was dat ze nog minder waren dan beesten. En de omroeper maakte duidelijk dat ze zouden worden beschouwd als buit voor de zegevierende soldaten, om mee te doen wat ze wilden.

Gordy greep met zijn handen naar zijn hoofd en drukte ze tegen zijn oren om het gejammer vanuit de verte niet langer te hoeven aanhoren. 'God! Ik kan hier niet meer tegen.' Hij wiegde heen en weer, terwijl hij de Japanners – en God, en de regering die zijn regiment hierheen had gestuurd – vervloekte. Toen, zonder enige waarschuwing, sprong hij op en rende hij naar de uitgang. 'Ik kan hier niet op mijn kont blijven zitten.' Hij probeerde zich los te worstelen uit Howards snelle greep om zijn arm. 'Wij doen helemaal niets!'

De grond onder hun voeten trilde. Op hetzelfde moment klonk er vanuit het noorden een salvo van artillerievuur en explosies. Ze voerden weer een bombardement op Victoria uit. Gordy verslapte, liet zich op de grond zakken en begroef zijn hoofd in zijn armen.

Howard tuurde over het vlakke terrein naar de smalle weg en de ruige kust eronder. De rotsachtige hellingen waren kaal, reeds lang geleden beroofd van alles wat als brandhout zou kunnen dienen. Zelfs de kleinste Japanse soldaten zouden hier geen dekking kunnen vinden. Wat bewaakte Howards compagnie nu eigenlijk? De vijand zat niet eens op dit eiland. Of wel?

Een paar uur geleden hadden ze het laatste nieuws gehoord toen er een mitrailleureenheid van het Middlesex Regiment voorbijkwam. Howard ontdekte Peter Young op de brengun-carrier en het sproetige gezicht van Dick Baxter die naast hem liep. Haastig was Howard naar de weg afgedaald. De carrier hield halt. 'Hé, daar heb je de Canadezen.' Peter grijnsde breed. 'Wat doen jullie hier?'

'Jullie Engelsen denken blijkbaar dat er een invasie vanuit zee gaat komen.'

'Wát? Lijkt me niet waarschijnlijk. De Jappen vallen onze achterhoede aan. Ze denken al dat ze gewonnen hebben. Vanochtend stuurden ze een delegatie vanaf het vasteland, met een wit spandoek met de tekst vredesmissie.' Peter snoof. 'Ze wilden ons de kans geven ons over te geven. Aardig van ze.'

'En de reactie?'

'We zeiden natuurlijk dat ze konden doodvallen,' antwoordde Dick.

'We zijn op weg om de Lye Mun Passage te verdedigen,' zei Peter, terwijl hij de brengun-carrier weer toeren liet maken. 'Het water is daar zo'n achthonderd meter breed; de meest waarschijnlijk plek waar de Jappen zullen proberen over te steken. Waarom gaan jullie niet mee?'

'We kunnen onze post niet verlaten.'

'Je moet het zelf weten.' De carrier reed weer door. 'Maar hier gaat echt niets gebeuren,' riep Peter over zijn schouder.

'Geen kans op medailles!' riep Howard hem nog na.

'Hebben jullie het gehoord van onze slagschepen?' vroeg Dick, terwijl hij achterwaarts bij hen vandaan liep. 'De *Prince of Wales* en de *Repulse* zijn allebei tot zinken gebracht voor de kust van Malakka.'

Howards mond viel open. *Allebei de schepen vernietigd?* Hij rende weer de heuvel op, in het besef dat er geen hoop meer was op redding vanuit zee. Terwijl hij zich koesterde in de middagzon die door de opening naar binnen viel, kon hij zijn honger niet langer negeren. Ze hadden al in geen drie dagen meer warm gegeten. Hun laatste maaltijd was een rantsoen van droge kaakjes, gisteren. Hij vroeg zich af of de commandant van hun eenheid Gordy en hem gewoon vergeten was. Toen hij langs de weg tuurde om te zien of de bevoorradingstruck nog kwam, moest hij toegeven dat het een verleidelijke gedachte was geweest om met de mitrailleurschutters mee te gaan. Alles liever dan urenlang in deze afbrokkelende bunker te moeten zitten, met uitzicht op een kale helling en de zee, de verlaten zee, terwijl iedereen die hij kende – Gordy, Lawson, wie dan ook, behalve majoor Maltby – wist dat er van die kant toch geen invasie zou komen. Maar ja, orders waren orders. Hij zou hier tot sint-juttemis blijven zitten als het moest. Totdat hij een rechtstreeks bevel van zijn commandant kreeg om zijn post te verlaten. Hopelijk snel. Niet dat hij zo graag wilde vechten of de held wilde uithangen. Hij hoorde het janken van de mortiergranaten in de verte, voelde de aarde trillen onder de explosies en rook de scherpe lucht van kruitdamp in de wind. Het was dreigend genoeg. Maar net als Gordy voelde hij zich gefrustreerd dat ze hier maar zaten, zonder iets te doen.

Zes uur later kregen ze nieuwe orders, tegelijk met hun rantsoen. Onder dekking van het duister werden ze die nacht naar een nieuwe positie overgebracht, maar tegen het ochtendgloren zaten ze weer in net zo'n bunker, met een iets ander uitzicht op zee.

De zware beschietingen vanaf het vasteland gingen de hele volgende dag en nacht nog door. Terwijl Howard en Gordy van de ene post naar de andere verhuisden, hoorden ze voortdurend het luchtalarm, afgewisseld met het signaal 'alles veilig'.

Ten slotte kregen ze bevel zich te melden bij het hoofdkwartier van de brigade aan de Wong Nei Chong Road, midden op het eiland, en in de ochtend van 17 december stuitten ze eindelijk weer op hun eigen peloton. Door een gordijn van regen herkenden ze Ken Campbell, met zijn radioapparatuur bungelend onder zijn poncho, op de weg voor hen uit. Ze renden hem achterna. 'Het is een georganiseerde chaos,' mopperde Ken, terwijl de regen van zijn gezicht droop. 'Nauwelijks hebben we ons ergens geïnstalleerd, of iemand stuurt weer andere bevelen. Orders worden gegeven en weer ingetrokken. Ik begin me af te vragen of ze wel enig idee hebben wat ze doen.'

'Ja, daar twijfelden wij ook al aan,' zei Howard. Maar in elk geval waren ze weer in beweging. Naar het noorden, richting Victoria. Gordy was zichtbaar opgelucht. Die nacht brachten ze weer in een greppel door, en Howard was blij dat ze de volgende morgen bij het hoofdkwartier zouden aankomen, waar brigadecommandant Lawson het bevel voerde. Hij zou de missie wel weer op de rails krijgen.

De volgende dag, bij zonsopgang, rukte Howards eenheid op naar de Wong Nei Chung Gap. Ondanks de honger hielden ze een stevig tempo vol, voortgedreven door het besef dat de Japanners in het holst van de nacht het eiland hadden bestormd en zich nu verspreidden. Zoals Peter Young al had voorspeld, waren ze in het donker de smalle zeestraat van Lye Mun overgestoken. Het hele peloton wist nu dat ze nog voor de avond in een man-tegen-mangevecht terecht konden komen.

Howard maakte zich niet druk meer om wat er kon gebeuren. Tijdens die dagen van eindeloze beschietingen en voortdurende manoeuvres die nergens toe leidden, had hij geleerd om elke seconde slaap te pakken zodra er een stilte viel in het gekrijs van vijandelijk vuur. Hij kromp niet langer ineen bij het geluid van elke kogel en mortiergranaat, en dacht niet meer na over de keus om een ander mens te moeten doden. Toen ze de Royal Scots dekking gaven bij hun terugtocht vanaf het vasteland, had hij zijn eerste vijandelijke soldaat zien sneuvelen, een hartslag nadat hij zijn wapen had gericht en afgevuurd. Maar anders dan sergeant York kon hij er voor zichzelf geen kalkoenenjacht van maken. Ook de vijand was immers een mens. Maar in die fractie van een seconde voordat hij zijn vizier op de volgende aanstormende tegenstander richtte, had Howard opgelucht bedacht dat er weer een Japanse soldaat minder was die hem vandaag zou kunnen doden.

Op nog geen anderhalve kilometer van het brigadehoofdkwartier werden ze aangevallen. Iedereen zocht dekking bij het plotselinge salvo van machinegeweervuur. Howard dook weg in een greppel toen het gekrijs van een inkomende mortiergranaat door de lucht sneed. Hij greep zijn geweer vast – *nooit je wapen loslaten* – en bleef met zijn gezicht in de natte aarde liggen terwijl er een fontein van zand en rotssplinters op hem neerdaalde. En nog iets anders. Iets zachts. Dikke druppels, als van een zware regenbui, kletterden tegen zijn helm en zijn rug. Hij tastte omlaag en tuurde naar de rode vlekken op zijn vingers. In paniek veegde hij ze aan zijn broekspijpen af.

Waar was Gordy? Hij draaide zich naar links en rechts en zocht met zijn handen en ogen koortsachtig de omgeving af. 'Gordy!' brulde hij. Voorzichtig keek hij over de rand van de greppel. Daar, recht boven hem, in een hagel van kogels, stond soldaat Veronick als verstijfd, starend naar een nieuwe krater, een paar meter verderop langs de weg.

'Gordy! Liggen!'

Maar hij bleef staan en mompelde iets onverstaanbaars boven het geratel van het geweervuur uit. Howard klauterde uit de greppel, wierp zich naar voren, greep zijn vriend om zijn midden en smeet hem tegen de grond. Hij sleurde hem mee naar de greppel en bleef boven op hem liggen toen een volgende explosie weer een lawine van stenen en splinters deed neerregenen. Zonder zich iets van Gordy's protesten aan te trekken draaide hij zich om naar Ken Campbell, die even verderop aan de radio lag te prutsen. Woedend sloeg hij met de achterkant van zijn vuist tegen het apparaat. 'Mortiervuur vanuit het noorden!' brulde hij tegen de pelotonscommandant.

Het noorden. Christus! Hoe kunnen de Jappen al in het noorden zitten?

Onder zich hoorde hij Gordy kreunen.

Een uur lang kon de eenheid, gevangen in de greppel, niets anders doen dan in het wilde weg terugschieten op de onzichtbare vijand. Toen, net zo abrupt als het was begonnen, stopte het spervuur weer. Voorzichtig kwamen de Grenadiers één voor één overeind. Ze hurkten in de greppel en namen de schade op. Twee mannen ontbraken.

'Johnson en Maxwell,' mompelde Gordy. 'Het ene moment waren ze er nog, en toen niet meer. Alleen nog een gat in de grond.'

Howards blik viel op een van Gordy's schoenen. 'Je voet?' vroeg hij.

Versuft keek Gordy omlaag. Zijn rechterschoen was bij de zool opengespleten; een met bloed doordrenkte wollen sok puilde eruit. 'Dat moet een granaatsplinter zijn geweest,' zei hij. 'Raar. Ik voel helemaal niets.'

'Daar is een verbandplaats.' De pelotonscommandant wees in de richting waaruit ze gekomen waren. 'Eerste zijweg rechts. Breng hem erheen.'

'Niet nodig. Ik red me wel,' zei Gordy.

'Laat ernaar kijken. Nu! Dat is een order.'

De twee soldaten klommen uit de greppel. Gebukt liep Howard achter zijn hinkende vriend aan, terwijl hij elk moment een regen van kogels verwachtte. Maar het bleef stil toen ze zich in de greppel aan de overkant van de weg wierpen. Daar slopen ze verder, ogenschijnlijk een eeuwigheid, totdat ze besloten dat het veilig was om over de weg te lopen.

De eerste aanwijzing voor de gruwelen die hun wachtten was de met kogels doorzeefde ambulance die de smalle weg versperde. De

Punjabi-chauffeur lag over zijn stuur; zijn gezicht was weggeschoten. Ontdaan stapten Howard en Gordy om de wagen heen. Aan de andere kant lagen nog meer doden. Ze schenen allemaal de dood tegemoet te zijn gekropen, op weg naar hulp die nooit zou komen. Het ravijn beneden de weg leek wel een massagraf.

'Zorg dat ze je niet zien hinken,' zei iemand achter hen.

Gordy en Howard draaiden zich bliksemsnel om, met hun geweren tegen de schouder, klaar om te vuren.

Aan de overkant van de weg kwam er beweging in een stapel lijken. Een soldaat in kakiuniform kroop eronder vandaan, besmeurd met modder en geronnen bloed. Om zijn hoofd zat een rafelig verband. Hij drukte zich overeind met zijn linkerarm. 'Soldaat Jack Dell,' zei hij. 'Royal Rifles.'

Howard liet zijn geweer zakken. 'Wat is hier in godsnaam gebeurd?'

'Een bloedbad. Een slachting, verdomme,' snauwde de Newfoundlander. 'Ze maken geen gevangenen. Elk excuus is goed genoeg om ons af te slachten.' Hij wees naar een boom, vlakbij. Het duurde even voordat Howard besefte dat de bundel die aan de takken hing een lijk was dat aan zijn voeten was opgeknoopt. 'Met een bajonet doorstoken. Gewoon voor de lol,' zei Jack Dell, terwijl hij moeizaam rechtop ging zitten. 'Alle gewonden zijn afgemaakt. De verplegers en het personeel zijn meegenomen, God mag weten waarheen. Ik heb me dood gehouden, onder de lijken van mijn kameraden. De Jappen hadden me gemist... nou ja, bijna.' Hij hield zijn bebloede rechterarm omhoog. 'Daar kreeg ik een bajonet doorheen.'

Howard stak zijn hand uit en trok de bijna gewichtloze soldaat overeind. Nu hij stond, bleek Jack Dell niet langer dan een meter vijfenzestig.

Howard draaide zich om naar Gordy. 'Ga met hem terug, langs de kust, en zoek een andere verbandplaats. Ik ga weer naar onze eenheid.'

'Onzin!' antwoordden ze in koor.

'Ik mankeer niets, behalve een schampschot langs mijn voorhoofd.' De Newfoundlander hield zijn rechterarm omhoog en bewoog zijn vingers. 'En mijn arm doet het ook nog. Ik heb alleen een verbandje nodig. Ik kan er nog steeds Jappen mee neerschieten.'

'Ja. Wie heeft jou opeens tot sergeant bevorderd?' gromde Gordy tegen Howard. 'Ik loop nog als een kievit.' En om dat te bewijzen liep hij de weg af, op zijn hakken.

Die avond vonden ze het grootste deel van hun compagnie weer terug. Te laat. Het hoofdkwartier van de brigade was al gevallen. Lawson was dood, gesneuveld toen hij zijn mannen aanvoerde in een actie vanuit de bunker. De Japanners hadden de Wong Nei Chong Road onder controle, waardoor het eiland nu in tweeën was gespleten.

Howards eenheid omzeilde de massale slachting op de weg en de hellingen rond de bunker. Onder dekking van de duisternis bereikten ze de oostelijke hellingen van Mount Nicholson, waar ze zich ingroeven, nog net op tijd om een krakende stem uit Campbells radio te horen: 'Attentie, alle militaire eenheden in Hongkong. Dit is Mark Young, de gouverneur van Hongkong. De tijd is gekomen om op te rukken tegen de vijand. De ogen van het hele rijk zijn op ons gericht. Wees sterk. Wees vastberaden, en doe uw plicht.'

'Verdomme, wat dacht hij anders dat we deden?' zei Jack Dell.

De volgende avond, na een dag van zware gevechten, had Howard alle besef van tijd verloren. Uren leken niet langer te duren dan minuten. Die ochtend had de pelotonscommandant de gewonde Jack Dell naar het St.-Stephen's Hospital gestuurd. Hij was onverbiddelijk. Gordy ontsnapte aan zijn kritische blik en werd samen met Howard gelegerd bij Middle Gap, in een poging de Wong Nei Chong Road te heroveren.

Numeriek in de minderheid, slecht uitgerust en ongetraind werden ze zwaar op de proef gesteld door de Japanners, die in de strijd waren gehard. De daden van heldenmoed waarvan Howard binnen een paar uur tijd getuige was – of waarover hij verhalen hoorde – waren voldoende voor een heel leven. Grenadier sergeant-majoor Osborn sneuvelde toen hij zich op een scherpe granaat wierp om zijn mannen te redden. Soldaat Jack Williams werd doodgeschoten toen hij een gewonde kameraad in veiligheid bracht. Soldaat Aubrey Flagg had zich aangemeld om met twee pistolen het hol van de leeuw binnen te dringen om een Engelse vrouw en haar twee jonge dochtertjes uit handen van een stel beestachtige Japanners te bevrijden. Zelfs de hond Gander, een grote, zwarte newfoundlander die als mascotte van de Royal Rifles diende, redde zijn eenheid door zich in het strijdgewoel te storten en een granaat te grijpen die voor hun voeten was geland. Hij rende weg met het projectiel in zijn bek en werd bij de explosie aan stukken gereten. Zulke helden waren er binnen alle rangen, daar was Howard van overtuigd, maar net als de meesten van zijn kameraden probeerde hij niets anders dan te overleven.

Hij keek naar Gordy, die naast hem op de helling lag te slapen. Een bijzondere kerel, die koppige, onverzettelijke vriend van hem, die weigerde te hinken, hoewel hij zijn veter had moeten losmaken om de druk op zijn gezwollen voet te verlichten. Hij werd alleen nog op de been gehouden door pure adrenaline. Maar hoelang hield hij dat vol?

In de ochtendschemer maakte zijn eenheid zich gereed om zich terug te trekken langs dezelfde hellingen waarlangs ze zich gisteren nog omhoog hadden gevochten. Een groep Hong Kong Volunteers zat klem in een betonnen bunker beneden hen. Howards haveloze eenheid, gereduceerd tot minder dan dertig man en een Vickers-machinegeweer, wilde hen ontzetten. Onder dekking van de mitrailleur boven hen begonnen ze aan de afdaling.

Ze waren halverwege de berghelling toen Howard de glinstering zag van stalen bajonetten en de bloedstollende strijdkreten hoorde van het zwarte front dat de heuvel op stormde. Hij liet zich voorovervallen, haalde een granaat van zijn riem en trok met zijn tanden de pen eruit. Eerst gooide hij het projectiel, toen richtte hij zijn geweer op de aanstormende Japanners. De Vickers loste een salvo over hun hoofd heen en de vijand liet zich terugzakken. Beneden op de weg verscheen

een pantserwagen, met blaffende kanonnen. Het Britse Middlesex Regiment! De Japanners zaten in de tang tussen de Grenadiers op de helling en de pantserwagen achter hen. Howard en Gordy sprongen met de rest van de eenheid overeind en renden de heuvel af, terwijl ze granaten gooiden en de in het nauw gebrachte vijand onder vuur namen. Maar opeens kwam er vanuit de flank een tweede golf Japanners, met zwaar mortiervuur. De pantserwagen beneden kreeg een voltreffer. Howard liet zich vallen en rolde weg achter een heuveltje met Gordy op zijn hielen. Rechts was een droge bedding, langs de helling omlaag. Howard wees ernaar. Gordy knikte. Samen sprongen ze weer op, doken de greppel in en kropen op hun ellebogen de heuvel af.

De al te vertrouwde kruitdamplucht vermengde zich met de geur van vers omgeploegde aarde. Howard had een onverwachte associatie met een pas geploegd korenveld in Manitoba, toen ze voorzichtig naar de rand van de helling kropen. Daar tilde hij zijn hoofd op en keek hij voorzichtig over de richel.

Recht onder hen lag de met aarde bedekte bunker waarin de Hong Kong Volunteers in het nauw zaten. Op de weg, bezaaid met slachtoffers van beide kanten, stond een Japans kanon met de loop op de deur van de bunker gericht. Vanuit het niets verscheen een helm aan de rand van het bunkerdak. Een donkere gedaante hees zich omhoog en kroop naar de ventilatiepijp. Hij stond op, duidelijk herkenbaar als een Japanse soldaat, haalde snel een granaat van zijn riem, trok de pen eruit en boog zich over de pijp.

Howard had geen tijd om na te denken. Hij nam een sprong, raakte de soldaat in zijn rug en smeet hem met zijn exploderende granaat over de rand van het dak.

Door de kracht van de explosie werd Howard naar achteren geworpen. Spartelend zeilde hij door de lucht voordat hij voorover tegen de grond sloeg. Zijn geweer vloog uit zijn handen. Met gonzende oren en brandende ogen tastte hij blindelings naar zijn wapen. Gelukkig sloot zijn vuist zich meteen om de kolf toen hij zich op zijn rug draaide, met het geweer tegen zijn borst gedrukt.

Boven hem, tegen de onschuldige ochtendhemel, schenen de laatste sterren neer op een wereld die waanzinnig was geworden. Hij zag een beeld van Lucy, zo helder dat hij de sproeten op haar neus en de witte glinstering van haar tanden kon onderscheiden toen ze naar hem glimlachte. Dus dit was het moment, de ochtend van zijn dood. Maar hij zou in het harnas sterven, net als brigadecommandant Lawson. Hij zette zich schrap om overeind te springen en in de aanval te gaan, wat voor lot hem ook wachtte.

Hij zag de glans van staal en voelde de druk op zijn borst nog voordat hij de Japanse soldaat ontdekte die over hem heen gebogen stond. De Japanner drong hem naar de grond met de punt van zijn bajonet. Hij bukte zich, rukte Howards geweer uit zijn handen en schopte het weg. Met een grijns bracht hij zijn arm naar achteren voor de genadestoot met zijn bajonet.

'*Teiryuu!*' Het geblafte bevel deed de arm met het wapen verstijven. De soldaat liet het geweer langs zijn zij zakken toen hij in de houding sprong. Howard draaide zijn hoofd in de richting van de stem. Op de weg stond een Japanse officier, met zijn voeten stevig uit elkaar. Achter hem werden de Hong Kong Volunteers, die zich hadden overgegeven, door brullende soldaten uit de bunker weggeleid. De officier slenterde naar hem toe en keek op Howard neer. 'Zo ontmoeten we elkaar weer, mijn vriend,' zei hij.

Howard kwam overeind en keek naar het onberispelijke uniform, de rode band met ster op de officierspet, en de sabel aan de leren riem. Het duurde even voordat hij de Japanse officier, die vloeiend Engels sprak, herkende als de kleine barbier met wie hij – een heel leven geleden – zijn sigaretten en bier had gedeeld bij de barak in het kamp van Sham Shui Po.

De geluiden van de strijd waren nog altijd te horen toen de haveloze groep op weg ging naar Victoria. Voor Howard en het restant van zijn eenheid was de oorlog voorbij. Ze waren krijgsgevangen gemaakt, maar ze leefden nog, dankzij de officier die Howard had gespaard.

Tijdens de gedwongen mars naar het noorden zagen ze de bewijzen van willekeurige slachtpartijen. Stapels lijken van Britse en Canadese soldaten lagen te rotten in de greppels, een groot aantal met de armen op de rug gebonden. De doden beperkten zich echter niet tot het leger. De route lag ook bezaaid met de stoffelijke resten van burgers, onder wie vrouwen en kinderen. Aan de rand van Victoria stuitten ze op het lichaam van een jonge vrouw die zo was mishandeld en verminkt dat Howard zijn hoofd moest afwenden.

'Beesten!' schreeuwde Gordy tegen een bewaker die zich met een wellustige grijns over het naakte lichaam boog. 'Beesten zijn jullie, en niets anders!' Hij kreeg een geweerkolf tegen zijn hoofd. Howard, die met telefoondraad aan zijn vriend was vastgebonden, wankelde met hem mee.

'Kop dicht!' gromde iemand in de voortsjokkende groep. 'Eén verkeerd woord en ze knallen ons neer.'

'Je moet niet de aandacht op je vestigen,' fluisterde Howard, terwijl hij Gordy overeind sleurde. 'Leun maar op mij.' En samen strompelden ze verder.

Het verbijsterende bloedbad was moeilijk in overeenstemming te brengen met de onverwachte bewijzen van menselijkheid die hun overwinnaars soms ook toonden. Bij het minste of geringste sloegen de bewakers je met een geweerkolf tegen de grond, maar diezelfde mannen boden je zomaar een slok water aan uit hun veldfles of schoven je heimelijk een hap eten toe.

En dan was er de officier die Howards leven had gespaard.

Na het beleg van de bunker waren de Hong Kong Volunteers en de Canadezen die zich hadden overgegeven op een rij gezet en beroofd van alles wat waarde had. Howards horloge, zijn trouwring en de Hongkong-dollars in de zakken van zijn uniform werden hem onmiddellijk afgenomen. Met pijn in zijn hart moest hij toezien hoe zijn zakboekje op de grond werd gesmeten. De barbier die nu officier bleek te zijn liep erheen, bukte zich en raapte het op. Hij richtte zich op, sloeg het boekje open en haalde Lucy's foto eruit. 'Je jeugdliefde,' zei hij met een grijns tegen Howard. Toen zocht hij in zijn uniform en haalde zijn eigen zakboekje tevoorschijn. Hij sloeg het open, pakte een soortgelijk fotootje en hield het Howard voor.

Een jonge vrouw met donker haar glimlachte bedeesd op het sepia-kleurige kiekje. 'Heel knap,' zei Howard met moeite.

'Ja,' zei de officier fluisterend. Voordat hij weer verder liep, gaf hij Howard zijn zakboekje terug, met de foto van Lucy. Het was de laatste keer dat Howard hem zag.

Twee dagen na hun gevangenneming kwam de groep uitgeput, smerig en hongerig in Victoria aan. Onder een dichte, zwarte rookwolk werden de gevangenen door de drukke straten geleid, achter een groep Japanse officieren op stoere hengsten. De stad was totaal verwoest. Uitgebrande bussen en auto's versperden de straten. De haven was een graf van schepen die half onder water lagen, brandende veerboten en olietanks. Overal lag glas en puin. De Japanse vlag hing uit de ramen van kapotgeschoten gebouwen, en ook boven de straten waren spandoeken met de Rijzende Zon gehangen. Op straat liepen doodsbange Chinese burgers met bandana's om hun hoofd en dezelfde bloedrode cirkel op hun arm, terwijl ze in gebroken Engels scandeerden: 'Azië voor de Aziaten! Azië voor de Aziaten.'

Koortsachtig lieten Gordy en Howard hun blik over de gezichten glijden. Maar het waren er te veel. Hun mars eindigde bij North Point, het voormalige vluchtelingenkamp, waar ze door de poort naar binnen werden gedreven.

Het kamp was geplunderd, totaal leeggeroofd. Er was geen metalen bed, geen deken of matras meer over in de vervallen barakken. En nog erger, er waren ook geen latrines meer. Die nacht sliepen Howard en de andere gevangenen dicht opeen op een paar houten britsen of de kale cementvloer. De volgende dag slenterden ze rond, schouder aan schouder, en doorzochten het hele terrein op iets eetbaars. Anderen bleven roerloos zitten, met de vage blik van de verliezer in hun ogen. Of ze vertelden elkaar wat ze hadden meegemaakt. Veel mensen huilden om verloren kameraden. De Japanners letten nauwelijks op hen. Een paar verveelde bewakers treiterden hen van achter het prikkeldraad omdat ze zich hadden overgegeven. Alleen lafaards lieten zich gevangennemen in plaats van als helden op het slagveld te sneuvelen of zelfmoord te plegen.

Met het uur arriveerden er meer gevangenen, zowel Britten als Canadezen. Howard slaakte een zucht van opluchting toen hij die avond ook Ken Campbell zag, die zonder radio of helm door de poort kwam. Onder het vuil en ogenschijnlijk tien kilo lichter sjokte hij naar Howard toe bij het hek, met het nieuws dat een compagnie van de Royal Rifles en de Hong Kong Volunteers nog altijd doorvocht en standhield bij Stanley, met hun rug tegen de zee.

Niet lang nadat de overlevenden van de Rajputs het kamp waren binnen gekomen arriveerde er ook een groep Japanse officieren. Ze waren gekleed in gala-uniform met witte handschoenen, en reden in open auto's, als vorsten. Een van hen stapte uit en beende op en neer langs de andere kant van de omheining. 'Jullie zijn Aziaten, net als wij!' riep hij naar de Indiase troepen. 'Geef ons de hand en deel in onze overwinning. Azië voor de Aziaten. Wij moeten de wereld onze eendracht tonen.' De Rajputs zaten op de grond, met gekruiste benen, en luisterden zwijgend naar die beloften van vriendschap en een wereld zonder blanke overheersing, maar het dringende verzoek zich bij de Japanse zaak aan te sluiten was aan dovemansoren gericht.

Ten slotte kregen de officieren er genoeg van. Er werden machinegeweren gehaald, op statieven opgesteld en op het kamp gericht.

'Sluit jullie bij ons aan of sterf!' gilde een officier, met zijn zwaard hoog in de lucht geheven.

De Rajputs, die zeventien dagen achtereen een harde strijd hadden uitgevochten, stonden als één man op. Howards hart bonsde in zijn keel toen hij zag hoe ze naar de omheining marcheerden. Zwijgend rukten de trotse militairen hun hemd open en duwden hun ontblote borst naar voren.

Het hele kamp hield de adem in. Howard luisterde naar de normale geluiden van de wind op het water en het krijsen van de meeuwen. Niemand verroerde een vin. De opponenten aan beide kanten van het hek gaven geen krimp. Ten slotte knipperde de Japanner met zijn ogen. Hij snauwde een order in het Japans, en de machinegeweren werden weggehaald.

De dagen daarop negeerden de Japanners hun gevangenen.

Howard bracht het grootste deel van de dag door met het voortdurende gevecht tegen de vliegen die iedereen lastigvielen. Ze verdwenen alleen als het regende. Zodra het weer droog was, zwermden ze in zwarte wolken boven de mest van de paarden en muilezels van het Japanse leger. Golvende zwarte tapijten zweefden boven de rottende lijken van dieren en mensen buiten het kamp. Meedogenloos doken ze neer op elk plekje blote huid, kropen onder je kleren en in iedere opening of wond. De stank in het kamp was niet te harden. Mannen werden ziek.

Toen, op eerste kerstdag, kwam het bericht dat gouverneur Mark Young had gecapituleerd; hij had afstand gedaan van de kolonie. Het was officieel voorbij. 's Middags stopte er een truck bij de poort van het kamp, die drie bruine jutezakken met rijst afleverde.

'Vrolijk kerstfeest,' zei Ken Campbell, terwijl hij er een over zijn schouder slingerde. Drie zakken voor duizenden gevangenen.

Uren later zat Howard op de grond tegen een paal van het hek geleund en keek naar het handjevol half gekookte rijst in zijn helm. Hij dacht aan de oude vrouw die hij gisteren buiten het kamp had gezien, bezig om onverteerde rijstkorrels uit droge paardenvijgen te pulken. Maar hij moest eten. Langzaam, heel langzaam.

Gordy werkte zijn rantsoen in twee happen naar binnen en staarde weer naar de brede weg achter de omheining, speurend naar een teken van Shun-ling. Howard bad in stilte dat ze niet in de buurt van het kamp zou komen. Hij had gezien wat de Japanners met een weerloze vrouw konden doen.

Hoe de Japanners de gevangenen ook haatten, ze schenen een nog grotere hekel te hebben aan Chinezen. Sommigen van de bewakers vuurden in het wilde weg op iedere Chinees die te dichtbij kwam, oud of jong, man of vrouw, gewoon als sport. En hun meerderen zeiden er niets van, als ze het zagen. De uitgehongerde oude vrouw buiten het kamp had voor die paar uit mest gepulkte rijstkorrels met haar leven moeten betalen. De bewakers hadden haar opzettelijk dichtbij laten komen voordat ze systematisch haar benen onder haar vandaan schoten en haar lichaam lachend als schietschijf gebruikten toen ze probeerde weg te kruipen.

Naast hem legde Gordy zijn helm op de grond. 'Ze was maagd,' zei hij, nog altijd starend naar de weg.

'Wat?'

'Shun-ling.'

Geschrokken van die onverwachte bekentenis en de intimiteit ervan, wist Howard zo snel geen antwoord.

'Dat had ik niet verwacht...' Gordy zocht naar woorden. 'Nou, ik dacht... Ik weet het niet. Omdat haar vader haar had verkocht...' Hij zweeg. 'Ik heb er niet op aangestuurd. Het gebeurde gewoon. Dankbaar, ik denk dat ze dankbaar was.' Hij schudde zijn hoofd. 'Ik ben er niet trots op.'

Howard zweeg en probeerde het brandende gevoel in zijn maag te negeren, dat geen honger was.

'Jezus. Ik heb gevoelens voor haar, Howie. Heel anders dan voor andere meisjes. Het is geen medelijden, of lust, of zelfs maar seks. Het is meer.' Hij slikte. 'Ik weet dat ik haar nog geen maand ken, maar ik denk erover om... nou ja, om haar mee te nemen naar huis. Haar te vragen om met me te trouwen. Begrijp je?'

De hitte in Howards maag steeg naar zijn borst. 'Weet je dat zeker?'

Gordy tilde zijn hoofd op. 'Ja, heel zeker,' gromde hij. 'Nog nooit in mijn leven ben ik ergens zo zeker van geweest.' En lag een onuitgesproken uitdaging in zijn ogen.

Howard dwong zichzelf hem aan te kijken. 'Nou, dat is... geweldig,' zei hij.

'Ja, geweldig,' zei Gordy. 'Behalve dat ik haar waarschijnlijk nooit terug zal zien.'

Ondanks de ellende aan beide kanten van de omheining, en ondanks zijn eigen verwarde gevoelens, hervond Howard toch zijn stem. 'O, jawel,' verzekerde hij zijn vriend. 'Als dit allemaal voorbij is, ga je naar Victoria en vind je haar in die flat, waar ze op je wacht.'

'Ja. Als dit voorbij is. Vast.'

'Natuurlijk.' Zijn eigen woorden klonken Howard vals in de oren. 'De Amerikanen doen nu ook mee. Het is slechts een kwestie van tijd.'

26

Mijn vader deed zijn best. Echt waar. De ochtend nadat we naar de
drive-inbioscoop waren geweest was hij al vroeg op. Toen Kipper en
ik beneden kwamen, zat hij aan de keukentafel met een mok koffie en
de zondagskrant voor zich uitgespreid. 'Het is vanochtend laag water,'
zei hij. 'Wat zouden jullie ervan zeggen als we vandaag eens naar Birch
Bay gingen?'

Op die vraag volgden een paar seconden van verbaasde stilte.

'Ja, best,' zei ik, opzettelijk neutraal, alsof elke vertoon van enthousiasme het hele plan in duigen kon laten vallen.

Kipper had die angst niet. 'Ja, leuk!' riep hij uit. Hij klapte in zijn
handen, rende naar papa toe om hem op zijn schouder te slaan en zei:
'Wat goed, pap.'

Papa glimlachte tegen hem en draaide zich om naar het fornuis,
waar Frankie spek stond te bakken. 'En jij, Frankie?'

Frankie zweeg een hele tijd voordat hij antwoordde: 'Ja, best.' Zijn
stem klonk echter voorzichtig, net als de mijne. Niet dat we Birch Bay
niet leuk vonden; iedereen in onze familie ging graag naar dat Amerikaanse vakantiedorpje over de grens, vooral mijn vader. Toen mama
de Hudson had gekocht raadpleegde hij op heldere zondagochtenden
vaak de getijdestanden in de krant. Als het eb was, gingen we erheen
om naar Dungeness-krabben te zoeken in de slikken van de baai. Het
was alleen een pijnlijke gedachte om naar Birch Bay te gaan zonder
mijn moeder.

Zoals het ook heel vreemd was om onze picknicklunch in te pakken zonder haar. Kipper en ik smeerden de boterhammen, pindakaas
en jam voor ons, worst met mosterd voor Frankie, en voor papa natuurlijk de sardines waar hij zo van hield. Terwijl ik keek hoe Kipper
de pindakaas smeerde, bedacht ik onwillekeurig hoe gemakkelijk hij
had aanvaard dat mama er niet meer was en haar afwezigheid nu als

een deel van ons leven leek te accepteren. Ik vroeg me af of hij wel begreep dat hij haar nooit meer zou zien, en of hij wel wist wat 'nooit' betekende. Mijn moeder zei altijd dat Kipper, als hij maar genoeg tijd kreeg, alles kon begrijpen en doorgronden. Aan zichzelf overgelaten, zou hij altijd de juiste beslissing nemen. 'Hij bezit een wijsheid die meer is dan gewone kennis,' hield ze vol.

Alsof hij mijn gedachten had geraden, keek Kipper naar me op, met een scheve grijns op zijn brede gezicht. 'Ik denk dat mama in de hemel wel blij zal zijn dat we naar het strand gaan,' zei hij, terwijl hij de bovenste boterham op zijn sandwich drukte.

Ik herkende de valse vrolijkheid in papa's stem toen we allemaal in Frankies Studebaker stapten. Maar onderweg praatte hij met Kipper over het heerlijke kreeftenmaal dat ze in gedachten hadden en leek hij toch echt aanwezig.

Het ritje naar Washington duurde nog geen uur. Kipper hief zijn gebruikelijke gejuich aan toen we bij de Peace Arch de Amerikaanse grens passeerden. We vonden de laatste vrije picknicktafel bij het strand en klommen toen over de met schelpen aangegroeide rotsen naar de ondiepe poelen van de slikken. Steeds als we zo'n grote rode krab in het zeewier ontdekten, trok Frankie of papa hem van achteren uit het water om de grote scharen te ontwijken. Ze gooiden hun spartelende vangst in een emmer, onder applaus van Kipper en mij.

's Middags dreven we in onze zwarte binnenbanden op het opkomende tij. Toen we uit het water kwamen, spreidde ik mijn handdoek uit op het zand, waarna ik er op mijn buik op ging liggen. Aan de picknicktafel zei Frankie tegen mijn vader dat hij de volgende dag weer aan het werk zou gaan. 'De nachtdienst,' voegde hij eraan toe. Het laatste wat ik me herinnerde voordat ik in slaap viel was dat ze iemand wilden zoeken om te komen oppassen als papa weer ging werken.

Een tijdje later werd ik wakker en hoorde ik hen praten over het telefoontje van meneer Telford. 'Vreemde man,' zei Frankie, 'om zich druk te maken over de verkoop van Kippers schilderijen terwijl zijn vrouw...' Hij aarzelde. 'Nou ja, op zo'n moment.'

'Iedereen heeft zijn eigen manier om ermee om te gaan, denk ik,' antwoordde mijn vader zacht.

Ik opende één oog en zag hem over de baai turen, maar niet met zijn gebruikelijke verre blik.

'Ik denk dat het telefoontje gewoon een aanleiding was om met ons te praten,' zei hij na een tijdje. 'Misschien voelt hij zich schuldig omdat het zijn boot was, zijn defecte kachel, ik weet het niet. Hij zei dat hij geen idee had dat ze naar het zeiljacht gingen. Toen Marlene haar schetsboek pakte na Lucy's telefoontje, veronderstelde hij dat ze naar de winkel gingen.' Hij streek met een hand over zijn gezicht en zuchtte diep. 'Hij vertelde me dat Marlene Lucy's portret zou schilderen. Een verrassing voor mij. Hij vroeg of ik de schetsen wilde hebben die hij had gevonden...' Hij zweeg toen hij mij zag kijken.

Later, toen de zon onderging, zaten we in de gloed van ons kampvuurtje en zogen we het vlees uit de pasgekookte krabben. Alles leek zo normaal als mogelijk was, met een gebroken hart. Ik hield mijn vader in de gaten, wachtend tot hij zich weer in zijn eigen wereld zou terugtrekken. Ook Frankie keek argwanend, zag ik. Maar papa bleef bij ons en dronk niets anders dan Coca-Cola.

Dat hield hij een paar dagen vol. Toen, op woensdagmiddag, kwam Dora Fenwick met mama's briefje.

27

'Ik heb het niet achtergehouden,' zei mevrouw Fenwick. 'Ik heb het gisteravond pas gevonden.' Ze keek naar de envelop in haar hand. 'In de suikerbus,' legde ze uit, terwijl ze vanaf de veranda naar binnen stapte. 'Moeders geheugen wordt steeds slechter.' Ze liep met papa mee naar de keukentafel, maar ging niet zitten toen hij haar een stoel aanbood. 'Nee, ik blijf niet. Ik kwam alleen dat briefje brengen.' Ze keek naar het aanrecht, waar ik de borden stond af te drogen.

Ik kende die blik, een teken dat ze ergens niet over wilde praten als ik erbij was. Ik hing de theedoek op en liep naar de veranda aan de voorkant. Door het halfopen raam kon ik haar en papa bij de tafel zien staan. 'Ik heb nog getwijfeld of ik het je wel moest geven,' zei ze, terwijl ze de envelop in haar handen ronddraaide. 'Ik weet niet of je er iets aan hebt, of dat het de pijn nog groter zal maken, maar je moet het toch lezen.' Aarzelend gaf ze papa het briefje, alsof ze moeite had er afscheid van te nemen.

Hij slikte. Een adertje in zijn hals klopte toen hij de envelop aannam.

'Ze...' Dora Fenwicks stem brak. 'Lucy heeft het die zaterdag aan mijn moeder gegeven. Waarschijnlijk twijfelde ze of mijn moeder wel zou doorgeven dat ze me had gezocht.' Ze plukte aan de mouwen van haar sweater, alsof ze niet meer wist wat ze met haar handen moest doen nu ze leeg waren. 'Ik geef het maar aan jou.' Ze liep terug naar de keukendeur, bleef toen staan en keek mijn vader nog eens aan. 'Een dag eerder, toen we koffiedronken, zagen we dat meisje in het parkje staan,' zei ze. 'We vroegen ons af wat ze daar deed in de stromende regen, maar ik was haar alweer vergeten, totdat ik het briefje las.'

Papa keek haastig op. 'Het meisje?'

'Lees het maar,' zei ze fluisterend. 'Lucy had die dag een vriendin nodig. Ik wou dat ik thuis was geweest.'

Toen ze de deur achter zich sloot, liet mijn vader zich op een keukenstoel vallen. Hij haalde het opgevouwen velletje uit de envelop en legde het met bevende handen op tafel. Toen hij het las, begon hij te trillen over zijn hele lichaam. 'O, god,' mompelde hij. 'Ik had haar al jaren geleden de waarheid moeten vertellen.'

Maar mevrouw Fenwick was al verdwenen. Zodra ze het grasveld overstak, stapte ik weer de keuken in. 'Pap?' Ik moest het drie keer herhalen voordat hij zijn hoofd oprichtte. Hij vouwde het papier op, stond op en liep de keuken uit, zonder nog een woord te zeggen. Even later hoorde ik de deur van zijn slaapkamer dichtgaan. Toen Frankie hem 's avonds voor het eten riep, kwam hij wel aan tafel, maar hij raakte zijn opgewarmde stamppot nauwelijks aan.

Na het eten, toen papa en Kipper tv zaten te kijken, samen in zijn stoel gewrongen, vertrok Frankie naar zijn werk. Ik wachtte tot ik zijn auto uit de achtertuin hoorde wegrijden. Toen liep ik de gang door naar papa's slaapkamer. Ik deed de deur zachtjes achter me dicht, sloop naar zijn ladekast en doorzocht de laden, maar nergens vond ik de envelop die mevrouw Fenwick hem had gegeven. Ik zocht in mama's toilettafel, maar daar lag hij ook niet. Wel vond ik een paar van haar oude krantenknipsels. Nieuwsgierig pakte ik er een op. Het was een stukje uit een oude *Daily Province*:

CANADEZEN AAN HET FRONT IN HONGKONG

Koloniale troepen verwikkeld in hevige gevechten bij Japanse aanval

OTTAWA, 8 *december* 1941 – *De Canadese troepen die in Hongkong gelegerd zijn, zijn betrokken bij bloederige gevechten nu Canada Japan de oorlog heeft verklaard en de strijd in het westen van de Pacific is losgebrand...*
Een bericht uit Londen dat de Japanners vermoedelijk al 'enkele Britse bezittingen' hebben aangevallen, benadrukte nog eens dat de positie van de Canadezen midden in het oorlogsgebied ligt. De namen van de betrokken eenheden zijn niet bekendgemaakt.

Waarom had ze dit bewaard?

Haastig las ik de andere knipsels door, tot ik een korrelige foto ontdekte onder de verbleekte kop: TROEPEN IN HONGKONG ALS EERSTE CANADEZEN IN GEVECHT. De ernstige gezichten van de soldaten die in de lens keken zeiden me niets.

Mijn blik gleed over het artikel.

10 DECEMBER — VAN ONZE OORLOGSCORRESPONDENT

Het hele Canadese leger is jaloers op onze troepen in China. Canadese soldaten in Engeland volgden vandaag alle berichten, op zoek naar nieuws over hun kameraden die in Hongkong gelegerd zijn.

'Ze vallen met hun neus in de boter,' was een veelgehoord commentaar.

'En dan te bedenken dat ik nu zelf in Hongkong zou zitten als ik bij mijn oude regiment was gebleven,' verzuchtte een kolonel van de 1st Division uit Winnipeg, die twee jaar geleden met het eerste contingent in Engeland was aangekomen. 'Ze zullen die Jappen wel een lesje leren.'

Toen ik het knipsel in de la teruglegde, zag ik het verbleekte gele telegram. Ik pakte het op en las het korte bericht aan mama, die toen bij tante Mildred in Vine Street woonde.

Hongkong? Had mijn vader in Hongkong gezeten? Daar begreep ik niets van. Ik ging op het krukje voor de toilettafel zitten. Hoewel mijn vader er nooit over sprak, wist ik dat hij in de oorlog had gevochten. Maar Hongkong? Dat was nieuw voor me. Opeens dacht ik aan het Chinese meisje in het parkje. Kwam zij soms uit Hongkong? Had zij hem gekend toen hij daar gelegerd was? Nee, daar was ze te jong voor. Ik werd bestormd door allerlei vragen die nergens op sloegen.

Een beetje van streek borg ik alles weer op. Ik liep naar buiten en ging op de veranda zitten. De tv-stem van Timmy die Lassie naar huis riep sijpelde door het open raam van de huiskamer naar buiten terwijl ik naar het parkje aan de overkant staarde.

Het begon al te schemeren. Op straat schopte een stel kinderen tegen een leeg blikje. Hun lachende stemmen galmden door de warme zomeravond. Ardith stak een hand op en gebaarde dat ik mee moest doen, maar ik schudde mijn hoofd. Zo nu en dan hoorde ik van de veranda's of uit de ramen van de buurhuizen de zangerige stem van een moeder die haar kinderen naar binnen riep. De hete last in mijn borst werd nog zwaarder bij de gedachte aan die vertrouwde stem die mij nooit meer voor het eten zou roepen.

Ik zat daar met mijn kin in mijn handen totdat Danny Fenwick ons paadje op liep. Hij kwam naast me zitten, op de bovenste tree, leunend tegen het hekje terwijl de avondhemel langzaam donkerder werd. Ik probeerde naar hem te luisteren toen hij over alledaagse dingen vertelde – dat we over twee weken weer naar school moesten, en dat hij een nieuwe fiets had – maar net als mijn vader was ik er met mijn gedachten niet bij. Ten slotte gaf hij de moed maar op en keken we zwijgend naar het spel op straat, in het licht van de lantaarn.

'Wist je dat mijn moeder nog bij jullie is geweest, op zoek naar jouw moeder, die zaterdag... de dag dat ze stierf?' vroeg ik hem.

'Nee,' zei hij, terwijl hij nerveus zijn bril rechtzette. 'Nee, dat wist ik niet.'

'En heb jij ooit een meisje, een Chinees meisje, daar in het parkje gezien?' vroeg ik, wijzend naar de overkant.

'Ja, een paar keer. Op een ochtend stond ze daar zelfs in een plensbui.'

Ik ging rechtop zitten. 'Wat deed ze daar dan?'

'Ze stond daar gewoon. Ik dacht dat ze op iemand wachtte, totdat ik zag dat ze...' Hij klemde zijn kaken op elkaar.

'Wat? Wat zag je? Wanneer?'

'Niks.'

'Wát?' vroeg ik, en ik greep hem bij zijn schouder.

'Hé, Ethie, ik wilde niet...'

'Zeg het nou. Alsjeblieft.'

'Nou... ik zag haar op jullie veranda, diezelfde zaterdagmorgen. Ze praatte met je mam.'

Op dat moment hoorde ik de stem van mevrouw Fenwick, die Danny riep. Hij hees zich overeind. 'Ik moet naar huis,' zei hij, terwijl hij zijn handen in zijn zakken propte. Hij deed een paar stappen, draaide zich om en zei nog iets.

'Wat?'

'Ik vroeg of je morgen meegaat naar het boomfort.'

'O. Eh, nee,' zei ik, met een soort glimlach tegen hem, die mislukte. 'Dank je, maar morgen niet.'

Morgen ging ik weer de stad in. Ik moest weten wat dat meisje met ons te maken had.

28

De grafdelvers verlieten het kamp in alle vroegte. Grijze rook steeg op van de Japanse brandstapel toen ze de ravage van het slagveld bereikten. Al die doden, aan beide kanten. Howard stak zijn spade in de grond, liet hem daar staan, trok zijn hemd uit en wikkelde het om de onderste helft van zijn gezicht. De vuile, met zweet doordrenkte stof hielp weinig tegen de misselijkmakende stank – zo zwaar dat de lucht stroperig leek – maar voorkwam in elk geval dat de vliegen zijn mond en neus binnen kropen.

De natte aarde bood niet veel weerstand en een gat graven om te ontvangen waar ze recht op had, was gemakkelijk.

De onschuldige geur van de natgeregende grond leidde heel even af van die andere stank. Eén moment had hij een associatie met een regenachtige straat in Vancouver. Was het echt maar twee maanden geleden dat hij en Lucy op het vochtige gras voor Mildreds huis hadden gestaan? Het leek wel een ander leven, een andere wereld – een normale wereld. Bestond die nog? Liep Lucy nu door diezelfde straat, of lag ze in bed in datzelfde huis, ongerust of hij nog wel leefde?

Ik ben er nog, Lucy. Ik ben er nog. Met elke schep aarde herhaalde hij dat bericht en gaf het mee aan de wind, om het de zee over te dragen naar haar hart. *Ik ben er nog, Lucy.*

Toen de kuil diep en breed genoeg was, verspreidden de soldaten zich in paren voor de gruwelijke taak om hun gevallen kameraden in het massagraf te leggen. Howard boog zich over het eerste lichaam. Hij slikte, maar weigerde om te kokhalzen. Voorzichtig haalde hij het naamplaatje van het opgezwollen lijk. '*Teiryuu!*' riep iemand. 'Stop!'

Een geweerkolf raakte Howard tegen de zijkant van zijn hoofd, zodat hij op zijn knieën zakte. Het naamplaatje werd uit zijn hand gerukt en in de kuil gegooid. Met gonzende oren hoorde hij de verhitte discussie tussen de schreeuwende bewakers en de woedende gevangenen, die de naamplaatjes probeerden te redden.

Moeizaam kwam Howard weer overeind. Als hij de afgelopen weken iets over de Japanners had geleerd, was het wel dat ze zich enkel aan de regels hielden als hun dat uitkwam. Gisteren nog was een Britse officier die een meer humane behandeling van zijn mensen eiste tot bloedens toe geslagen door een kampbewaker, die hem in gebroken Engels toesnauwde: 'Japan niet Conventie van Genève getekend.' Dat de gevangenen nog leefden, hadden ze te danken aan de genade van de keizer. Blijkbaar hadden ze nog enig nut voor de Japanners, concludeerde Howard; als gijzelaars, pionnen in een onderhandeling, of wat dan ook.

Ondertussen was wel duidelijk dat de bewakers hen op alle manieren probeerden te demoraliseren en hen van hun menselijke waardigheid te ontdoen. En wat was een betere methode dan hun namen te roven?

Hij draaide zich om en ging weer door met zijn werk. Zonder zich iets aan te trekken van de bevelen om voort te maken, de klappen met de geweerkolven, de stank van de dood of de honger in zijn maag, concentreerde hij zich op het naamplaatje van de volgende dode. 'Onthoud de namen!' riep hij. 'Onthoud de namen!'

Die kreet werd opgepikt en doorgegeven terwijl de mannen hun broeders in hun laatste rustplaats legden. *Onthoud de namen.*

Bujold... Lebel... McGrath... Chalmers...

Toen ze weer terug waren in het kamp, ging Howard op zoek naar luitenant-kolonel Sutcliffe in de officierssectie van het kamp. De man leek de afgelopen twee weken veertig jaar ouder geworden. Zijn vierkante schouders leken steeds krommer te worden bij iedere naam die hem werd gemeld.

In de loop van de volgende weken, bij elk appel, als ze uren in de middagzon in de houding stonden, voor de bewakers bogen en de Japanse officieren bij naam begroetten, bleef Howard in gedachten de namen van de doden herhalen. Die innerlijke mantra hielp hem de stemmen, de gezichten en de aanwezigheid van zijn cipiers naar de achtergrond te dringen en sterkte hem in zijn vastberadenheid om hún namen geen plek in zijn hoofd te geven.

18 januari 1942: ... Doyle... Main... Slaughter...

Nooit kon hij alle namen in zijn geheugen prenten, maar hij onthield er zo veel als mogelijk was. Hij had weinig anders te doen dan aan eten te denken, en die valstrik probeerde hij te vermijden. In gedachten alfabetiseerde hij de groeiende lijst. Elk moment dat hij alleen was herhaalde hij die zwijgende oefening, zelfs als hij zijn kermende darmen leegde. De vliegen hadden dysenterie verspreid. Niemand ontkwam eraan.

Howard hurkte op de planken boven de zee, de enige plek waar een man kon poepen, helemaal achter in het kamp. Hij haakte zijn riem om een paal om zijn evenwicht te bewaren en liet zich door zijn knieën zakken, terwijl hij zijn blik afkeerde van het water dat beneden tegen de slijmerige rotsen sloeg. Elke golf bracht nieuwe verschrikkingen: opgezwollen lijken en lichaamsdelen die tussen de wrakstukken dreven.

Hij hees zijn broek weer op. Toch gingen zijn ogen omlaag, als uit eigen beweging. Hij verstijfde. Recht in het water beneden hem dreef een menselijk been. Een lange, afgewikkelde puttee deinde achter de naakte kuit, als een langgerekt vraagteken vanaf de bovenkant van de schoen, waar nog altijd een voet in stak. Een rechtervoet. Haastig maakte Howard zijn riem van het hek los. Hij had een lange stok nodig om de schoen eruit te vissen. Voor Gordy, als vervanging. Hij kroop naar de rand van de omheining en probeerde een van de planken omhoog te trekken.

'Laat maar. Je kunt beter een paar uur wachten tot er iemand uit de Martelkamer komt. Als ze daar vandaan komen, hebben ze geen schoenen meer nodig.'

Howard draaide zich om naar de spreker, maar er stond niemand.

De woorden kwamen uit zijn eigen hoofd. Hij liet zich op de grond zakken. Wat wilde hij nou met zo'n doorweekte schoen? Door de honger en zijn zorgen om Gordy raakte hij verward.

Het ging steeds slechter met Gordy's been. Hij kon er niet meer op steunen. Elke ochtend hielp Howard hem naar de omheining om daar op wacht te staan. Gordy wilde niet terug naar de ziekenboeg, en dat kon Howard hem niet kwalijk nemen. De eerste week was hij met Gordy meegegaan naar de omgebouwde loods, zodat de dokter de schoen van Gordy's gezwollen voet kon snijden. Geen wonder dat ze het de Martelkamer noemden, dacht hij, terwijl hij toekeek hoe de arts de wond schoonmaakte en in hergebruikt verband wikkelde. De 'ziekenboeg', niet meer dan een schuur achter in het kamp, was niet beter of schoner dan al die andere vervallen hutten van North Point Camp.

Er zaten nu meer dan zesduizend gevangenen in de uitpuilende barakken, die ooit waren bestemd voor de huisvesting van driehonderd mensen. De ziekenboeg was al geen plek voor een gezond mens, laat staan voor zieken of gewonden. Howard kon het beeld niet uit zijn hoofd krijgen van al die mannen die op provisorische bedden en brancards op de betonnen vloer waren gelegd, onder een dunne deken of enkel hun eigen bloed en vuil, behandeld door overwerkte legerartsen en vrijwillige verplegers die weinig anders te bieden hadden dan medeleven en valse hoop. Howard was net zo blij geweest als Gordy dat ze daar weg konden.

De primitieve toestand in de ziekenboeg was niet de enige reden waarom de gevangenen er zo bang voor waren. Het hele kamp had het verhaal gehoord over het bloedbad in het militaire hospitaal van St.-Stephens. Jack Dell had het iedereen verteld. Zijn arm was daar geamputeerd, twee dagen voordat de Japanners op kerstavond arriveerden. Hij had al een slachting meegemaakt en wist wat er komen ging. Zodra de Japanners de trappen op stormden en zich over de zalen verspreidden, liet hij zich uit zijn bed rollen en verstopte zich onder een stapel linnengoed terwijl er een bloedbad werd aangericht. Nu liep hij door het kamp en vertelde iedereen die maar wilde luisteren hoe zieke en gewonde soldaten waren doodgeschoten of -gestoken. 'Het bloed liep langs de trappen naar beneden. Toen de Jappen klaar waren met de soldaten, werden ze helemaal gek en begonnen ze de verpleegsters en nonnen te verkrachten en te vermoorden.' Volgens hem had de orgie van bloed en geweld tot de volgende dag geduurd. Toen het voorbij was, waren er zeventig Britse en Canadese soldaten gedood, alsmede vijfentwintig leden van het verplegend personeel. Jack Dell en een paar andere overlevenden waren gedwongen hen te cremeren. Net als bij de massabegrafenissen na de overgave mochten ze geen naamplaatjes meenemen. Toen de Japanse officieren ter plekke kwamen en van een hysterische dokter te horen kregen wat er was gebeurd, hadden ze de daders onmiddellijk geëxecuteerd en verklaard dat zulke wreedheden niet werden getolereerd en zich niet meer zouden voordoen. Maar wie zou hen op hun woord vertrouwen? Zeker niet de gevangenen, die al aan ondervoeding leden en elke dag machteloos moesten toezien hoe hun vrienden en kameraden stierven.

Maar toen Gordy's voet bleef zwellen onder het zwartverkleurde verband, drong Howard er toch bij hem op aan om naar de ziekenboeg terug te gaan. Gordy weigerde. Hij wilde alleen maar bij het hek zitten.

Howard viel de dokters lastig om medicijnen die ze niet hadden. 'Zorg dat hij meer te eten krijgt,' was hun enige advies.

Het eten – twee zielige porties schimmelige rijst, vaak met muizenkeutels en maden – was het belangrijkste moment van de dag geworden. Zo nu en dan werd er een stinkende groentedrab, die eruitzag als gecomposteerde schillen, vermengd met gras en zeewier, bij de poort achtergelaten, als aanvulling op de rijst. Howard hoopte dat de 'groene gruwel', zoals de gevangenen het noemden, in elk geval nog iets voedzaams bevatte. Hij stond twee keer per dag in de rij en schepte de helft van zijn eigen rantsoen in Gordy's helm voordat hij die doorgaf, maar toch vermagerde de gedrongen gestalte van zijn vriend nog sneller dan de andere gevangenen en klom de agressieve rode ontsteking steeds verder langs zijn kuit omhoog.

Op Howards aandringen bracht Ken Campbell de tweede week van februari een kamparts naar Gordy's bed. 'Het moet eraf,' zei de dokter, nadat hij het been had onderzocht. 'Breng hem naar de ziekenboeg.'

'Ze hakken mijn been er niet af,' gromde Gordy zodra de dokter was vertrokken.

Ken, een van de weinige dappere zielen die zich als broeder in de ziekenboeg hadden aangemeld, weigerde te luisteren. 'Je hebt geen keus,' zei hij. 'Het is je been of je leven.'

'Ik waag het er wel op,' zei Gordy, en hij probeerde op te staan.

'Wat moet ik dan tegen Shun-ling zeggen als dit achter de rug is?' wilde Howard weten. 'Dat je bent gestorven omdat je bang was? Dat je haar niet wilde terugzien als je niet al je lichaamsdelen nog had?'

Ze amputeerden zijn been tot onder de knie. Op de een of andere manier wist Ken een klein flesje chloroform van een van de minst kwade bewakers los te krijgen. Toch vroeg Howard zich af hoe Gordy het verdroeg. Hij stond buiten de ziekenboeg, met zijn handen over zijn oren, maar ondanks dat hoorde hij nog het gedempte gekerm toen de dokters de primitieve operatie uitvoerden. De dagen daarop bleef hij in de ziekenboeg om zijn vriend te verzorgen. Elke nacht sliep hij naast hem op de grond. Maar zodra Gordy weer op zijn goede been kon staan, hinkten ze de Martelkamer uit.

Howard leefde bij de dag. Zijn enige doel in het leven was nu voor zijn vriend te zorgen. Hij vond een leeg blik pinda-olie en hielp Gordy erop te hurken, buiten de barak, zodat hij niet helemaal naar het hek boven de zee hoefde te strompelen. Hij rukte twee planken uit de achterkant van hun barak en maakte er een soort krukken van. En iedere ochtend hielp hij Gordy naar de omheining, waar ze in de schaduw van het wachthuis de brede weg voor het kamp in de gaten hielden.

In de loop van de volgende maanden werden de omstandigheden in North Point steeds slechter. Overdag was er geen beschutting tegen de brandende zon, maar de nachten waren verrassend koud. Aangezien veel gevangenen niets anders dan een kale plank of de cementvloer hadden om op te liggen, sliepen ze in groepjes van drie of vier tegen elkaar aan, om beurten in het midden om warm te blijven.

'Als je thuiskomt, zeg dan maar tegen Lucy dat ik je bed heb warmgehouden,' grapte Gordy huiverend toen hij tussen Howard en Ken in lag. 'Ik had haar toch beloofd om op je te letten?'

'Dat mag je haar zelf vertellen.'

Zelfs zonder dekens waren de bedwantsen een ramp. Samen met de luizen en de vlooien kwelden ze mannen die het toch al zo zwaar hadden. Dankbaar dat Gordy, Ken en hij wonderbaarlijk genoeg nog steeds tegen die plaag waren beschermd, zag Howard hoe de slachtoffers bijna gek werden van de jeuk en het krabben. Hij vroeg zich af hoelang het magische middeltje van Ah Sam effect zou hebben.

Luitenant-kolonel J.L.R. Sutcliffe. Op 7 april voegde Howard die naam aan zijn mentale lijstje toe. De kolonel was bezweken aan beriberi en bloedarmoede, maar Howard dacht dat hij was verschrompeld en gestorven aan een gebroken hart door het verlies van zo veel van zijn 'jongens'. Hij sloot zich aan bij de grafdelvers die hem in zijn laatste rustplaats legden op de provisorische begraafplaats buiten het kamp. De Last Post speelden ze allang niet meer; dat was te ontmoedigend. Er waren geen grafstenen, en zodra ze een houten kruis neerzetten, werd het 's nachts door vluchtelingen als brandhout geroofd. Graven werden geopend om de dunne grafdekens te stelen. Na een tijdje wikkelden de gevangenen de lijken niet meer in dekens. Er was 's nachts gewoon niet genoeg warmte voor de levenden.

Eind april stond Howard bij de omheining en zag hij hoe de Britse regimenten naar Camp Argyle en Sham Shui Po op het vasteland werden overgebracht. En opeens, tussen al die duizenden haveloze soldaten, ontdekte hij Peter Young en Dick Baxter. Hun haar was langer en hun rafelige uniformen hingen slap om hun knokige lijf, maar de twee mitrailleurschutters van het Middlesex Regiment leken zich nog koppig te handhaven. 'Blij dat jullie de kans hebben gekregen om te vechten!' riep Howard, opgelucht dat ze het hadden overleefd.

Peter bleef staan en tuurde naar de menigte achter het hek. Hij grijnsde toen hij Howard had gevonden. 'Ja. We wachten nog op de medailles.' Hij kreeg een geweerkolf in zijn zij. Terwijl hij werd voortgedreven, riep hij nog over zijn schouder: 'We zien jullie tweeën wel in de Sun Sun als dit voorbij is. We worden niet voor niets de doordouwers genoemd.'

'Maar het is jullie rondje,' riep Howard hem na.

De meest sadistische bewakers vertrokken met de Britten. De ergste was een kleine man met een mager gezicht, die als een haantje door het kamp paradeerde. Howard zou zijn stoere pose lachwekkend hebben gevonden als de man niet zo gevaarlijk was geweest. Vaak stond hij voor de poort, waar hij met valse lachjes en lekkere hapjes plaatselijke meisjes vanaf de weg naar zich toe lokte en dan meesleurde naar het wachthuis. Hun gekerm achtervolgde Gordy en Howard.

Als het kenmerk van het kwaad het genot in het lijden van anderen is, moest de bewaker die door de gevangenen Satan werd genoemd wel de belichaming daarvan zijn. 's Avonds laat verborg hij zich in de duisternis achter in het kamp, wachtend op nietsvermoedende gevangenen die naar het hek boven de zee kwamen. Voordat ze hun behoeften konden doen, sprong hij tevoorschijn en beval hun een buiging voor hem te maken. Dat moesten ze een paar keer herhalen, steeds dieper, terwijl Satan toestak met zijn bajonet en er regelmatig in slaagde hen te verwonden. Honend keek hij dan toe hoe ze zich bevuilden. Het enige voordeel was zijn gewoonte om lucht door de spleet tussen zijn twee voortanden te zuigen, zodat iedereen wist dat hij in de buurt was, als een kat met een belletje. Net als het hele kamp slaakte Howard een zucht van verlichting toen Satan met de Britten vertrok.

Na de aftocht van de Engelse regimenten was het opeens veel minder druk in het kamp. Het leven kreeg meer structuur en Howard begon zelfs te geloven in zijn belofte aan Gordy dat ze binnen een paar maanden vrij zouden zijn. Helaas werd het eten er niet beter op. Klachten leidden alleen tot een afranseling en een verdere reductie van de rantsoenen. Toch hielden ze hoop. Voor het eerst werd Howard zich bewust van de gesmokkelde radio die tussen de muurankers van een van de barakken was verborgen. Hun stemming verbeterde toen het werkelijke nieuws – niet de Japanse propaganda – van mond tot mond werd doorgegeven.

Er gingen optimistische geruchten dat de bevrijding niet lang op zich zou laten wachten. Hun hoop was nu volledig op de Amerikanen gevestigd. Het spookleger van Tjiang Kai-sjek speelde geen rol meer.

In mei mochten de gevangenen voor het eerst naar huis schrijven: vijfentwintig woorden op een dun velletje luchtpostpapier. Niemand wist of die brieven ook zouden aankomen, maar het gaf Howard een goed gevoel om een bemoedigende boodschap aan Lucy te kunnen schrijven en zich haar vreugde voor te stellen als ze zijn handschrift zou zien. *Mijn liefste Lucy, ik mis je vreselijk en denk elke dag aan je. Alles is goed. Positieve stemming. Worden goed behandeld. Al mijn liefde, Howard.* Hij voelde zich totaal niet schuldig over de leugens in zijn bericht.

Met dit gebaar van goede wil kregen ze ook te horen dat de Canadezen te werk zouden worden gesteld om de startbaan van het vliegveld van Kai Tak te verlengen. Geëscorteerd door een gewapende bewaker werden Howard en twintig andere, min of meer gezonde, Grenadiers op de veerboot naar het vasteland gezet, samen met de andere werkploegen. Van 's ochtends vroeg totdat de schemering viel waren de krijgsgevangenen bezig een kleine berg weg te hakken. Als koelies, met manden aan bamboestokken, vervoerden ze hun lading naar de andere kant van de startbaan.

Gelukkig was hun bewaker een van de beteren.

De wreedheid van de bewakers, had Howard gemerkt, was grotendeels terug te voeren op hun trouw aan het Japanse Rijk, op arrogantie, of zelfs op een puberaal gevoel van superioriteit. Slechts een klein groepje was werkelijk zo verdorven als Satan. Maar bijna niemand was zo vriendelijk als hun eigen bewaker, die hen behandelde met een vorm van respect en zich alleen streng opstelde als zijn meerderen in de buurt waren. Hij verontschuldigde zich dikwijls voor 'onze situatie', en wanneer hij de kans kreeg, liet hij foto's zien van zijn vrouw en kinderen. Meer dan eens – en met groot gevaar voor zichzelf, wist

Howard – stopte hij iemand die het hard nodig had een blikje gecondenseerde melk toe.

Terwijl andere bewakers op het vliegveld voortdurend bevelen schreeuwden om de dodelijk vermoeide krijgsgevangenen tot grotere inspanningen aan te sporen, zei hij niets als iemand in zijn ploeg even stopte om uit te rusten. Hij rantsoeneerde het water niet, zodat iedereen naar behoefte kon drinken. En als ze voor het eten bij hem in de rij stonden, kneep hij een oogje dicht als iemand voor een tweede portie kwam.

Bij zonsondergang maakte hij een buiging en bedankte de mannen voor hun werk. Vreemd hoe lichaamsbeweging en een beetje respect je stemming konden verbeteren, zelfs in deze omstandigheden, dacht Howard toen hij terugliep naar de veerboot met het vermoeide, maar toch opgewekte groepje mannen. Om maar te zwijgen over de extra rantsoenen. Voor de tiende keer controleerde hij de meegesmokkelde schat in zijn zak: sprot. De kleine, sardine-achtige visjes waren bijna tot moes geplet, maar voor Gordy betekenden ze een broodnodige dosis eiwit. Toen ze de kade naderden, vroeg hij zich af hoe zijn vriend zich die dag zonder hem zou hebben gered. Had iemand hem naar het olieblik geholpen? Was hij tot aan het hek gekomen, zodat hij de wacht kon houden bij de poort? Zou hij daar nog staan, zoals elke dag, speurend naar iemand van wie Howard en hij, hoewel ze nooit meer over haar hadden gesproken sinds die eerste dag in het kamp, allebei hoopten dat ze niet in de buurt van het kamp zou komen?

En toen zag hij haar. Zelfs van een afstand twijfelde hij er niet aan dat het Shun-ling moest zijn. Ze stond bij het draaihekje van de Star-veerpont, op precies dezelfde plek waar ze die eerste avond had staan wachten toen ze naar de film gingen.

Howard wrong zich door het dicht opeengepakte groepje krijgsgevangenen, zonder haar een moment uit het oog te verliezen. Shun-lings blik ging heen en weer tussen hem en de bewaker, die tegen een lantaarnpaal leunde en een sigaret rookte, met zijn geweer nonchalant over zijn schouder geslingerd. Ten slotte stond Howard tegenover haar, zo dichtbij dat alleen het heuphoge metalen draaihekje hen van elkaar scheidde. Eerst zwegen ze allebei. Hij keek in haar ogen. Er was iets veranderd. Het waren niet langer de ogen van een meisje. Maar dat waren ze ook nooit geweest. Ze was pas achttien, maar vanaf het eerste moment had Howard zich een schooljongen gevoeld in haar aanwezigheid – een getrouwde schooljongen van twintig, maar toch een jochie. Zijn levenservaring stelde niets voor vergeleken bij de kennis die in haar ogen verscholen lag. De laatste keer dat hij haar had gezien, had hij net het juk van de volwassenheid op zijn schouders genomen door een uniform aan te trekken, haastig een trouwgelofte af te leggen en de oorlog in te gaan. Zij had al een leven van wreedheid en ellende meegemaakt. De afgelopen vijf maanden waren echter ook voor Howard een heel leven geweest. Hij was niet langer onschuldig, niet langer een schooljongen, en ze keken elkaar nu aan met de levenservaring van twee volwassenen.

Als vanzelf gleed zijn blik naar de mouw van haar tuniekhemd, met daaromheen een witte band met een bloedrode zon. 'Ah Sam zegt dat we de schijn moeten ophouden dat we ze steunen,' zei ze.

'Hij is een wijs man,' antwoordde Howard.

'En een goed mens,' zei ze. 'Hij heeft ons bij zich in huis genomen. We hebben nu zijn bescherming.'

'Dat zal een hele opluchting zijn voor Gordy.'

'Waar is hij?' vroeg ze. 'Ik hoorde dat de Canadezen op het vliegveld werkten. Ik hoopte hem te zien. Ik...' Ze zweeg halverwege haar zin. 'Is het goed met hem?'

Moest hij haar vertellen over Gordy's been? Hoe uitgemergeld hij was? Hoeveel bloed en pus hij zag als hij het olieblik leeggooide?

Hij keek om zich heen om te zien wie er binnen gehoorsafstand stond. 'Hij heeft medicijnen nodig, Shun-ling,' fluisterde hij. 'Zwaveltabletten. Kan Ah Sam ons wat brengen?'

'Dat kan hij niet riskeren. De Japanners denken dat Ah Sam een bondgenoot is,' zei ze, zo zacht dat hij zich naar haar toe moest buigen. 'Ik breng ze zelf wel.'

'Nee. Dat is niet veilig. Blijf bij het kamp vandaan. Ik werk nu elke dag op het vliegveld. Zoek mij daar.'

'Ik vind je wel.'

'Zie je hém daar?' Howard knikte naar hun bewaker. 'Kom alleen als die bewaker bij ons is. Niet als je een ander ziet. Te gevaarlijk.'

De fluit van de veerboot klonk. De bewaker trapte zijn peuk uit onder zijn hak en wenkte zijn ploeg.

'Ik ben blij dat je er zo goed uitziet.' Howard liep door.

Tijdens hun haastige gesprek was het hem opgevallen dat Shun-ling nu vloeiend Engels sprak. *Vertrouwen of noodzaak?*

Pas toen ze zich omdraaide om te vertrekken en hij haar profiel zag, met haar handen beschermend over de veelzeggende bolling onder haar tuniek, besefte hij waarom ze op zoek was naar Gordy.

Vanaf het moment dat Howard met het nieuws kwam, stond Gordy erop met de werkploeg mee te gaan. De bewakers kon het niet schelen. Hun quotum was vijfhonderd man. Gezond of niet, elke ochtend stapten er minimaal vijfhonderd gevangenen op de veerboot.

Howard wist niet waar hij de kracht vandaan haalde, maar de volgende dag stond Gordy, leunend op zijn krukken, een emmer cement te mengen, alleen voor de kans om later op de kade een paar woorden met Shun-ling te kunnen wisselen. Voordat ze die ochtend vertrokken, had Howard al het geld dat Gordy en hij hadden achtergehouden in de voering van zijn petje gepropt. De Hongkong-dollars in de zakken van hun uniform waren al meteen ingepikt, maar de Japanners hadden de biljetten in hun schoenen over het hoofd gezien. Hier was geld niets waard. Als ze zouden proberen de bewakers om te kopen, zou het in beslag worden genomen en het hele kamp worden doorzocht.

Toen ze die avond naar de veerpont terugliepen, stond Shun-ling weer bij het draaihekje. Howard bleef op afstand terwijl Gordy in tranen op zijn krukken naar haar toe leunde. Pas toen de veerboot aanlegde en de bewaker de gevangenen aan boord loodste, kwam hij dichterbij. Terwijl Gordy en zij nog een paar laatste, gefluisterde woorden wisselden, liet Shun-ling behendig een klein pakje in Howards hand glijden. In ruil daarvoor gaf hij haar snel zijn pet. Het was een opluchting om het geld kwijt te zijn en te weten dat Shun-ling en haar familie het goed konden gebruiken.

Daarna hield Howard steeds afstand als Shun-ling bij de veerboot verscheen. Hij wilde niet meer van hun haastige gesprekken opvangen dan strikt noodzakelijk was, of horen hoe Shun-ling weer verviel in het gebrekkige taaltje van een betaalde bediende.

Of het nu kwam door de medicijnen die ze had meegebracht of gewoon door haar aanwezigheid, Gordy's gezondheid ging in elk geval duidelijk vooruit. Opgewonden bij het vooruitzicht vader te worden maakte hij al plannen voor hun leven samen. 'Als dit voorbij is, gaat ze met me trouwen,' zei hij meer dan eens tegen Howard, alsof hij het zelf niet kon geloven. 'Stel je voor! Ze wil mee naar Canada met deze mankepoot.'

Wekenlang leefde Howard als toeschouwer, voortdurend getuige van hun ontmoetingen en luisterend naar Gordy's plannen voor de toekomst. Het was een bewijs dat het leven doorging.

'De overlevenden zijn degenen die ondanks alle ellende toch de mogelijkheden van de toekomst blijven zien,' had Ken Campbell eens gezegd over de patiënten in de Martelkamer, en Gordy was daar het bewijs van.

Howard had zijn eigen dromen, maar hij kon zich die steeds moeilijker herinneren. Thuis in Manitoba had hij nooit veel interesse gehad voor de post. De postbode bracht alleen maar rekeningen en catalogi. Maar net als iedereen bad hij nu om een brief van thuis. Die kwam niet. 'Geen brief vandaag,' zeiden de bewakers schouderophalend. De wreedsten van het stel voegden er spottend aan toe: 'Jullie families zijn jullie vergeten. Ze denken niet meer aan jullie.' Niemand geloofde dat, zeker Howard niet. Hij wist dat Lucy hem elke dag zou schrijven, zoals ze had beloofd. Toch was het moeilijk om vertrouwen te houden, met alleen dat verfrommelde kiekje om zich aan vast te klampen.

29

Nu het idee zich eenmaal in mijn hoofd had vastgezet dat het meisje in het parkje iets met mijn familie te maken had, kon ik het niet meer loslaten. Toen Kipper en ik die avond naar bed waren gegaan en Frankie was vertrokken voor zijn nachtdienst op de fabriek, lang nadat papa de tv had uitgezet, lag ik nog wakker om plannen te maken hoe ik de volgende dag de stad in zou gaan.

De volgende ochtend, toen Frankie thuiskwam van zijn werk en de trap op verdween om naar bed te gaan, zei ik tegen Kipper dat we een geheim avontuur gingen beleven. Zodra papa de keuken binnen kwam, legde ik mijn vinger tegen mijn lippen, met een samenzweerderige blik naar Kipper, maar dat was niet nodig. Aan de manier waarop mijn vader koffie inschonk en aan tafel ging zitten, zag ik al dat ik hem had kunnen vertellen dat Kipper en ik naar de maan zouden vliegen. Als hij antwoord zou hebben gegeven, zou hij iets hebben gezegd als 'O, wat leuk', en met niets ziende ogen naar buiten hebben gestaard.

Tegen de tijd dat we de deur uit stapten, was ik zo met mijn plannen bezig dat de grijze regenlucht me pas opviel toen we bij de bushalte op Victoria Drive stonden. Kipper was al net zo vastberaden als ik. Zodra we in de bus zaten en ik hem vertelde waar we naartoe gingen, kon hij over niets anders meer praten dan het rode huisje achter de winkel. Toen hij me vroeg of we daar weer konden gaan kijken, zei ik hem dat het een spookhuis was. Dat was niet helemaal gelogen. Vorig jaar hadden we op school iets geleerd over 'geestenhuizen' in Azië, en dit zou er best een kunnen zijn. Ik wist hoe bang Kipper voor spoken was, en daarom zou ik nooit begrijpen waarom ik dat eigenlijk zei, behalve dat ik het huisje uit zijn gedachten wilde verdrijven. Als ik de gevolgen van mijn onbezonnen opmerking had beseft, zou ik mijn tong hebben afgebeten.

Tegen de tijd dat we in de binnenstad uit de bus stapten, pakten zwarte wolken zich samen aan de hemel boven de betonnen gebouwen. Ik voelde de eerste dikke regendruppels toen we haastig door Hastings Street liepen. Voordat we Chinatown hadden bereikt, waren we al kletsnat. De regen spatte op uit de plassen op de stoep en droop van de rand van Kippers hoed. Water stroomde van de markiezen toen we door de grijze straten renden, van portiek naar portiek, totdat we eindelijk huiverend tussen de groentekisten voor de winkel stonden waar we het meisje hadden gezien.

Nu we er waren, aarzelde ik toch om naar binnen te stappen. In mijn vastberadenheid om hiernaartoe te gaan, had ik niet over de volgende stap nagedacht. Stel dat ze er niet was, dat ze vandaag niet werkte? Naar wie moest ik dan vragen? *Een Chinees meisje?*

Terwijl ik nog weifelde, kwam er een klein, kromgebogen Chinees vrouwtje uit de winkel, beladen met tassen vol met groente. Ik stapte opzij om haar door te laten, maar ze bleef staan en keek Kipper onderzoekend aan. 'Wat is er met hem?' vroeg ze.

Ik haat die vraag. Alleen onbeschofte mensen vragen zoiets. Maar ik antwoordde zoals mijn moeder me had geleerd: 'Hij heeft het syndroom van Down.'

'Nee,' antwoordde het vrouwtje met het grijze haar, een beetje geïrriteerd. 'Zijn ademhaling, bedoel ik. Hij lijkt buiten adem.'

Ik draaide me om naar Kipper. Ik was zo in beslag genomen door mijn zoektocht naar het meisje dat ik niet had gemerkt dat hij liep te hijgen. Hij pakte zijn inhalator, stak het mondstuk tussen zijn lippen en drukte op de capsule om het medicijn in zijn keel te spuiten. Toen hij de puffer weer had laten zakken bleef hij ernaar kijken, nog altijd happend naar adem. Zijn gezicht had een vreemde grauwe kleur gekregen. 'Wat is er?' vroeg ik, toen hij met de inhalator schudde.

'Hij is... leeg,' antwoordde Kipper moeizaam. Angst en schuldgevoel overstelpten me. Ik klopte hem op zijn rug. 'Probeer je te ontspannen,' stamelde ik, terwijl ik me probeerde te herinneren wat mijn moeder altijd zei om hem te kalmeren. 'Concentreer je. Langzaam ademen.'

Kipper vocht om lucht in zijn piepende longen te krijgen, terwijl klanten de winkel in en uit kwamen. De meesten keken wel, maar liepen door. Zelfs het oude vrouwtje was weer naar binnen verdwenen. Maar op het moment dat de paniek me bij de keel greep, kwam ze de winkel uit, in het gezelschap van het meisje met het schort.

Het vrouwtje stak haar paraplu op en schuifelde weg, terwijl het meisje zich naar Kipper toe boog zodat ze hem recht kon aankijken. 'Hallo. Daar ben ik weer,' zei ze.

Hij glimlachte toen hij haar herkende. 'Hal-lo,' hijgde hij.

'Wat is er aan de hand?' vroeg ze vriendelijk.

Haastig nam ik het van hem over: 'Astma. Kipper... mijn broer... heeft astma, en zijn inhalator is leeg.' Ik struikelde bijna over mijn woorden, alsof ik zelf ook buiten adem was.

'Kom maar mee.' Haar zachte stem klonk kalm en geruststellend. Ik pakte Kippers hand en we liepen achter haar aan de winkel door. Zonder te blijven staan zei ze iets onverstaanbaars tegen een man achter de toonbank, die knikte terwijl hij een klant wisselgeld gaf.

De geur van aarde in de voorraadkamer achterin deed me denken aan de bestelwagen van de oude meneer Fong. Stapels houten kratten vol met groente en fruit staken boven ons uit in het schemerlicht.

Opeens bleef Kipper staan. Hij liet mijn hand los en deinsde terug. 'Als nou... de... spoken... de spoken binnenkomen?' hijgde hij.

Het meisje draaide zich naar hem om. 'Spoken?'

'Uit... het... kleine... het kleine...' Hij worstelde met zijn ademhaling en met de woorden.

'Het is mijn schuld,' gaf ik toe. 'Ik zei tegen hem dat er spoken wonen in dat... dat kleine huisje achter de winkel.'

Het meisje keek me verbaasd aan. 'Het kleine huisje?' Toen brak het begrip door in haar donkere ogen. 'O,' zei ze, en ze draaide zich weer naar Kipper om. 'Dat is helemaal niets om bang voor te zijn,' stelde ze hem gerust. 'Het is maar een schrijn. De vorige eigenaars van de winkel hebben het huisje gebouwd om hun voorouders te eren.'

'Voorouders?' vroeg hij.

'Familie die niet meer leeft.'

'Dode... dode mensen?'

'Ja, maar voorouders zijn goede geesten,' zei ze tegen hem. 'Die familie ging naar dat kleine huisje om met ze te praten en ze om raad te vragen. Het is een soort tempel. Een goede plek.'

Ik zag hoe Kipper die informatie verwerkte en schaamde me voor mijn aandeel in zijn astma-aanval. Hij probeerde diep adem te halen. 'Dat is... goed,' zei hij, terwijl het meisje hem meenam door de doolhof van kratten en kisten.

Achter in de voorraadkamer bleef ze staan, onder aan een trap. Zonder iets te zeggen, alsof ze op een ander niveau communiceerden, vroeg ze met haar ogen of hij die trap kon beklimmen. Kipper knikte, en ze pakte zijn arm. Ik volgde hen toen ze langzaam, tree voor tree, naar de deur bovenaan klommen. Het geluid van zijn moeizame ademhaling en het kraken van de houten treden weergalmden door het donkere trappenhuis.

Het appartement boven de winkel rook naar mottenballen en wierook. Een smalle gang kwam uit in een kleine keuken, waar een vrouw in een losse grijze tuniek en een wijde broek zich bij de gootsteen omdraaide toen we binnenkwamen. Er gleed een frons over haar gezicht, dat een oudere versie was van het gezichtje van het meisje. Ik hoefde de onbekende taal niet te kunnen verstaan om aan haar boze toon te horen dat ze niet blij was met onze komst. Haar boosheid veranderde echter in bezorgdheid toen het meisje haar arm beschermend om Kippers zwoegende schouders legde en dringend iets tegen haar zei.

'Ga zitten,' beval de vrouw Kipper en mij, voordat ze door de gang verdween. We namen allebei een stoel aan de keukentafel, terwijl het meisje een pan met water vulde en op het fornuis zette. Toen liep ook zij de keuken uit. Het enige geluid was het sissen van het gas en Kippers schurende ademhaling.

Even later kwam het meisje terug met een paar handdoeken, waarvan ze er een aan mij gaf. Ze legde de andere om Kippers schouders en nam de doorweekte hoed van zijn hoofd. Ik kromp ineen en verwachtte dat hij zou protesteren, maar tot mijn grote verbazing keek hij haar aan met een blik die hij meestal voor mama of mij bestemde en hij accepteerde zwijgend dat ze de hoed boven het fornuis te drogen hing.

De oudere vrouw kwam weer binnen met een grote glazen pot, gevuld met gedroogde blaadjes. Ze zette hem op het aanrecht, schroefde het deksel eraf en deed een schep van de blaadjes in de pan. Daarna roerde ze nog een tijdje in het pruttelende mengsel. Toen ze tevreden was, stapte ze bij het fornuis vandaan en sprak een paar snelle, scherpe woorden in het Chinees. Ze nam het schort van het meisje over, wierp Kipper en mij nog een schichtige blik toe en verdween de trap af.

'Ze zegt dat hij de stoom moet inhaleren. Tien minuten,' legde het meisje uit. Ze roerde nog eens in de blaadjes, wachtte tot het mengsel kookte en vulde toen een kleine ketel om thee te zetten.

Terwijl ik toekeek hoe ze bezig was, zoemden er allerlei vragen als insecten door mijn hoofd. Waarom had ze met mijn moeder gepraat, de dag van haar dood? En hoe kon ik haar dat vragen? Zoekend naar woorden liet ik mijn blik door de vaag verlichte keuken dwalen, die zo anders was dan de onze. Boven het fornuis hingen zwarte pannen met bolle bodems en op de planken stonden glazen potten en mooie blikken in rijen opgesteld. Van waar ik zat had ik uitzicht op een kleine huiskamer met kanten kleedjes over de leuningen van een wijnrood bankstel. Aan de muur hing een kastje met snuisterijen, porseleinen beeldjes en foto's. Houten draken slingerden zich rond een scherm dat de twee ruimten van elkaar scheidde.

Diezelfde draken versierden de porseleinen kom waarin het meisje de gekookte blaadjes goot. Ze zette de stomende kom voor Kipper neer. 'Dit geeft je weer lucht,' zei ze, terwijl ze naast hem kwam zitten. Hij moest zich over de kom buigen, en ze legde de handdoek over zijn hoofd om de stoom te vangen.

Toen ze had gecontroleerd of hij de damp goed inademde, liep ze naar het aanrecht en schonk ze thee in.

'Ik heb nog nooit thee in een glas gehad,' zei ik, toen ze het voor me neerzette.

'Zo drinken we het in Hongkong.'

'Hongkong!' Mijn hart begon te bonzen.

'Daar ben ik opgegroeid. Maar ik woon nu hier.' Ze ging weer naast Kipper zitten.

Het bloed gonsde in mijn oren toen ik haar hoorde vertellen dat ze nog pas een maand in Vancouver was. In september zou ze hier aan de universiteit gaan studeren. Toen ze zei dat ze Lily heette, riep ik onwillekeurig: 'Lily? Zo had mijn moeder mij ook willen noemen.'

Bij die opmerking keek het meisje op. Haar donkere ogen zochten de mijne. 'Ik vind het heel erg van je moeder,' zei ze zacht. Heel even vroeg ik me af hoe ze dat wist, maar toen herinnerde ik me de dag van de begrafenis, waarop we haar naar de binnenstad waren gevolgd. Kipper zei me dat hij haar had verteld dat mama naar de 'hevel' was.

Ik kreeg een brok in mijn keel en mompelde: 'Dank je.' Die reactie was voldoende, had ik de afgelopen weken gemerkt. Daar kon ik het beter bij laten – voor mezelf, maar ook voor de mensen die hun medeleven betuigden.

Ze tilde Kippers handdoek op en vroeg of het al beter ging.

Hij knikte. 'Ja,' zei hij. Zijn borst piepte niet meer zo.

'Kende je mijn moeder?' vroeg ik.

'Nee. Ik heb haar maar één keer gesproken.' Ze legde de handdoek weer over Kippers hoofd en voegde eraan toe: 'Ze leek me heel lief.'

Dit was mijn kans. 'Waar hebben jullie over gepraat?' vroeg ik, zo neutraal mogelijk.

Ze aarzelde een moment en zei toen: 'Ik was op zoek naar iemand.'

'Naar wie dan? Wie zocht je?' *Frankie?*

'Het ligt ingewikkeld.'

'Ingewikkeld?'

Ze verschikte weer wat aan Kippers handdoek. 'Elke maand, mijn hele leven lang, heeft iemand ons geld gestuurd via een vriend van de familie in Hongkong. Maar die man, die als een oom voor me was, wilde ons nooit vertellen waar het geld vandaan kwam. Helaas is onze vriend nu overleden. Zijn neef, die niet wist dat het allemaal geheim moest blijven, heeft ons de laatste overboeking gegeven.'

'Maar wat heeft dat met mijn moeder te maken?'

Ze ging rechtop zitten en legde haar handen in haar schoot. 'Het adres waar het geld vandaan kwam was Barclay Street 6979.'

Kipper keek op. 'Zes negen zeven negen. Daar wonen wij!' En hij grijnsde. Water droop van zijn kin, maar hij ademde weer normaal.

Lily legde de handdoek terug en hielp hem zich over de kom te buigen. 'Nog een paar minuutjes,' zei ze. Toen stond ze op. Ze pakte de pan van het gas en goot nog wat van het dampende mengsel in de kom.

'Dus dat heb je aan mijn moeder verteld,' zei ik. 'En wat zei ze?' Het kon gewoon niet kloppen. Niemand bij ons had geld om naar Hongkong te sturen.

'Ze zei dat het een vergissing was, maar ze vroeg wel of ik de volgende dag wilde terugkomen. Alleen waren er de volgende morgen zo veel mensen bij jullie in huis dat ik niet naar binnen wilde. De dagen daarop ben ik steeds teruggegaan om te zien of ik haar zag. Toen sprak ik Kipper in dat parkje.' Ze sloeg haar ogen neer. 'Hij vertelde me het droevige nieuws.'

'Ben je daarom niet meer teruggekomen?'

'Ja. Ik wilde jullie niet storen in jullie verdriet.' Ze bracht de kom naar de gootsteen en gaf Kipper de handdoek om zijn haar te drogen.

Ik blies op mijn hete thee. Kipper had gelijk. Lily was aardig. Maar uiteindelijk had ze niets met ons te maken. Het was een vergissing, zoals mama al had gezegd. Het verkeerde adres. Toch voelde ik me een beetje teleurgesteld. Ik zag hoe ze een glas thee voor mijn broertje inschonk en vond het jammer dat ze niet een van Frankies vriendinnetjes was. Toen kwam er een andere gedachte bij me op. Waarom had mijn moeder haar gevraagd om terug te komen? Omdat ze haast had en op weg was naar haar vriendin Marlene, toen Lily aanbelde? Had ze medelijden met het meisje omdat ze naar het verkeerde huis was gekomen? Had ze zich over haar willen ontfermen, zoals ze in de loop van de jaren ook al die zwerfkatten en -honden in huis had gehaald?

Of had ze haar willen voorstellen aan Frankie? Ja, dat leek me het meest waarschijnlijk. Ik glimlachte bij de gedachte aan mijn moeder als koppelaarster.

Opgelucht, maar wel een beetje spijtig dat het mysterie zo eenvoudig was opgelost, dronk ik voorzichtig van mijn thee. Over de rand van het glas viel mijn blik op een detail van het kastje met snuisterijen in de huiskamer. Ik stond op en slenterde erheen om het fotootje dat zonder lijstje op de middelste plank van het kastje stond wat beter te bekijken. Zonder na te denken stak ik mijn hand ernaar uit. Een brandende hitte laaide op in mijn maag toen ik de bekende gezichten bestudeerde. Hoe was dat mogelijk?

'Dat is mijn moeder,' zei Lily zacht.

Geschrokken draaide ik me om. Natuurlijk was het meisje op de foto Lily's moeder. Ik zag hoe sterk ze op elkaar leken. Maar het was niet haar moeder die mijn aandacht had getrokken. Het waren de twee soldaten, links en rechts van haar. Ik staarde naar hun grijnzende gezichten. Thuis hadden we net zo'n fotootje. Maar daar was het mijn moeder met haar gezicht tussen de wangen van diezelfde twee soldaten, van wie er een mijn vader was.

Waarom stond hij op een foto met Lily's moeder? Wat had haar moeder met hem te maken? Ik opende mijn mond om het te vragen, maar voordat ik iets kon zeggen, verbrijzelde Lily's zachte stem mijn gedachten. 'En mijn vader,' zei ze. 'Ik denk dat hij ons elke maand dat geld heeft gestuurd.'

Opeens viel er in mijn hoofd iets op zijn plaats. Ik zou het liefst willen roepen: '*Nee! Dat kan niet waar zijn!*' Maar ik keek naar Kipper, die zijn thee opdronk, en dwong mezelf om niets te zeggen. Voorzichtig zette ik de foto weer op de plank terug en zei: 'We moeten weg.'

Haastig liep ik naar de keuken waar ik Kippers hoed van boven het fornuis pakte. 'Dank je dat je mijn broer zo goed geholpen hebt,' zei ik tegen Lily, terwijl ik hem overeind trok.

'Ik loop met jullie mee tot aan de bushalte,' zei Lily.

'Dat hoeft niet, hoor.'

'Ik vind het leuk,' zei Lily. Ze trok een keukenla open, haalde er pen en papier uit en schreef iets op. Onderweg griste ze twee paraplu's mee uit de standaard in de donkere gang.

Beneden liep ik snel de winkel door en ontweek ik de donkere ogen van de vrouw die zo veel op Lily en het jonge meisje op de foto leek.

De hele weg terug naar Hastings Street liep Kipper met Lily onder haar paraplu. Hij bedankte haar wel drie keer dat ze hem 'helemaal beter' had gemaakt. Zijn ademhaling was weer normaal.

Bij de bushalte vroeg hij: 'Kom je op bezoek? Bij ons thuis?'

'Dat weet ik niet,' antwoordde ze, met haar ernstige ogen niet op hem maar op mij gericht.

De bus stopte langs de stoep en de deuren klapten zuchtend open. Ik deed de paraplu dicht en wilde hem aan Lily geven, maar ze pakte hem niet aan. In plaats daarvan haalde ze een papiertje uit haar zak. Ze stak haar hand door de regen en frommelde het in mijn gesloten vuist.

'Zie je wel, Ethie?' zei Kipper, terwijl hij zich over me heen boog om door het raampje te zwaaien toen de bus wegreed. 'Ik zei toch dat ze aardig was?'

'Ja.' Hij had gelijk. Lily wás ook aardig.

'Komt ze op bezoek, denk je?'

Ik gaf hem hetzelfde antwoord als Lily: 'Dat weet ik niet.' Op dat moment wist ik eigenlijk niets meer. Ik kon me niet concentreren. Steeds weer moest ik aan mijn moeder denken die zich aan het eind van elke maand grote zorgen had gemaakt over geld. En ik zag de tegenstrijdige beelden van mijn vader die aan de keukentafel over die enveloppen zat gebogen en zijn grijnzende gezicht op die foto.

Op de bank voor ons hield een jongen van een jaar of zestien een kleine plastic transistorradio tegen zijn oor geklemd. De zilverkleurige antenne wees mijn kant op. Frankie Valli zong met zijn hoge stem dat '*big girls don't cry-yi-yi*'. Ik slikte mijn prikkende tranen weg en keek naar het verfrommelde papiertje in mijn hand. Langzaam streek ik het glad op mijn schoot, totdat ik het nette handschrift kon lezen: *Lily Feng, dochter van Feng Shun-ling.* Met daaronder een telefoonnummer.

Ze had het niet hoeven zeggen. Ik had het al gezien in haar donkere ogen. Dat briefje was niet bestemd voor mij, maar voor mijn vader.

30

Adams... Berzenski... Ellis... Payne... De namen brandden zich in Howards geheugen. De vier Winnipeg Grenadiers waren op 20 augustus ontsnapt. In het holst van de nacht waren ze uit het kamp gevlucht, om drie dagen later weer te worden opgepakt. Die dag was er appel gehouden op het exercitieterrein, waar iedereen, ook de zieken en stervenden, moest blijven staan of liggen. Howard stond met gebogen hoofd en herhaalde in stilte de mantra van de namen toen vier bewakers, met ceremoniële zwaarden in hun witte handschoenen, door het kamp marcheerden.

Uren later werd zijn trance verstoord door een schrille stem. Bamboestokken zwiepten door de lucht toen de gevangenen zich moesten splitsen in groepen van tien.

'*Ichi.*'

'*Ni.*'

'*San.*'

Iedere man riep uitdagend zijn nummer. Howard had nummer acht. '*Hachi.*'

'Onthoud je nummer,' schreeuwde een Japanse bewaker. 'Als iemand ontsnapt, zullen de andere negen sterven.'

Dus geen gefluisterde gesprekken meer in de nacht over vluchtplannen.

In werkelijkheid waren er kansen en gelegenheden genoeg. Dat was altijd zo geweest. De Japanners, ervan overtuigd dat hun gevangenen niet zouden proberen te vluchten, hadden de bewaking laten verslappen.

Howard begreep heel goed waarom de Grenadiers hun leven hadden gewaagd. Die kleine kans op vrijheid, tegenover de zekerheid van ziekten en honger? Dysenterie, beriberi en pellagra hielden huis in het kamp. Zelfs difterie had gevaarlijk de kop opgestoken. En nu gingen er al geruchten over cholera.

De vier vluchtelingen hadden het risico geaccepteerd. Ze hadden verloren, maar wel een plan gemaakt en uitgevoerd. Toen Gordy steeds sterker werd, hadden zich in Howards fantasie de contouren van een soortgelijk vluchtplan gevormd. Dat sprankje hoop was nu gedoofd.

Twaalf uur later stonden de gevangenen nog altijd op het exercitie-terrein in de brandende zon. De kampcommandanten beschouwden het als een straf, maar net als alle andere Canadezen zag Howard het als een eerbetoon aan dat dappere viertal.

De ergste wreedheid van de Japanse officieren moest nog komen. Bij zonsondergang droegen twee bewakers een uitpuilende postzak het terrein op en lieten die voor de uitgeputte mannen op de grond vallen. Er steeg een hoorbare zucht op uit de rijen. Uitgedroogd en half ver-suft liet Howard zijn verzet varen en gunde hij zich een moment van hoop. De linnen zak werd omgekeerd en de inhoud viel eruit. Maar hoop sloeg om in afgrijzen toen een bewaker dieselolie over de berg brieven goot, terwijl een ander er een brandende lucifer op gooide. Met de vlammen explodeerde ook de zelfbeheersing van de mannen. Woedende gevangenen moesten door hun makkers worden tegenge-houden. Ze lieten hun tranen de vrije loop toen de woorden van hun dierbaren verbrandden tot as en rook, en wegwaaiden op de wind.

Eind september werden de Canadezen teruggebracht naar hun oude kamp op het vasteland. Tijdens de tocht met de veerboot ontdekte Howard de *Lisbon Maru*, het Japanse vrachtschip dat hij bijna een jaar geleden in Hawaï had zien liggen en nu in de haven had afgemeerd. Het gerucht ging dat het omgebouwde troepentransportschip, klaar om uit te varen met het ochtendtij, tweeduizend Britse krijgsgevan-genen uit Sham Shui Po naar werkkampen in Japan zou brengen. Ho-ward zei maar niets tegen Gordy over zijn vermoeden dat zij na hun terugkeer naar het verlaten kamp de volgenden zouden zijn. Gordy voelde zich al ellendig genoeg. Het was meer dan twee weken geleden dat ze Shun-ling na hun werk op het vliegveld bij het draaihekje hadden zien staan.

Opnieuw, zij aan zij, liepen Howard en Gordy over Nathan Road, de weg die ze zo goed kenden. Maar anders dan bij hun eerste tocht naar het kamp werd de haveloze stoet van Grenadiers en Royal Rifles nu niet begroet met Engelse vlaggen. In plaats daarvan wapperde de Rijzende Zon aan de balkons en winkelpuien. De Chinezen, die ooit zo vriendelijk waren geweest, droegen nu een witte armband met het bloedrode embleem en jouwden de vermoeide gevangenen uit.

Op achthonderd meter van het kamp greep Howard Gordy bij zijn arm. 'Kijk!' fluisterde hij, met een knikje naar een groepje joelende toeschouwers langs de weg. Tussen hen in, met een grijs bundeltje in haar armen, stond Shun-ling.

'O, god,' hijgde Gordy, en hij wierp zich naar voren.

'Niet de aandacht op haar vestigen!' siste Howard in zijn oor, en hij trok zijn vriend terug.

Op het moment dat Shun-ling hem zag, draaide ze het bundeltje zijn kant op. Het donkere haar en het kleine, roze gezichtje bezorgden Howard een brok in zijn keel, en hij moest zich net zo beheersen als Gordy toen ze haar voorbijliepen – zo dichtbij en toch zo ver weg.

De toestand van Sham Shui Po was een schok voor Howard. Er was nog maar weinig over van hun oude kamp. Net als North Point was het volkomen leeggeplunderd. De ooit zo onberispelijke barakken waren tot krotten vervallen. De kapotte ruiten waren met golfplaten dichtgespijkerd. De muren bestonden uit weinig meer dan stucwerk en teerpapier. Maar de legerbritsen lagen er nog. De van vlooien en bedwantsen vergeven matrasjes waren beter dan een betonvloer of een houten plank.

De paar Britse gevangenen die in het kamp waren achtergebleven waren zwaar ziek of verminkt, en de ziekenboeg stelde net zo weinig voor als de Martelkamer van North Point. De eerste dag ging Howard op zoek naar Peter Young en Dick Baxter, maar niemand wist iets over de twee mitrailleurschutters.

Drie dagen later kwam er nieuws via de verboden radio, die naar het kamp was meegesmokkeld. Het bericht ging als een lopend vuurtje. De *Lisbon Maru* was tot zinken gebracht. Op de derde dag na het vertrek was het Japanse schip, dat geen enkel teken droeg dat het krijgsgevangenen aan boord had, door een Amerikaanse onderzeeboot getorpedeerd. Meer dan duizend Britse gevangenen waren vermoedelijk omgekomen.

Howard hoorde het moedeloos aan en bad dat de twee schutters van het Middlesex Regiment het op een of andere manier hadden overleefd.

Het leven ging door in het nieuwe kamp. Net als de dood. De difterie maakte slachtoffers. Gemiddeld stierven er drie mannen per dag. Ook Gordy werd steeds zwakker, maar als een echte buldog liet hij zich niet kennen en grapte hij dat hij nu wijsjes kon spelen op zijn magere ribbenkast. Op een ochtend, toen Howard opperde dat hij beter kon uitrusten dan met de werkploeg mee te komen, snauwde hij: 'Sinds wanneer ben jij mijn moeder?' Die inspanning bezorgde hem een hoestaanval. Toen hij zich had hersteld, keek hij op, met tranende ogen. 'Je weet dat ik die paar momenten nodig heb, Howie,' zei hij. 'Ze houden me op de been.'

Hoewel ze zich door de overplaatsing naar het vasteland nu dichter bij Ah Sams winkel bevonden, waar Shun-ling met haar familie woonde, betekende het ook het einde van de heimelijke gesprekjes bij het draaihekje van de veerboot. Het enige contact was nu een glimp van haar en de baby langs de weg van het vliegveld Kai Tak naar Sham Shui Po, aan het einde van de werkdag.

En alsof de goden hun laatste weerstand wilden breken en honger en ziekten nog niet genoeg waren, bracht de verhuizing naar Sham Shui Po nog een nieuwe verschrikking.

Aanvankelijk leek de nieuwe tolk hun redding. Volgens de verhalen was hij een Japanse Canadees, geboren en getogen in British Columbia. De hoop nam toe. Deze man zou toch wel met zijn landgenoten meevoelen. Toen de lange, broodmagere sergeant voor het eerst het exercitieterrein op stapte, met het zonlicht spiegelend in zijn bruine laarzen, steeg er een gemompel op onder de gevangenen, die in de houding stonden.

'Moet je die vouw in zijn broek zien, daar kun je je mee scheren.'

'Typisch een Canadees.'

Maar lang duurde het geroezemoes niet. De man bleef abrupt voor hen staan, met een kaarsrechte rug en zijn wit gehandschoende hand op de greep van het zwaard aan zijn heup. Zijn smalle ogen, die ernstig onder zijn zware wenkbrauwen vandaan keken, gleden over het terrein totdat het stil was. In smetteloos Engels legde de sergeant zijn taak als tolk uit. Daarna liet hij de troepen precies weten waar hij stond. Toen hij opgroeide in Canada, vertelde hij, was hij door de blanken vernederd en als een paria behandeld. De mannen begrepen al snel dat hij hen zou laten boeten voor zijn eigen ervaringen.

In de tweede week van oktober, na bijna tien maanden gevangenschap, zat Howard op zijn brits en keek toe hoe de mannen om hem heen hun post openmaakten. Brieven van thuis! Hij hield die van Lucy stijf in zijn hand geklemd. Naast hem lag Gordy met een zelfde envelop tegen zijn borst. Howard zou hem de brief later voorlezen. Echt iets voor Lucy om Gordy te schrijven, omdat ze wist dat hij geen familie had. En gelukkig voor Howard had hij nu twee brieven van haar om te lezen. Voorzichtig tilde hij de flap op van de open envelop, vastbesloten om ten volle te genieten van elke seconde van dit prachtige cadeau.

'Shit!' riep Ken Campbell, en even later schalden soortgelijke vloeken door de barak. Howard keek op en zag hoe Ken zijn brief openvouwde. Het dunne papier was bezaaid met dikke zwarte strepen. Overal om hem heen verwensten mannen de censor, die hele woorden, zinnen en zelfs alinea's had weggestreept. Terwijl ze probeerden het restant te lezen, boog Howard zich angstig over zijn eigen brief.

Behoedzaam haalde hij de dunne blauwe velletjes luchtpostpapier tevoorschijn. Stomverbaasd bladerde hij ze door: één blaadje, twee, drie... En alle drie intact, zonder dat er maar één woord onleesbaar was gemaakt. Hij wendde zich van de anderen af, met zijn gezicht naar de deur, zodat ze niet konden zien hoeveel geluk hij had gehad.

De brief was gedateerd op 12 maart 1942.

Liefste Howard,

Word je niet bedolven onder al mijn brieven? Ik heb geen idee of ze wel aankomen. Ik bid elke dag om een brief van jou. Ik heb nog niets gehoord, maar ik heb Ottawa niet nodig om het me te zeggen. Ik weet dat je nog leeft. Ik voel je aanwezigheid elke dag. Toch verlang ik naar nieuws van jou, mijn liefste. Gaat het goed met je? Behandelen ze je fatsoenlijk?
Elke avond wandel ik naar Kitsilano Beach om naar de zonsondergang te kijken. Als ik over het water van English Bay tuur, voel ik me op een of andere manier dichter bij jou...
Vancouver is elke nacht verduisterd. Vreemd om geen lichtjes te zien aan de North Shore. Maar iedereen doet zijn best voor de oorlog.
Dat is niet altijd leuk. Het Japans-Canadese meisje dat bij Sidney op kantoor werkt, is afgevoerd. Zij en haar hele familie zijn opgepakt en overgebracht naar een interneringskamp ergens in het binnenland. Sidney heeft geprobeerd te bemiddelen, maar tevergeefs. Het is echt schandalig zoals die mensen worden behandeld. Het zijn Canadezen. Haar vader, die in de vorige oorlog voor Canada heeft gevochten, is een held met onderscheidingen. Zijn naam staat gegraveerd op het Japans-Canadese oorlogsmonument in Stanley Park. Toch is iedereen weggevoerd. Ze mochten alleen handbagage meenemen. Sidney heeft de rest van hun bezittingen in de kelder opgeslagen voor als deze ellende weer voorbij is...

De rest van de brief was minder serieus: allerlei nieuwtjes over Mildred, Sidney en het dagelijkse leven in een normale wereld. Tot het laatste velletje.

Ik voel me nu heel goed. De ochtendmisselijkheid is voorbij, maar
natuurlijk ben ik wel mijn baantje bij de apotheek kwijt.
Het is toch een raar, ouderwets idee dat zwangere vrouwen hun toestand
zouden moeten verbergen! Zeker als het oorlog is. Maar Mildred vindt
het heerlijk om me de hele dag in huis te hebben en bemoedert me als een
verwend kind.
Ik ben pas half juli uitgerekend, maar ik word zo dik dat mensen zich
afvragen of ik een tweeling krijg. Dat is niet zo, hoor. Tenminste, Sidney
denkt van niet. Hoewel de baby soms zo schopt dat het voelt als twee
kinderen. Het moet wel een jongen zijn. Dat hoop ik. Een mooie, sterke
jongen, net als zijn vader.
Kom thuis, mijn schat, naar mij, naar ons. Ik mis je zo.

Al mijn liefde, voor altijd,
Lucy

Een baby? In juli? Dan was hij nu al vader! Van dat nieuws kreeg hij
net zoveel energie als van een maaltijd. Nee, meer nog! Hij las de brief
opnieuw, wat langzamer nu, genietend van elk woord. Pas toen hij
hem drie keer had gelezen vroeg hij zich af hoe de brief ongeschonden
langs de censuur in Canada en hier was gekomen. Pikten ze er zomaar
een aantal uit? Of waren de censors zo overwerkt dat ze slordig werden? Het kon hem niet schelen. Je moest een gegeven paard niet in de
bek kijken.

Opeens voelde hij zijn nekharen overeind komen. Achter hem verstomden de gesprekken. Het werd onheilspellend stil in de barak – de
stilte van een prooi die opeens tegenover een roofdier staat. Haat lekte
door de vochtige atmosfeer als een smerige stank. De plotseling stilte
werd verscheurd door het arrogante geluid van leren zolen over houten vloerplanken. Hak, teen, hak, teen. De voetstappen echoden door
de barak totdat ze met een laatste klik vlak voor Howard halt hielden. Het onverschillige gezoem van de vliegen vulde de stilte die was
nagelaten door de leren laarzen aan de rand van Howards blikveld.

Hij dwong zichzelf ernaar te staren, terwijl hij zijn mantra herhaalde: *Bacon, Baptiste, Barclay.* Hij liet de namen langzaam over het schoolbord van zijn gedachten rollen voordat hij eindelijk zijn hoofd optilde en opkeek naar het smalende gezicht. Met bestudeerde minachting vouwde hij de brief weer op en stak hem in de envelop.

Het maakte geen verschil. De tolk van het kamp was belast met de censuur. Toch kon Howard een gevoel van walging niet onderdrukken toen hij bedacht dat de sergeant Lucy's woorden had gelezen.

De slangenogen staarden Howard aan. 'Mijn vader heeft ook voor Canada gevochten in de vorige oorlog,' zei de man. 'Een held, met onderscheidingen. Als jochie heb ik nog met zijn medailles gespeeld. Ook zijn naam staat op het oorlogsmonument in Stanley Park gegraveerd. En toch zijn we nog altijd niets meer dan kleine gele etterbakken.' Met een zelfvoldane grijns liet hij zijn blik door de barak glijden. 'Jullie zullen merken waar deze kleine gele etterbak toe in staat is.'

Drie dagen later hield de tolk zijn belofte door de aankondiging dat de rantsoenen zouden worden beperkt voor iedereen die niet of niet hard genoeg werkte. De Japanners wilden de startbaan van Kai Tak zo snel mogelijk voltooien. Mensen die te zwak of te ziek waren om te werken werden erheen gedragen. Als ze niet opstonden en meededen, kregen ze geen eten.

'Dit is de omgekeerde wereld,' protesteerde Howard bij de tolk. 'Zeg tegen je superieuren dat ze geen inspanningen kunnen verwachten van mannen die uitgehongerd zijn. Ze hebben méér eten nodig, niet minder.' In tegenstelling tot anderen, die er met de bamboestok van langs kregen als ze klaagden, kon Howard zich die kritische toon permitteren.

'Geen werk, geen eten,' verklaarde de sergeant, en hij liep weg.

Half november werd duidelijk dat de Japanners het onmogelijke vroegen. Veel gevangenen, opgezwollen door de beriberi en met open pellagrawonden in hun mond en hun gezicht, verloren de moed om door te gaan. Door een tekort aan onontbeerlijke voedingsstoffen kregen ze last van 'elektrische voeten', waardoor een groot aantal van hen niet meer kon lopen. Gepijnigd door ondraaglijke tintelingen in hun voeten konden ze niets anders meer doen dan blijven liggen en jammeren. Wie daartoe in staat was, ging met zijn voeten in een emmer water zitten, zonder zich iets aan te trekken van Ken Campbells waarschuwing dat die tijdelijke verlichting het risico van dodelijke infecties of – erger nog – longontsteking met zich meebracht.

Difterie en amoebedysenterie grepen om zich heen, en het verplegend personeel kon weinig doen vanwege het tekort aan medicijnen.

De Japanners, bezorgd om hun eigen gezondheid, begonnen maskers te dragen en gaven de hulpeloze artsen ervan langs omdat ze de ziekten niet onder controle hielden. In een nacht waarin zeven krijgsgevangenen bezweken, kwam Ken Campbell hinkend naar de barak terug. Toen hij voorzichtig zijn hemd uittrok, zag Howard dat zijn rug onder de rode striemen zat. 'De tolk,' kreunde Ken toen hij op zijn buik ging liggen. 'Hij heeft alle artsen en verplegers afgeranseld omdat hij door onze schuld voor schut staat.'

Er werd een kleine hoeveelheid antitoxines uitgedeeld, waarmee de doktoren voor God konden spelen. Het aantal gevallen van difterie nam toe. Ze waren zo haastig uit Vancouver vertrokken dat de meeste mannen van de C-Force niet waren ingeënt. Howard was een van de gelukkige uitzonderingen. Als tiener was hij in een roestige spijker getrapt. Dankzij de injectie tegen tetanus en difterie die hij toen had gekregen was hij nu immuun voor de epidemie in het kamp.

Gordy niet. Tegen de tijd dat het werk op het vliegveld klaar was, kon hij zich nauwelijks meer op de been houden met zijn krukken. Toch zag hij er tegenop om weer in het kamp te moeten blijven. Hij weigerde de koorts en zijn zere keel – de gevreesde symptomen – onder ogen te zien totdat hij niet langer de kracht bezat om overeind te komen.

Nu het werk was afgelopen, slenterde Howard vroeg in de ochtend naar het hek om naar de schichtige vluchtelingen te kijken, die waren teruggekomen om de slikken af te zoeken. Sinds het vertrek van

Satan waren er niet veel incidenten meer geweest tussen Chinezen en de bewakers. De Japanse legerleiding had een eind gemaakt aan de sadistische behandeling van burgers. Het was al meer dan een maand geleden dat hij Shun-ling voor het laatst had gezien, maar toen Howard haar in de ochtendnevel zag opduiken met een groepje rapers, kreeg hij onverwachts een brok in zijn keel en stapte hij terug in de schaduw. Maar ze had hem gezien.

Ze wachtte tot de rest van haar groep over het talud verdwenen was. Toen kroop ze naar de struiken bij de hoek van de omheining. Howard keek over zijn schouder of hij geen bewakers zag. 'Dit is niet veilig,' fluisterde hij, toen hij aan de andere kant van het prikkeldraad hurkte.

Ze stak een klein pakje in bruin papier door het hek. 'Voor Gordy's darmen.'

Hij pakte het aan, hoewel hij wist dat het kruidenmiddel niet sterk genoeg was voor wat Gordy nu mankeerde. 'Hij heeft difterie, Shun-ling,' zei hij, terwijl hij het pakje in zijn zak liet glijden. 'Kan Ah Sam aan het serum komen?'

'Morgen kom ik terug.' Na die woorden kroop ze weer achteruit en verdween ze in de mist.

De volgende morgen bracht ze nog meer kruiden. 'De Japanners houden al het serum voor zichzelf. Dit is het enige wat Ah Sam te bieden heeft. Hij zegt dat Gordy veel gekookt water moet drinken.'

Elke ochtend keek Howard naar haar uit. Om de paar dagen dook ze op bij het hek, met kostbare zaken. Behalve de kruiden bracht ze ook wat eten, nieuws uit de buitenwereld en verhalen over de baby, die Lily heette, naar Gordy's moeder. Die haastige bezoekjes en doorgegeven gesprekken werden voor Howard net zo'n belangrijke reddingsboei als voor zijn zieke vriend.

Wat Ah Sams middeltjes ook bevatten, ze hielpen tegen Gordy's dysenterie – en die van Howard – maar ze hadden geen effect op de difterie, en Gordy ging snel achteruit.

Ten slotte was er geen keus meer. Hij werd overgebracht naar de ziekenboeg. Howard had geen dokters of Ken Campbell nodig om hem te vertellen hoe het ervoor stond. Hij rook het vonnis op Gordy's adem, zag het aan zijn gezwollen klieren in zijn hals en hoorde het aan zijn hoest. Maar zijn vriend hield vol en tartte de dood die hem op de hielen zat. Howard bleef dag en nacht aan zijn bed. Volgens Ah Sams advies druppelde hij gesteriliseerd water over Gordy's leren tong. Met een lepel voerde hij hem het kruidenmengsel van Shun-ling, dat Gordy weer uitspuwde met klodders zwart slijm. Niets hielp, en Gordy zakte weg. Elke avond sliep Howard op de vloer naast zijn bed. Hij verdween alleen om naar de latrine te gaan, of naar het hek aan de achterkant van het kamp, vroeg in de ochtend. Maar terwijl hij haastig Shun-lings kleine pakketjes van hoop in ontvangst nam, kon hij zichzelf er niet toe brengen haar de trieste waarheid te vertellen.

Op een ochtend werd Howard wakker door een zwaar gerochel. Hij kwam overeind, knielde bij Gordy's bed en zag zijn ingevallen borst moeizaam op en neer gaan. Zijn vriend was weinig meer dan een vergeelde lap perkament met wat botten. Howard trok de dunne deken recht en zag de paarse vlekken, het bloed dat zich ophoopte in Gordy's overgebleven voet.

Hij sperde zijn ogen open. 'Howie?'

Howard keek in zijn troebele ogen. 'Ja, ik ben hier,' zei hij, terwijl hij Gordy's haar naar achteren streek over zijn schedel.

De gebarsten lippen openden zich met moeite. 'Het blijft een meidennaam,' fluisterde hij, en heel even was er weer iets van de brutale schooljongen te zien. Toen vielen zijn ogen dicht. Howard zag hoe oppervlakkig zijn vriend ademde en merkte dat zijn eigen ademhaling als vanzelf het ritme van Gordy's rijzende en dalende borstkas volgde.

In... uit... in... uit... in...

En toen... niets.

Nee! Nee! Howard ademde krachtig uit om Gordy's beweginglozeborst daar ook toe te dwingen.

Opeens floot er wat lucht uit Gordy's wijd opengesperde mond. Howard kroop op het bed en kwam naast hem liggen. Toen, terwijl hij zijn vriend in zijn armen hield, hoorde hij hem zeggen: 'Zorg voor... mijn meiden...'

Howard vocht tegen het brok in zijn keel en wilde de waarheid nog ontkennen, hoewel hij Gordy's levenskracht en energie al voelde wegebben. Hij slikte. Hij zou zijn vriend niet beledigen met waardeloze leugens, niet langer ontkennen dat de dood gewonnen had. 'Natuurlijk doe ik dat,' zei hij met verstikte stem.

4 december 1942: ... Gordy Veronick...

31

Het stortregende weer toen Kipper en ik thuiskwamen. Zelfs Lily's paraplu kon ons niet beschermen tegen de regen die van de stoep opspatte. Als twee verzopen katten slopen we het huis binnen via de kelder. Nodig was dat niet. Frankie sliep nog en mijn vader was niet thuis. Waarschijnlijk was hij gaan wandelen in de regen. Ik was blij. Ik wist niet wat ik tegen hem had moeten, kunnen of willen zeggen.

Terwijl Kipper een bad nam, trok ik mijn pyjama aan. Na zijn bad verdween hij naar boven. Frankie kwam de keuken binnen toen ik wat gemalen kaas over mijn Kraft Dinner-pasta strooide. Hij geeuwde en krabde zich aan zijn borst. 'Zo, wat hebben Kipper en jij gedaan, vandaag?' vroeg hij, terwijl hij een hand uitstak naar de koffiepot.

Ik wist dat het zomaar een vraag was om de leegte in ons huis en in ons leven op te vullen, maar terwijl hij de koffiepot omspoelde, overwoog ik even het hem te vertellen. Echt waar. Maar wat kon ik zeggen? *We zijn de stad in geweest en hebben ontdekt dat papa nog een dochter heeft – en nog een gezin?*

Kipper stapte de keuken binnen in zijn pyjama en zijn natte hoed.

'Niks,' zei ik. Om van onderwerp te veranderen vroeg ik: 'Wil je ook macaroni?'

'Nee, dank je,' zei hij, en hij woelde met zijn hand door mijn haar. 'Dit is mijn ontbijt, weet je nog?' Hij draaide zich om naar Kipper. 'Hé, kerel,' zei hij. 'Is het niet te vroeg om al naar bed te gaan?'

'Ik was nat,' zei Kipper. 'Net als pap.'

'Is pa gaan wandelen?' vroeg Frankie. Hij haalde een doos eieren uit de koelkast en wierp een blik op de halflege fles whisky.

Ik haalde mijn schouders op. 'Ik denk het.'

Tegen de tijd dat we klaar waren met eten was papa nog niet terug.

'Ik pak nog een les van de avondschool mee voordat ik naar mijn werk ga,' zei Frankie, terwijl hij zijn stoel naar achteren schoof. 'Jullie redden het samen wel?'

Dat deden we toch altijd?

Kipper en ik installeerden ons op de bank om naar *Leave It to Beaver* te kijken. Ik was jaloers op het verzonnen leven van Beaver en Wally Cleaver. Hun kleren leken altijd splinternieuw, hun bed keurig opgemaakt, en ze hadden zelfs een eigen badkamer naast hun slaapkamer. Waren mensen echt zo rijk? Nog ongelooflijker was dat hun vader niets anders te doen had dan steeds met hen bezig te zijn.

Na het programma liet ik Kipper op de bank achter – zijn oogleden werden al zwaar – en verdween ik naar de keuken. Ik ruimde de tafel af, begeleid door een gefloten deuntje op de tv toen Sheriff Andy en Opie weer eens naar hun visstek trokken. Ik had altijd medelijden met die kleine Opie Taylor die geen moeder had. Nu leek zijn leven als enig kind, met een vader die met een paar wijze woorden al zijn problemen oploste, me opeens heel aantrekkelijk.

Ik schraapte de etensresten van mijn bord in de afvalemmer onder de gootsteen. Toen ik het kastje sloot, zag ik twee bruine papieren zakken achter de afvoerbuis staan. Ik hoefde ze niet open te maken om te weten wat erin zat. Nog meer whisky.

Opeens werd ik kwaad. Ik greep de zakken, zette ze met een klap op het aanrecht, scheurde ze open en schroefde de doppen van de flessen. Met bevende handen goot ik ze in de gootsteen leeg en ik zag hoe het amberkleurige vocht tegen het witte email kletterde. Maar terwijl de whisky door het putje wegstroomde, vloeide ook mijn vastberadenheid weg. Wat had het voor zin? Hij zou gewoon nieuwe kopen. Ik goot toch alles leeg en liep de keuken door om de fles te pakken die op de koelkast stond. Toen ik mijn hand uitstak, raakte ik iets wat op de bovenkant lag. Een papiertje gleed van de koelkast en dwarrelde naar de grond. Ik bukte me en raapte het op.

Als ik het briefje ongeopend had teruggelegd, zou alles wat daarna volgde niet zijn gebeurd. Maar dat deed ik niet. Ik vouwde het open en las de woorden van mijn moeder.

Dora,

Ik moet je dringend spreken. Het meisje dat we gisteren in het parkje
zagen, kwam vanochtend naar mijn deur – op zoek naar haar vader!
Ik heb reden om aan te nemen dat Howard al zeventien jaar geld naar
haar familie in Hongkong stuurt. Ik ben zo van streek dat ik niet weet wat
ik moet denken.
Ik zei dat ze morgen maar terug moest komen. Ik heb tijd nodig om dit te
verwerken voordat ik haar weer onder ogen kan komen. Of hem.
Als ik ooit een vriendin nodig had, is het nu. Bel me alsjeblieft zodra je
thuis bent.

Lucy

Mijn moeder had het geweten! Daarom was ze zo ontdaan en was ze
naar haar vriendin Marlene gegaan. Ik las het briefje nog eens, voordat
het uit mijn vingers gleed en op de grond viel. Ik liet de vuile borden
op het aanrecht en in de gootsteen staan, en de aangekoekte pannen
op het fornuis. Zonder iets tegen Kipper te zeggen griste ik de halfvolle
whiskyfles van de koelkast en vluchtte ermee naar boven.

Op mijn kamer klom ik in bed, trok de dekens tot aan mijn knieën
en schroefde de dop van de fles. Misschien was het een soort medicijn.
Frankie had het ooit over een kies gegoten om de pijn te verdoven.
Misschien kon het mijn hersens verdoven, zodat ik niet meer hoefde
na te denken. Net als papa.

Ik gooide de dop op de grond, pakte de fles bij de hals, zette hem aan
mijn mond en nam een grote slok. Het scherpe vocht brandde in mijn
keel. Ik kokhalsde, en de whisky die uit mijn mond en neus sproeide
bezorgde me een hevige hoestbui waar ik bijna in bleef.

'Nee, Ethie!' riep Kipper. Met tranende ogen zag ik hem naar mijn
bed toe rennen. 'Dat is slecht!' zei hij beschuldigend, en hij stak een
hand uit naar de fles. Ik klampte me eraan vast toen hij probeerde hem
uit mijn handen te wringen. Zonder veel enthousiasme worstelde ik

een paar seconden met hem, voordat ik het opgaf. Kipper tuimelde naar achteren en liet de fles vallen, die door de lucht zeilde. Een hele scheut amberkleurige drank klotste over het bed en de muur, voordat de fles op de grond viel en in een hoek rolde.

'Oeps,' zei Kipper.

'Ik wilde het ook niet echt.' Ik liet me achterovervallen en trok de dekens weer over me heen. Wat ik wilde was dat alles weer zoals vroeger zou zijn. Wat ik wilde was mijn moeder terug. En mijn vader als vader. En dat het niet waar zou zijn wat mijn moeder in dat briefje had geschreven.

'Ben je verdrietig, Ethie?' vroeg Kipper vanaf de rand van mijn bed. Ik hoorde de snik in zijn woorden, maar ik kon hem niet geruststellen. Het enige wat ik kon doen was plaatsmaken en de dekens terugslaan. Hij kroop naast me, zodat we onszelf in slaap konden huilen.

De volgende morgen werd ik wakker door de verschrikte uitroep van mijn tante.

32

'Blijf hier!' riep tante Mildred tegen mij, terwijl ze een snikkende Kipper uit mijn slaapkamer vandaan sleurde. Een paar seconden later galmde de knal van een dichtslaande deur als een beschuldiging door de gang. Daarna denderden de voetstappen van mijn tante de trap af, terwijl ze mijn vaders naam schreeuwde. Ik sprong mijn bed uit.

Ik kwam nog net op tijd beneden om te zien hoe papa zich naast zijn bed in zijn broek wurmde. 'Mildred,' zei hij, terwijl hij zijn gulp dichtritste. 'Wat is er aan de hand?'

Ze rende met hijgende boezem naar de deuropening van zijn slaapkamer. 'Ik kwam Ethie halen om te gaan winkelen voor school, en ik vond...'

'Het spijt me,' zei papa vermoeid, terwijl hij zijn overhemd pakte. 'Ik was vergeten dat je zou komen.'

'Vergeten? Je was het helemaal niet vergeten! Je had een kater en het kon je niet schelen,' snauwde ze. 'Je was te dronken om te weten wat je kinderen allemaal uitspoken.' Ze bleef op de drempel staan met haar voeten uit elkaar en haar handen op haar heupen. 'Christopher lag bij Ethie in bed! Ik heb hem betrapt. En ze hadden whisky gedronken! Jouw whisky. Haar kamer stinkt als een bordeel.'

'Waar héb je het over?' vroeg papa.

'We hebben er niet van gedronken,' riep ik, achter haar.

Mijn tante draaide zich abrupt om en keek me aan. 'Ik zei dat je in je kamer moest blijven, Ethie!'

Papa wrong zich langs haar heen, de gang in.

Tante Mildred deinsde terug voor zijn aanraking. Ze kneep haar ogen tot spleetjes. 'Je was gisteravond niet eens thuis, is het wel, Howard? Moet je zien. Je kleren zijn nog doorweekt. Je was zeker weer wandelen, zonder je van iemand iets aan te trekken!' riep ze beschuldigend tegen zijn rug. 'In plaats van thuis te zijn bij je kinderen.'

Papa negeerde haar en legde zijn arm om mijn schouder. 'Laten we maar even bij Kipper gaan kijken,' zei hij, en hij nam me mee terug door de gang.

'Ik ga hier niet weg, Howard,' waarschuwde tante Mildred hem. 'Wij moeten nodig praten, jij en ik.'

'Je gaat je gang maar,' antwoordde papa, zonder zich om te draaien. 'Maar nu ben ik met mijn kinderen bezig.'

'Een beetje te laat.'

'Het was niet Kippers schuld,' snotterde ik, toen ik de trap op liep. 'Hij heeft niets verkeerds gedaan.'

We vonden hem zittend op de vloer van zijn slaapkamer, onderuitgezakt tegen de muur, nog steeds in pyjama. Hij tilde zijn met tranen en snot besmeurde gezicht op toen papa binnenkwam.

'Tante... Mildred... zegt... dat... ik... slecht... ben,' snikte hij. 'Maar... dat... ben... ik... niet. Nee, toch, pap?'

'Natuurlijk niet.' Papa knielde en hielp hem overeind. 'Let maar niet op haar,' zei hij, terwijl hij op de rand van het bed ging zitten en Kipper in zijn armen nam. Hij hield hem vast tot Kipper een beetje bedaard was en vroeg toen: 'Waar is je hoed?'

Kipper veegde zijn neus af aan de mouw van zijn pyjama. 'In Ethies kamer.' Hij snotterde en probeerde te glimlachen.

'Ik haal hem wel.' Papa sloeg de dekens terug. 'Kruip maar lekker in bed, dan ga ik beneden met je tante praten. Oké?'

'Oké, pap.'

In mijn kamer gekomen trok papa zijn wenkbrauwen op bij het zien van het omgewoelde bed, dat in geen dagen was opgemaakt, de rondslingerende kleren op de vloer en de lege whiskyfles in de hoek. Het rook er nog steeds naar verschaalde alcohol. Maar dat viel hem waarschijnlijk niet op, omdat hij zelf ook zo rook.

'Als je dit door de ogen van je tante ziet, is haar schrik misschien wel begrijpelijk,' zei hij.

'Het is mijn schuld,' biechtte ik op. 'Ik heb die fles meegenomen.

Maar ik heb er niet van gedronken. Het is allemaal gemorst.' Opeens herinnerde ik me weer hoe kwaad ik op hem was. Ik liet me op mijn bed zakken.

'Wat akelig allemaal, hè?' zei papa, en hij kwam naast me zitten.

Ik duwde zijn hand weg, leunde tegen het hoofdeinde met mijn armen over elkaar, en weigerde hem aan te kijken.

'Het is jouw schuld niet, of van je broer,' zei hij, 'maar van mij. Daar heeft je tante wel gelijk in. Ik had hier moeten zijn.' Hij nam Kippers hoed van de beddenstijl boven mijn hoofd. 'Ik zal proberen haar te kalmeren.' Hij wilde mijn haar strelen, maar ik deinsde terug en keek hem nog steeds niet aan.

Toen hij de trap af was verdwenen naar de badkamer, sloop ik omlaag om boven de bocht van de trap te gaan zitten, de tree waar ik me vroeger voor Kipper verborg als we verstoppertje speelden. De tree waar hij en ik op kerstavond in slaap vielen, wachtend op de Kerstman. De tree waar ik had gezeten in de nacht dat de politie naar ons huis kwam en de regen naar binnen waaide.

Beneden draaide papa de kranen dicht. Even later kwam hij uit de badkamer en liep hij naar de keuken. Het was zo stil in huis dat ik kon horen hoe hij de koffiepot van het plaatje op het fornuis tilde. 'Hoor eens,' zei hij, 'ik weet dat dit...' Hij zweeg abrupt.

De stem van mijn tante doorbrak de stilte. 'Jij... jij...'

Ik hoorde de gesmoorde reactie van mijn vader: 'Hoe kom je daaraan?'

'Een dochter?' gilde mijn tante, zonder op zijn vraag in te gaan. 'De dag waarop Lucy stierf ontdekte ze dat je een liefdesbaby had?'

Mama's briefje! Zonder me er iets van aan te trekken of ze me hoorden, rende ik de trap af naar de huiskamer waar ik op mijn hurken in de hoek bij de bank ging zitten.

In de keuken stond papa bij het aanrecht, met de koffiepot nog in zijn handen en een verbijsterde uitdrukking op zijn gezicht. 'Nee, dat is helemaal niet...'

'Al die jaren heb je tegen Lucy gelogen!' schreeuwde tante Mildred.

'Je stuurde geld naar China, naar een ander gezin, terwijl mijn zus nauwelijks rond kon komen.'

'Je begrijpt er niets van.'

'O, nee? Leg dit dan eens uit.' Ze zwaaide met het briefje naar hem. 'Vergiste Lucy zich? Heeft ze een... onwaarheid, vergissing, of hoe je het wilt noemen... meegenomen naar haar graf?'

'Ja, helaas wel.'

'Helaas?' gilde ze. 'Weet je hoe dikwijls ik mijn zus geld heb gegeven? Ze vroeg er zelf nooit om. O, nee. Daar voelde ze zich te goed voor. Maar ze pakte het wel aan. En het moest altijd geheim blijven voor jou. We mochten jouw trots niet krenken. En al die tijd stuurde je geld op voor een onwettig kind.'

'Zo was het niet.'

Blijkbaar zag ze de lege whiskyflessen op het aanrecht, want ze vroeg ijzig: 'Al twee flessen per dag nu, Howard? Ik heb Lucy jarenlang gewaarschuwd, maar ze wilde het niet zien. Je bent gewoon alcoholist.'

Ik wilde al opspringen en naar de keuken rennen om haar te zeggen dat hij die flessen niet had leeggedronken maar dat ik ze in de gootsteen had leeggegoten, toen papa antwoord gaf. 'Je hebt gelijk,' zei hij zacht. 'Dat ben ik.' Hij zette de koffiepot op het aanrecht neer. 'Maar ik zal stoppen. Ik zal...'

'Mooi zo,' zei tante Mildred. 'En terwijl jij dat doet, neem ik Ethie in huis. En ik zal Christopher naar een goede instelling sturen, waar hij...'

'Nee,' zei papa rustig.

'Wat denk je dat de kinderbescherming zal zeggen als iemand dit meldt?' vroeg tante Mildred. 'Een puber in bed met zijn kleine zus? Een kinderkamer die stinkt naar de drank? De toestand van dit huis? En van jouzelf? Je kinderen zouden onmiddellijk worden weggehaald.'

'Laten we nou rustig blijven en hier redelijk over praten,' drong papa aan.

'Nee,' snauwde ze. 'Jij gaat zitten en je luistert naar me. Iemand moet het hier overnemen. Jij bent nu niet in staat om voor dit gezin te zorgen.'

'We... ik zal veranderen. Ik stop met drinken. We redden het wel.'

'En hoe wil je dat doen? Wie moet er overdag voor die jongen zorgen? Op Ethie wachten als ze uit school komt? Wie moet er voor ze koken? Of denk je dat ze kunnen leven op...' ze greep een met kaas besmeurd bord, '... voorverpakte macaroni?' Ze gooide het bord in de gootsteen bij de andere vuile vaat.

'We vinden wel iemand. Onze buurvrouw zei dat ze met de vrouw zal praten die na school ook op haar zoon past. Dora denkt dat ze hier misschien wil komen op de dagen dat Frankie en ik naar ons werk zijn.'

'Dora!' Ze spuwde de naam bitter uit. 'Ha! Die zou jou graag in haar klauwen krijgen. En mijn nichtje erbij.'

'Zo ligt het niet. Ze is... was Lucy's vriendin.'

'Mooie vriendin.'

De scherpte van die woorden deed me huiveren. Maar opeens besefte ik dat er meer achter stak dan woede alleen. Natuurlijk. Het briefje aan Dora Fenwick. Toen mama iemand nodig had om mee te praten, had ze zich tot twee vriendinnen gewend, niet tot haar zuster. Alsof die gedachte ook bij papa was opgekomen, zei hij: 'Ik wou bij God dat ze jou had gebeld.'

'Zo is het genoeg!' Ik hoorde een snik in tante Mildreds keel. 'Waag het niet om mij de schuld te geven.'

'Dat bedoel ik niet. Ik weet dat je van haar hield.'

Ze zwegen allebei een tijdje. 'Luister nou, Howard,' zei tante Mildred ten slotte, op wat mildere toon. 'Laten we redelijk zijn. Heb je een keus? Geloof je echt dat dit het beste is voor je kinderen? Ik niet. En ik zal niet toestaan dat de kinderen van mijn zus te lijden hebben omdat jij te blind bent om de situatie goed te kunnen beoordelen. Desnoods stap ik naar de rechter om de voogdij te vragen.'

'Mildred, doe dat nou niet,' zei papa, maar zijn stem klonk gebroken.

'Het is geen dreigement. Ik zeg je alleen de waarheid. Iemand moet dat doen. Als het tot een rechtszaak komt, zal ik die winnen, dat zweer ik je. Of je kunt Ethie met me mee naar huis laten gaan. Nu meteen. Dan kan ik voor haar zorgen terwijl jij je leven weer op de rails krijgt. En laat me die jongen naar een plek brengen die bedoeld is voor mensen zoals hij. Waar hij veilig is en goede zorg krijgt.' Ze haalde diep adem. 'Jij en ik weten allebei dat Lucy elke dag uren doorbracht met hem te onderwijzen en voor hem te zorgen. Wie moet dat overnemen? Dat soort aandacht krijgt hij alleen op een bijzondere school. En als Ethie bij mij woont,' drong ze aan, 'kun je langskomen wanneer je maar wilt. Als je echt je leven op orde hebt, zien we wel verder.'

Toen hij geen antwoord gaf, vervolgde ze: 'Het wordt tijd dat je eens aan iemand anders denkt dan jezelf. Dat je je afvraagt wat goed is voor Ethie... en voor Christopher. En Frankie. Hou je wel rekening met hem? Moet hij niet van die druk worden verlost?' vroeg ze. 'Het is aan jou, Howard. Als Lucy het je kon zeggen, weet ik zeker dat ze ook zou vinden dat je de juiste beslissing moet nemen voor de kinderen.'

Ze opende haar tasje. 'En er is geen enkele reden waarom ze dit ooit hoeven te weten.' Ze borg mama's briefje in haar handtas en klikte hem dicht.

'Het maakt niet uit,' fluisterde papa, bijna onverstaanbaar. 'De waarheid is nog erger.'

33

Twee weken na Gordy's dood had Howard het nog altijd niet aan Shun-ling verteld. In het donker glipte hij zijn bed uit en sloop hij voorzichtig naar de omheining aan de achterkant van het kamp. Hij groef wat los zand weg bij de paal in de hoek, kroop onder het prikkeldraad door en liet zich op de richel eronder vallen. In zijn dunne deken gewikkeld lag hij daar in het donker te wachten, terwijl hij een beslissing nam. Deze keer zou hij het haar vertellen.

Shun-ling dook abrupt uit de duisternis op en hurkte bij hem neer.

Zodra hij haar zag, twijfelde Howard alweer. Het maakte het niet makkelijker dat ze twee buisjes serum bij zich had. 'Antitoxine tegen difterie,' fluisterde ze, terwijl ze de medicijnen trots omhooghield. 'Van Ah Sam.'

'Dat moet een groot risico zijn geweest voor je vriend,' zei Howard, en hij pakte de buisjes aan. 'En voor jou,' voegde hij er zachtjes aan toe.

'Het is het waard. Volgende week komt er meer, zegt hij. Ik zal het brengen.'

Toen hij in haar donkere ogen keek, zo vol hoop, kon Howard het niet over zijn hart verkrijgen haar te zeggen dat het allemaal voor niets was. Hij zou haar nog een paar dagen van onwetendheid gunnen, zodat ze kon geloven dat de kruiden, de middeltjes en het serum Gordy hielpen.

In plaats van haar de waarheid te vertellen vroeg hij haar daarom naar het geld. 'Geen probleem,' antwoordde ze. 'Ah Sam houdt een rekening bij. Als dit afgelopen is, krijg je een nota, zei hij.'

'Dus hij denkt dat er ooit een eind aan komt?'

'Daar is hij van overtuigd.'

Voordat ze zich omdraaide om door het gras van de helling te verdwijnen, raakte Howard even haar arm aan. 'Feng Shun-ling,' fluisterde hij. 'Ik...' Hij zweeg. Hij wist eigenlijk niet wat hij had willen zeggen. Misschien had hij alleen zijn eigen stem willen horen die haar naam uitsprak. Of hij had haar toch de waarheid willen vertellen over Gordy. Maar die kans kreeg hij niet. Ze keek hem recht aan, stak een hand uit en streelde zijn lippen met haar vingertoppen.

'Howard Coulter,' fluisterde ze, voordat ze in de ochtendschemer verdween.

'God, man! Kan ze hier nog meer van krijgen?' vroeg Ken Campbell toen Howard hem de medicijnen gaf.

'Ze denkt dat het voor Gordy is,' biechtte Howard op.

Howard moest proberen nog meer van het serum te krijgen, drong Ken aan. 'Dit betekent een kans op leven voor een heleboel kerels.' Voor Gordy was het te laat, maar het middel zou levens redden. Hoe kon Howard de mannen dat onthouden?

Met tegenzin ging hij akkoord, hoewel hij Ken waarschuwde dat hij Shun-ling uiteindelijk zou moeten vertellen dat Gordy was gestorven en zij geen reden meer had om zulke risico's te nemen.

Terwijl de ontmoetingen doorgingen, suste hij zijn geweten met het excuus dat er in elk geval mensen profiteerden van zijn bedrog. Maar hij wist ook dat hij behalve alle redenen om haar onwetend te houden – de noodzaak van het serum, de pakketjes Chinese medicijnen, de behoefte om haar verdriet te besparen – ook een persoonlijk motief had. Het ging hem niet om het beetje eten dat Shun-ling bracht, de pakketjes voor Gordy die naar zaagsel smaakten als Howard ze moeizaam naar binnen werkte, maar om een glimp van de normale wereld. Die gestolen momenten van vrijheid aan de andere kant van de omheining hielden hem weer een paar dagen op de been. Als hij daar zat met een ander mens, die nog een lichtje in haar ogen had, en luisterde naar haar zachte stem, fluisterend in het donker, kon hij echt geloven dat het ooit voorbij zou zijn.

Ze bracht nieuws uit de buitenwereld. Elke ochtend bij het appel deed de tolk verslag van de glorieuze overwinningen van het Japanse keizerrijk, te land en ter zee. Als de gevangenen die propaganda hadden geloofd, zouden ze de moed allang hebben opgegeven. Er was weliswaar nog steeds een radio verborgen, ergens in het kamp, maar daar mochten alleen een paar officieren naar luisteren. Tegen de tijd dat het nieuws Howard bereikte, kon hij de geruchten nauwelijks meer van de waarheid onderscheiden.

En Shun-ling had nieuws over Lily, de verhalen van een trotse moeder, bedoeld voor Gordy. Weggekropen onder zijn deken met haar, achter het hek, luisterde Howard naar de vorderingen van de baby en dacht daarbij stiekem aan thuis.

Hij wachtte nog steeds op een tweede brief van Lucy. Hun baby – jongen of meisje? – moest een maand of twee ouder zijn dan Lily. Elke keer als hij Shun-ling zo blij en toch schuchter hoorde vertellen, zag hij Lucy voor zich, die zwol van trots bij een eerste lachje of het begin van een klein tandje onder het roze tandvlees. Die eenvoudige dingen, zo onvoorstelbaar alledaags, lagen zo ver buiten zijn bereik. Net als Lucy zelf. Een hele wereld bij hem vandaan. Een wereld waarvan hij steeds moeilijker kon geloven dat ze nog echt bestond. Shun-ling hield dat beeld voor hem levend. Zij vertegenwoordigde de vrijheid, de hoop, het leven aan het einde van deze nachtmerrie. En steeds opnieuw waren die paar momenten van belofte voor Howard reden genoeg om zijn mond te houden.

Na elke clandestiene ontmoeting, als een dief die zijn geweten suste door een aalmoes naar het altaar te brengen, gooide hij de gesmokkelde pakketjes van hoop op Ken Campbells bed.

Gewend aan het ritme van de nacht luisterde Howard naar de geluiden van het kamp, het zuchten en steunen van de verdoemden, dat de nieuwe norm was geworden. Behalve het gesnurk van degenen die nog konden slapen, hoorde hij vooral het gerochel, het onwillekeurige gekreun en het onderdrukte gejammer van mannen die werden gekweld door honger, pijnlijke benen en darmen, koorts en delirium. Hij bad dat hij die nacht niet opnieuw de klaaglijke roep zou horen van een stervende om zijn vrouw, zijn lief of – meestal, met de laatste adem – zijn moeder.

Starend in het donker wachtte Howard als een blinde met extra scherpe zintuigen. Zo nu en dan scheen het maanlicht door de kieren in de dichtgetimmerde ramen en wierp schaduwen door de barak, om de paar seconden verstoord door het silhouet van een uitgemergelde spookgestalte op weg naar de latrines.

Een macabere statisticus had uitgerekend dat de gemiddelde gevangene met dysenterie overdag minimaal tien keer per uur zijn darmen moest legen. En 's nachts was dat niet beter. De vorige dag was het allemaal nog erger geworden door de onverwachte terugkeer van Satan, de meest gevreesde bewaker. Samen met de tolk, die alle Canadezen en blanken haatte, zorgde hij ervoor dat niemand meer veilig was.

De Japans-Canadese sergeant maakte zijn dreigementen waar. Elk excuus was goed genoeg om de gevangenen te straffen. Veel mensen waren al door hem gemarteld. Zijn favoriete methode was zijn slachtoffers vol met water te gieten tot hun buik uitpuilde, en er dan bovenop te springen. Het maakte hem tot de meest gehate man in het kamp.

Bij een inspectie door het Rode Kruis, eind november, had een Canadese officier de bijna fatale fout gemaakt om naar voren te stappen en de delegatie te vertellen dat ze voor de gek werden gehouden. Zodra de inspecteurs waren vertrokken, had de woedende tolk de man bewusteloos geslagen en geschopt met zijn riem, zijn blote vuisten en zijn laarzen. De officier lag nu in kritieke toestand in de Martelkamer.

Maar hoe gevaarlijk hij ook was, alle woede van de sergeant richtte zich op de gevangenen. In Chinese burgers was hij niet geïnteresseerd. Howard voelde aan dat hij geen echte bedreiging vormde voor Shunling of – om een of andere reden – voor hemzelf. Sinds de komst van Lucy's brief had de tolk hem bijna vriendschappelijk behandeld.

Howard deed zijn best de man te ontwijken, wat niet meeviel. De tolk zat gevangen tussen twee culturen, werd door geen van beide geaccepteerd en had soms behoefte aan iemand om mee te praten. Steeds als de man hem in een hoek dreef, boog Howard zijn hoofd en herhaalde in stilte zijn mantra. Maar het was niet de tolk die hij vreesde in de ochtendschemer.

Satans plotseling terugkeer vormde een gevaar voor Shun-ling. Die beangstigende ontwikkeling had Howard ervan doordrongen dat deze ontmoeting met haar de laatste zou zijn. Hij moest haar eindelijk vertellen over Gordy's dood, zodat ze niet meer naar het kamp zou terugkomen. Howard wilde haar waarschuwen om uit de buurt te blijven. Hij had gehoopt op het regenseizoen, als de stortbuien haar zouden weerhouden, maar het grillige licht van de maan tartte hem toen hij van zijn brits opstond.

Hij wikkelde de dunne deken om zijn schouders, ontweek voorzichtig de krakende vloerplanken en stak de barak over met zijn schoenen in zijn hand. Buiten dook hij onder het trapje weg om ze aan te trekken, terwijl hij scherp luisterde naar het knerpen van kiezels, een nies of een luide hoest, als waarschuwing dat er een bewaker in de buurt was. Maar hij hoorde niets en sloop naar de omheining, zo dicht mogelijk langs de wanden van de barak.

Wolken joegen langs de hemel. Ze gaven hem voldoende dekking om tussen de gebouwtjes door te sluipen en brachten de belofte van regen. Het hele eiland was verduisterd, zodat het aardedonker was zodra de wolken voor de maan schoven. Aan de achterkant van het kamp kroop Howard langs de moestuin van de Japanse officieren. Bij een streepje maanlicht zag hij een beweging tussen de aardappelplanten. Hij verstijfde. Een paar meter bij hem vandaan, aan de andere kant van de eerste rij, zag hij een gebogen rug, een opgeheven hoofd en een paar uitpuilende ogen in een broodmager gezicht. Gewoon een gevangene op rooftocht. Howard ademde weer uit. Hij wisselde een zwijgende groet met de verschijning. Iets in het geschrokken gezicht van de gevangene kwam hem bekend voor. Zodra de man Howard zag, grijnsde hij en stak hij een met aarde besmeurde vuist omhoog, met de duim naar binnen, het teken dat de kust veilig was. Toen ging hij weer verder met graven. Het was een gevaarlijke bezigheid. De top van de planten werd ongemoeid gelaten en kon gewoon doorgroeien, maar de kleine aardappelen aan de wortels werden gestolen. Uiteindelijk zouden er zware represailles volgen, maar dat waren zijn zaken niet, dacht Howard. Opeens associeerde hij het grijnzende gezicht met dat van de jonge soldaat die hij op de boeg van de ss *Awatea* had gezien, de puber die de Japanners op de *Lisbon Maru* had getreiterd, een heel leven geleden. Misschien was dit dezelfde jongen, of niet. Nee, dat was het verkeerde woord. Er waren geen jongens meer in dit kamp.

De soldaat keek weer op en hield zijn hand omhoog om zijn vondst te laten zien. Toen stak hij de wormen in zijn mond en at ze met smaak op. Honger deed een mens bijna alles eten. Howard had delen van ratten, slangen, muizen en insecten – zelfs maden – tussen de rijst herkend. Maar hij had geleerd de voedzame eiwitten door te slikken, hoewel hij nog geen wormen at. Schuldgevoel overspoelde hem toen hij het verpakte blokje chocola in zijn zak betastte, het laatste overblijfsel van zijn aandeel in de Rode Kruis-pakketten die bij de humanitaire inspectie waren uitgedeeld. Hij had dat partje, een kerstgeschenk, bewaard als afscheidsgeschenk voor Shun-ling.

Maar hij kon zich niet losmaken van die jonge soldaat in de moestuin, met de dood in zijn ogen en de aarde om zijn mond alsof het koekkruimels waren. Howard pakte het zorgvuldig bewaarde blokje chocola, boog zich naar voren en gooide het de andere man toe.

Een paar minuten later hurkte hij op de zandrichel onder de omheining, in afwachting van Shun-ling. Het gerinkel van een belboei zweefde naar hem toe vanuit de baai, begeleid door het gekabbel van het water over de slikken – dezelfde onschuldige geluiden die hij zich herinnerde van zijn eerste dag in het kamp, meer dan een jaar geleden nu. *Een jaar.* Een heel jaar zat hij al in deze hel. 'Met de kerst weer thuis' was een kreet die je niet meer hoorde in het kamp. 'Volgend voorjaar' was de nieuwe hoop.

Opeens zag hij de maan in het water beneden zich. Het licht gleed over de haven met de illusie van vrijheid. Zo bedrieglijk dichtbij. Zo onmogelijk ver weg. Hoe verleidelijk was het om naar de baai af te dalen en de zee in te waden met het tij. Gewoon weg te zwemmen en zijn kans te wagen tussen de sampans en vissersboten die daar dobberden. Maar de gedachte aan de negen anderen die zouden worden gestraft en misschien terechtgesteld als hij niet terugkwam hield hem tegen. En natuurlijk Shun-ling. Hij moest hier blijven om haar te waarschuwen.

Opeens was ze er. Gebukt en geruisloos sloop ze over de richel naar hem toe. Howard voelde het bloed in zijn oren bonzen bij het zien van de katoenen jurk die ze droeg, met de vrolijke – veel te vrolijke – blauw-witte bloemetjes, glinsterend in het maanlicht. Hij tilde zijn deken op om haar te verbergen toen ze naast hem hurkte, zo dichtbij dat hij de zoete, kruidige geur van haar zweet kon ruiken. Ze trok de jurk over haar knieën en sloeg langzaam haar ogen naar hem op. Hetzelfde gevaarlijke maanlicht dat over haar ovale gezicht viel spiegelde in haar donkere ogen toen hij haar zwijgend aankeek. Zonder enige waarschuwing legde ze haar hand tegen zijn wang. 'Howard,' zei ze. Het was geen vraag, geen opmerking, maar een heel gesprek, samengevat in één woord.

Geschrokken van de warmte en troost van haar handpalm voelde Howard dat hij tegen haar aan leunde. Maar er was geen tijd. Hij moest het haar nu vertellen. Hij stak zijn arm uit om de rug van haar hand te pakken, drukte die tegen zijn gezicht en hield hem daar. Heel even maar. 'Shun-ling, je moet naar me luisteren,' fluisterde hij. 'Het gaat om...'

Het laatste wat hij zich herinnerde voordat de geweerkolf zijn slaap raakte was het sissende geluid van iemand die de lucht tussen zijn tanden zoog.

Kiezels prikten in zijn knieën. Een dunne draad sneed in zijn hals en zijn polsen. Vanuit zijn ooghoek zag hij de bekende donkerbruine laarzen, met de gepoetste neuzen maar enkele centimeters van zijn slaap verwijderd.

Boven de fluittoon in zijn oren uit hoorde hij de gedempte kreten vanuit het wachthuis. Shun-ling. De draad om Howards nek en rond zijn polsen, die op zijn rug waren gebonden, trok zich strakker met elke wanhopige beweging die hij maakte. 'Laat haar gaan,' smeekte hij de roerloze laarzen, vechtend tegen de duisternis die hem weer dreigde te overspoelen. 'Ze heeft helemaal niets gedaan. Ze is maar een vluchteling, een raper op de slikken.'

De laarzen kwamen in beweging en cirkelden langzaam rond hun prooi. 'Daar heb ik niets mee te maken,' antwoordde de tolk. 'Zij is *zijn* prijs, omdat hij jouw ontsnapping heeft verijdeld.'

'Maar ik wilde niet...' Howard klemde zijn kaken op elkaar. Er was geen uitleg mogelijk zonder Shun-ling in gevaar te brengen. Vanuit het wachthuis zwollen de geluiden van haar wanhopige verzet en Satans wreedheden nog aan.

'Beesten!' gromde Howard.

'Op een vluchtpoging staat de doodstraf,' zei de tolk. 'Wat moet ik nu met je?'

Voordat hij het wist daalde er een bamboestok op Howards rug neer. En nog eens. En opnieuw. Hij worstelde om bij bewustzijn te blijven, ondanks de verlammende pijn, maar de kolkende duisternis nam het over.

Toen hij weer bijkwam, landde er met een klap iets zwaars op de grond. Hij opende zijn ogen en zag Shun-ling voorover op de grond liggen, haar armen en benen gespreid, en haar hoofd vlak bij het zijne.

'Een echte krijger!' zei Satan, terwijl hij haar slappe lichaam nog een schop gaf. 'Ze heeft goed partij gegeven.'

Shun-ling tilde haar hoofd op. Haar warrige haar viel naar de grond. Toen haar blik die van Howard kruiste, krulden haar bebloede lippen zich tot een uitdagende glimlach.

'Shun-ling,' fluisterde hij, speurend in haar onverzettelijke ogen.

Boven hen hoorden ze het onheilspellende geluid van staal dat uit een schede werd getrokken. 'Een krijger verdient een eervolle dood,' teemde Satan.

'Laat haar met rust!' schreeuwde Howard. Hij wrong zich naar de laarzen van de tolk toe. 'Hou hem tegen. In godsnaam! Ik smeekt het je in de naam van je vader, een Canadese held. Spaar haar leven.' Hij legde zijn hoofd op de grond. 'Hier, hier,' drong hij aan, terwijl hij zijn nek uitstak, zo ver als de draad het toeliet. Een gemakkelijk doelwit. 'Alsjeblieft.' Hij kneep zijn ogen dicht en smeekte vurig om de dood door een vlijmscherp mes. Zijn spieren spanden zich toen hij het staal door de lucht hoorde fluiten. Het kille lemmet trof het vlees met een doffe klap. Een golf van warm vocht spoelde over hem heen toen een scherpe, metaalachtige geur zijn neus binnen drong. Een geluidloze schreeuw steeg op uit zijn keel.

De bamboestok raakte zijn rug en dwong zijn hoofd omhoog. Howard probeerde zijn zware oogleden dicht te houden. Een tweede klap sterkte hem daar nog in. Hij zou geen getuige zijn, geen deel hebben aan de nachtmerrie die hem wachtte achter dat rode waas. Maar de slagen gingen door, totdat hij zich niet meer in de hand had en zijn ogen opensperde om dat onuitsprekelijke visioen te zien: het ineengezakte lichaam, de bloedende, opengesneden hals. En Shun-lings nietsziende ogen, die naar hem opkeken vanaf de grond, tussen haar armen – armen die zich naar hem uitstrekten, hem bijna raakten.

De eerste zware regendruppels kletterden neer, samen met de witte handschoenen die naast Howards gezicht op de grond belandden. Satan liep onverschillig weg en zoog de lucht tussen zijn tanden, terwijl de tolk zijn stok opzij wierp. 'Die eer verdien jij niet,' zei hij, voordat hij zich abrupt omdraaide en Howard alleen liet, om de hemel te smeken hem te laten sterven. Terwijl de stromende regen over de met bloed doordrenkte aarde spoelde, zweefde hij op de rand van de bewusteloosheid. In het grijze ochtendlicht schrok hij wakker en zag hij hoe Shun-lings stoffelijke resten de poort uit werden gedragen en langs de weg gegooid. Even later verscheen in de motregen een groepje vluchtelingen, dat haar meenam.

34

Mijn vader gaf me weg. *Hij gaf me gewoon weg!* Als een pup of een kitten waar hij genoeg van had. Hij wilde me niet, zo simpel was het. En Kipper ook.

Alleen mijn moeder had ons gewild, al die tijd. Nu zij weg was, liepen wij in de weg. Als lastposten.

'Een tijdje maar,' legde papa uit toen hij de trap op kwam en op de rand van Kippers bed ging zitten om het te vertellen. Kipper accepteerde het, zoals hij altijd deed, omdat hij zijn vader vertrouwde. Het was een soort school, zei papa, waar hij kon blijven slapen, een heleboel nieuwe dingen zou leren en nieuwe vrienden zou maken. En elk weekend kon hij naar huis komen, als hij wilde. Nou ja, na de eerste maand. 'Zie het maar als een zomerkamp,' zei papa, toen Kippers lip begon te trillen. 'Je wilde toch altijd naar zomerkamp? En als het je niet bevalt, hoef je daar niet te blijven.'

'Oké, pap,' zei hij, en hij zoog zijn lip naar binnen.

Mijn vader keek naar de deur, waar ik stond, met mijn armen over elkaar geslagen. 'Het is niet voor eeuwig,' beloofde hij.

'Ha!' Ik keerde hem mijn rug toe, stampte de gang door naar mijn kamer en smeet de deur dicht.

Toen hij naar beneden was verdwenen, en naar buiten, gooide ik mijn kastdeur open en trok alles eruit. Kleren, springtouwen, spelletjes, schoenendozen vol met zorgvuldig verzamelde schatten – alles vloog over de grond. Ik griste mijn kostbare stapeltje stripboeken van de plank en scheurde ze een voor een aan stukken. Toen tante Mildred mijn deur weer opendeed, lag er een onoplosbare puzzel van woede aan mijn voeten verspreid.

Ze trok haar wenkbrauwen op, maar zei niets over de rommel. 'Ik heb een koffer gevonden die Christopher kan gebruiken,' zei ze, met de oude koffer uit de kelder in haar hand. 'Pak jij maar zo veel mogelijk in je weekendtas, schat,' voegde ze eraan toe, alsof het een vakantie was en ze ons niet uit ons eigen huis ontvoerde.

Toen ze naar Kippers kamer liep, gooide ik wat kleren en ondergoed in het koffertje dat ik meestal meenam als ik bij haar ging logeren. De rest liet ik achter, met mijn jeugd. Maar het geheim van Lily nam ik mee. Ik vouwde het gekreukte papiertje met haar naam en telefoonnummer zo klein mogelijk op en verborg het achter de voering van mijn koffertje. Als mijn vader óns niet wilde, dacht ik, dan zou hij haar ook niet willen. Of misschien was ik daar juist bang voor.

Ik kroop in bed, trok de dekens over mijn hoofd en wachtte totdat tante Mildred me zou vertellen wat ik nu moest doen. Na een tijdje werd ik wakker toen ze naar boven riep dat het tijd werd om te gaan. Voordat ik vertrok, haalde ik Kippers schilderij boven mijn bed vandaan. Ik liep de trap af met het schilderij onder mijn arm, wachtend op haar commentaar. Maar ze bracht me naar de Volvo, opende de kofferbak en legde alles erin zonder een woord te zeggen.

'Waar is Kipper?' vroeg ik, met een blik naar de lege achterbank.

Hij was al weg. Ze waren hem komen halen. 'Dat is het beste,' legde tante Mildred uit.

Het beste? Ik had niet eens afscheid kunnen nemen. Ik kon er niets aan doen, maar ik barstte in tranen uit. 'Ik wil Frankie,' snotterde ik.

'Frankie komt wel op bezoek,' zei ze, terwijl ze het portier opende en me liet instappen.

Tijdens de rit naar haar huis schoof ik zo ver mogelijk naar het portier toe. Ik had niets te zeggen tegen haar, of tegen wie dan ook. Ik vroeg me af of het mogelijk was om voorgoed te zwijgen. Er was toch niets meer om over te praten; en dat zou er ook niet meer komen, dacht ik.

Tante Mildred nam een hand van het stuur en raakte mijn haar even aan. 'Vanavond zullen we het wassen en al die klitten eruit halen,' zei ze. 'Morgenochtend leg ik er vlechten in. Dat deed ik vroeger ook voor je moeder, weet je. Toen ze nog een klein meisje was, vlocht ik iedere dag haar haar.'

Ik ontweek haar hand.

Mijn oom en tante hadden een heel groot huis, vol antiseptische luchtjes en geluidloze voetstappen. 'Te groot voor twee mensen,' zei oom Sidney vaak. Zelfs voor drie was het nog te ruim. De hal rook naar oud hout en meubelwas. Zodra we binnenkwamen stak ik de hal over en rende ik de brede eikenhouten trap op. Tante Mildred riep me na dat we over een uurtje zouden lunchen.

Boven gekomen gooide ik mijn koffer in de hoek van de kamer. Ik zette Kippers schilderij tegen de muur en wierp me op het bed.

Sinds ik me kon herinneren had ik altijd mijn eigen kamer gehad bij mijn tante thuis, een kamer die ze speciaal voor mij had ingericht, helemaal in het roze. Ik had het prachtig gevonden, net als de rijen poppen die vanaf de planken boven het bed omlaagkeken, poppen die ze voor me had meegebracht van vakanties over de hele wereld. Nu ging ik op het bed staan en haalde mijn hand over de planken om ze tegen de grond te smijten. Ze vlogen alle kanten op – weer zo'n overblijfsel van mijn jeugd – en bleven op de vloer liggen in een wirwar van porseleinen armpjes en beentjes. Ik griste ze bij elkaar, propte ze onder in de kast en smeet de deur dicht. Toen liet ik me voor de toilettafel zakken. Ik zoog een lange streng haar in mijn mond en staarde in de spiegel. Hetzelfde haar als mijn moeder. Dat had ik mijn hele leven al gehoord. Ik stond op, opende mijn kamerdeur en stak de gang over naar tante Mildreds naaikamer. Daar zocht ik in alle laden totdat ik vond wat ik nodig had. Terug op mijn kamer ging ik voor de spiegel zitten, greep een paar plukken haar en pakte de kartelschaar. Toen mijn krullen op de grond vielen dacht ik smalend aan het geschokte gezicht van mijn tante als ik straks aan de eettafel kwam zitten.

35

'Wat heeft ze gedaan?' vroeg Frankie. 'Wat kan ze in vredesnaam hebben gezegd of gedaan dat je ze aan haar hebt meegegeven?'

Howard zat over de tafel gebogen, starend in zijn koffiebeker. 'Het is niet voor eeuwig,' mompelde hij. 'Alleen tot ik alles op orde heb. Dit is het beste.'

'Het béste? Voor wie? Voor jou?' vroeg Frankie, met een sarcasme dat Howard niet achter hem had gezocht. Hij liep de keuken door, griste de koffiebeker uit Howards handen, waardoor koude koffie over de tafel spetterde, en bracht hem naar zijn neus.

Het was maar koffie, maar Howard vermoedde dat zijn adem nog de bewijzen verried van zijn bezoekje aan de Legion, eerder die dag. Eén borrel maar. Eén borrel was genoeg geweest om hem door deze dag heen te helpen en hem bij thuis weg te houden, terwijl Mildred alles regelde, uit naam van hen beiden.

'Ja. Voor mij, voor jou, voor iedereen, op dit moment.' Hij keek abrupt op toen Frankie de beker met een klap op tafel terugzette. 'Het is niet voor eeuwig,' herhaalde hij. Als uit eigen beweging gingen zijn ogen naar de bovenkant van de koelkast.

'Jezus!' vloekte Frankie. Hij schudde zijn hoofd, draaide zich om en liep naar de keukendeur. Met zijn hand op de kruk keek hij om naar Howard – die ineenkromp bij de smeulende woede en pijn op het gezicht van zijn zoon. 'Ik heb me altijd afgevraagd waarom mam niet wilde zien dat je dronk,' zei hij zacht. 'Waarom ze je nooit heeft gedwongen om te kiezen tussen de drank en haar.' Hij knipperde de tranen in zijn ogen weg. 'Nu begrijp ik waarom. Ze wist wat je zou hebben gekozen.'

'Nee,' fluisterde Howard. 'Nooit.'

Frankies mond verstrakte. Een traan gleed over zijn wang; hij sloeg naar zijn gezicht om hem weg te vegen. Toen, zonder enige waarschuwing, vloog hij op Howard af, greep hem bij zijn shirt en rukte hem zo dicht naar zich toe dat Howard een paars adertje op zijn voorhoofd kon zien kloppen. 'Zal ik je wat zeggen?' schreeuwde hij, met een fontein van speeksel bij elk woord. 'Ik wou dat jij het was geweest! Ik wou dat jij het was geweest, niet zij.' Hij slikte een snik weg en smeet Howard met zo'n kracht van zich af dat hij achteroverviel en met zijn hoofd tegen de vensterbank sloeg.

'Ik ook,' mompelde Howard tegen Frankies verdwijnende rug.

De klap van de deur weergalmde door de stille keuken. Howards oren gonsden. Hij streek met zijn handen door zijn haar. Zijn hoofd deed pijn, alsof er een hamer tegen de binnenkant van zijn schedel sloeg. Zelfs zijn oogbollen voelden pijnlijk, en zijn mond was als een droge sloot.

Hij stond op en zocht met bevende handen in de kastjes onder de gootsteen. Toen hij niets vond, liep hij de trap op naar zijn kamer, keek haastig onder het bed en in de laden van de toilettafel. Niets. Hij trok de kastdeur open.

De geur trof hem als een vuistslag. Hij liet zich zakken naar de bodem van de kast, greep een handvol van Lucy's kleren uit de wasmand en drukte ze tegen zijn gezicht. Hij ademde haar luchtje in, met een behoefte die alcohol nooit zou kunnen bevredigen. Na een tijdje werd hij zich bewust van het kalmerende ritme van de regen buiten het slaapkamerraam. Hij veegde met zijn mouw langs zijn ogen en keek op zijn horloge. Toen stond hij op en liep hij door het stille, onvoorstelbaar lege huis. Hij haalde zijn leren jack uit de kast in het halletje en trok het aan. Buiten bleef hij op de onderste tree van de veranda staan, legde zijn hoofd in zijn nek en liet de regen over zijn gezicht stromen. Daarna sloeg hij de vettige schaapswollen kraag op en vertrok door de straat.

De vorige dag, toen hij in de regen was vertrokken, had hij zomaar wat gelopen. In het holst van de nacht was hij wakker geworden op het kletsnatte gras boven Lucy's graf, zonder te weten hoe hij daar was gekomen of hoe lang hij er al lag. Vanavond wist hij precies waar hij naartoe ging. Hij liep langs de slijterij in Victoria Drive en langs de Royal Canadian Legion in Fraser Street, totdat hij het adres in Oak Street had gevonden. Het adres dat hij niet uit zijn gedachten had kunnen zetten. Ken Campbell had het hem gegeven, op de dag van Lucy's begrafenis. Hij bleef staan voor het gebouw, haalde diep adem en liep naar de ingang bij de kelder.

In het zaaltje beneden keek iedereen om toen de deur openging. Howard stond opeens als verlamd, niet in staat de drempel over te stappen. Er schraapte een stoel over de betonvloer, als een reddingsboei die een drenkeling werd toegeworpen. Hij deed een stap naar voren en greep de rugleuning van de stoel. Begripvolle gezichten wachtten tot hij er klaar voor was. Hij rechtte zijn schouders, opende zijn mond en zei: 'Mijn naam is Howard Coulter. Ik ben alcoholist.'

36

Howard wachtte totdat Ken Campbell klaar was met de keeltest van de gevangene voor hem in de rij. Net als de andere krijgsgevangenen had Ken allang geen vet meer in zijn gezicht. Zijn gezellige bolle wangen waren verdwenen en zijn indrukwekkende gestalte was verschrompeld tot stakerige ledematen, bijeengehouden door knokige gewrichten.

'Wat doe jij hier, verdomme?' vroeg hij toen Howard naar voren stapte en zijn mond opende. 'Doe niet zo stom, man,' zei hij. 'Je zult die reis nooit overleven. Je hebt malaria. Je kunt nauwelijks staan.'

'Ja, maar ik heb geen difterie, en dat is het enige waar ze op letten. Test mijn keel maar.'

Ken keek over zijn schouder naar de bewakers, die witte maskertjes droegen terwijl ze toezicht hielden op de test. 'Hoor eens, het gaat ze alleen om de aantallen,' zei hij zacht. 'Ze hebben zeshonderdvijftig man nodig – slavenarbeid voor hun scheepswerven en kolenmijnen. Ze gaan ervan uit dat er onderweg een stel sterft. Jij zult daar een van zijn.'

Howard sloeg zijn armen om zich heen tegen de rillingen. Hij knikte naar Jack Dell, die tegen de deurpost van de barak geleund stond. 'En hij?' vroeg hij hees. 'Je hebt hem ook getest. Is hij wel geschikt dan, met één arm?'

'Die kleine Newfoundlander is spijkerhard,' zei Ken. 'Hij overleeft alles. Jij niet.'

'Test mijn keel nou maar.'

Met tegenzin pakte Ken het stickje uit. 'Ik weet heel goed wat jij van plan bent.'

Twee dagen later werd Howard wakker, badend in het zweet. Hij probeerde overeind te komen, maar een zware hand op zijn borst weerhield hem. 'Ik moet uit bed,' kreunde hij.

'Niemand houdt je tegen,' zei iemand van een afstand.

Howard tilde moeizaam zijn hoofd op en concentreerde zich op de ochtendschaduwen. Er was geen hand te bekennen, en hij zag geen mens. Bevrijd van de denkbeeldige belemmering ging hij rechtop zitten en gooide hij zijn benen over de rand van het bed. Hij moest opstaan. Maar waarom? Howard pijnigde zijn koortsige brein. Aan de andere kant van de barak stond Ken Campbell over zijn eigen brits gebogen om zijn schaarse bezittingen in een deken te wikkelen.

Ja, dat was het. Vandaag vertrok de boot naar Japan.

'Ik ga met je mee,' zei Howard, terwijl hij zich bukte om zijn schoenen te pakken.

'Nee. Het spijt me.' Ken gaf een laatste ruk aan de knoop in zijn deken.

'O, jawel.'

Ken gooide zijn provisorische plunjezak over zijn schouder en kwam naar hem toe. 'Je difterietest was positief,' zei hij, over Howard heen gebogen.

'Onzin.'

'Bewijs dat maar.'

Howard kreeg een hoestbui. 'Ik ben immuun,' hijgde hij schor. 'Dat weet jij ook.'

'Een tocht met die boot zou je dood betekenen. En dat weet jíj.'

Maar Howard luisterde niet. Hij probeerde overeind te komen. 'Heb je mijn test vervalst. Ik zal...'

'Wat?' vroeg Ken. 'Wou je me aangeven?'

Howard was verslagen.

Ken legde een hand op zijn schouder. 'Het verschil tussen leven en dood in dit kamp,' herhaalde hij nog eens, 'is het vermogen om verder te kijken dan je overlevingskansen hier; om je weer een menselijke toekomst voor te stellen na dit dierlijke bestaan. Dat vermogen heb jij niet meer. Ik zie hoe je de bewakers trotseert en beledigt, bijna smekend om een afranseling. Je doet latrinedienst als het niet hoeft, je werkt vrijwillig in de ziekenboeg en je geeft je eten weg. Maar dat doe je allemaal om de verkeerde redenen. Daarom verdom ik het om jou te helpen sterven.'

'Iedereen gaat ooit dood,' zei Howard, maar hij ontweek Kens blik.

'Ja, en uiteindelijk wordt een man bepaald door waar hij voor wil sterven. Denk aan Gordy en al die andere kerels die we hebben begraven, zelfs dat meisje – allemaal bereid ergens een risico voor te nemen. Waarvoor? Vaderlandsliefde? Liefde voor een ander mens? Het komt allemaal op hetzelfde neer. Zelfs de Japanners zijn bereid te sterven voor iets wat groter is dan zijzelf. Zou jij dan minder zijn?' Hij liet Howards schouder los en deed een stap terug. 'Zoek weer een doel in je leven, jongen. Laat me na deze oorlog niet terugkomen uit Japan om te horen dat jij bent gestorven voor zoiets zieligs en zelfzuchtigs als je eigen schuldgevoel.'

37

Ik miste Barclay Street, en mijn oude school, en mijn vrienden en vriendinnen. Maar vooral mijn familie. Dat was de schuld van mijn tante. En mijn vader.

Twee weken lang weigerde ik hem te zien. De eerste keer dat hij langskwam, vluchtte ik naar boven en sloot ik me in mijn kamer op. Ik liet me op mijn perfect opgemaakte bed vallen, drukte de zachte roze kussens tegen mijn oren en deed alsof ik hem niet hoorde toen hij aan de andere kant van de deur mijn naam riep.

De volgende avond kwam tante Mildred naar boven toen ik opnieuw weigerde me te vertonen. 'Zo is het genoeg, Ethie,' zei ze. Het zachte kloppen van mijn vader maakte plaats voor haar dringende gebons. 'Doe die deur open.'

'Dwing haar nou niet,' zei mijn vader. 'Ik kom morgen wel terug.'

Ik liet me langs de muur omlaagglijden en bleef bij mijn slaapkamerdeur zitten toen zijn voetstappen verstierven.

Dat werd een dagelijks ritueel. Elke avond wachtte papa beneden terwijl mijn tante de trap op kwam en probeerde me uit mijn kamer te praten. Als ze was verdwenen, bleef ik achter de frutselige gordijnen van mijn mooie nieuwe slaapkamer staan, in mijn mooie nieuwe kleren, en keek mijn vader na als hij terugliep naar zijn auto.

Frankie kwam en probeerde met me te praten. 'Papa doet zijn best, Ethie. Echt waar.' Hij vertelde me over de Anonieme Alcoholisten en dat hij met mijn vader was meegegaan naar de bijeenkomsten. 'Ik was ook kwaad op hem,' zei hij, 'maar ik weet dat hij zijn best doet.'

Ik wilde Frankie graag geloven toen hij zei dat we uiteindelijk weer allemaal samen zouden wonen en dat dit niet eeuwig ging duren. Maar dat had papa óók beweerd.

Bijna vertelde ik het hem, op dat moment. Bijna vertelde ik Frankie over het grote geheim van onze vader, dat ik nu ook kende. Ik wilde hem vragen: 'Als papa tegen mam heeft gelogen en haar nooit iets over Lily heeft verteld, waarom zouden we dan iets geloven van wat hij zegt?' Maar ik hield mijn mond en kropte het op. Waarom wist ik niet.

Ik had geen idee meer wie ik eigenlijk was. 's Ochtends als ik in de spiegel keek, herkende ik de persoon die me aanstaarde niet eens. En dat kwam niet alleen door mijn nieuwe haar, waarvan de kapster van tante Mildred had geprobeerd nog iets te maken. Op mijn nieuwe school voelde ik me ouder dan de kinderen in mijn klas. Ik negeerde hen en de rest van de wereld, en praatte tegen niemand. Zeker niet tegen mijn tante. Ik deed alles wat ze me vroeg, maar gaf alleen antwoord als ik werd toegesproken. Verder niets. Bovendien, nog erger, ik noemde haar niet langer 'tante' maar 'Mildred', en zag elke keer met genoegen hoe gekwetst ze zich daardoor voelde.

Op een zondagochtend, twee weken nadat ik bij hen was komen wonen, was tante Mildred bezig de afgevallen pruimen van de boom te verzamelen. Ik lag op de bank in de woonkamer, starend naar een leeg tv-scherm, net als mijn vader. Opeens stond oom Sid voor me, met een groot fotoalbum onder zijn arm. Ik had hem niet eens horen binnenkomen.

'Mag ik bij je komen zitten, Ethie?' vroeg hij.

Ik ging rechtop zitten en maakte plaats voor hem.

Hij liet zich naast me zakken en legde het album op zijn schoot. 'Ik dacht dat je misschien wat oude foto's van je vader en moeder zou willen zien,' zei hij met een glimlach. 'Je weet toch dat je moeder bij ons woonde toen je vader in de oorlog vocht?'

Ik knikte. Hij sloeg het album open en drukte de dikke zwarte bladen vlak. Mijn adem stokte bij een foto van mijn moeder die op het trapje van de veranda van mijn oom en tante zat, met haar kin in haar handen.

Oom Sidney haalde het kiekje uit de fotohoekjes. 'Ik weet nog dat ze daar op de postbode zat te wachten,' zei hij, terwijl hij me de foto gaf. 'Meer dan twee jaar lang, elke ochtend. Ze zat altijd op dat trapje of in de hal, als het regende, hopend op een brief die in de bus zou glijden met het bericht dat je vader nog gezond en wel was. Hij heeft in de oorlog in Hongkong gevochten,' zei hij. 'Wist je dat?'

Ik beet op mijn lip en haalde mijn schouders op, terwijl ik mams foto bekeek.

'De eerste twee jaar na de gevechten,' ging hij verder, 'kregen we helemaal geen nieuws. Ik probeerde mijn contacten in Ottawa te gebruiken om lijsten met slachtoffers en gevangenen te krijgen, maar die waren niet compleet. Toch wist je moeder het precies. Ze heeft nooit een minuut getwijfeld. Dat eerste jaar, op nieuwjaarsdag, kwam ze naar beneden en vertelde ze ons dat ze midden in de nacht je vaders stem had gehoord. Glashelder. Ze zwoer dat hij haar had gezegd dat het goed met hem ging. Toen er eindelijk een brief van het ministerie van Oorlog kwam, wilde de postbode hem niet in de bus gooien. Hij klopte aan en gaf hem haar persoonlijk.'

Hij sloeg het blad om. 'De *Admiral Hughes*,' zei hij, wijzend naar een foto van een schip dat de kade naderde. 'Het Amerikaanse troepentransportschip waarop je vader naar huis kwam. We zijn met je moeder naar de pier gegaan om hem af te halen.'

Ik bestudeerde de gezichten van de soldaten die op de boot stonden te zwaaien.

'Je vader staat er niet op. Ik heb hem toen niet gefotografeerd. Na vier jaar in een gevangenkamp was hij niet veel meer dan een geraamte toen hij van de loopplank kwam. Je moeder en je tante wilden hem niet naar het veteranenziekenhuis laten gaan. We namen hem mee naar huis, en samen hebben ze hem verzorgd tot hij er weer bovenop was.' Hij keek op me neer. 'Ik weet dat je tante soms streng kan zijn,' ging hij verder, 'maar ze was ooit een heel goede en lieve verpleegster. Je vader zal de eerste zijn om dat te bevestigen.' Hij dacht even na. 'Misschien zou het beter zijn geweest als ze was blijven werken. Maar we hoopten op kinderen. Toen trok je moeder bij ons in, en na de oorlog... ach, toen had Mildred gewoon de energie niet meer om helemaal overnieuw te beginnen.'

Hij richtte zijn aandacht weer op het album en wees op een foto van hen allemaal, aan een eettafel, de eerste Kerstmis na mijn vaders terugkeer. 'Toen hij thuiskwam, snakte hij naar broodjes sardine, wist je dat? Hij kon er geen genoeg van krijgen. Of van wat dan ook, eigenlijk.' Hij grinnikte. 'Op een avond had je tante rijst gekookt, zonder erbij na te denken. Toen ze het op tafel zette, drong het opeens tot haar door en maakte ze haar excuses. "Je zult daar wel genoeg rijst hebben gekregen," zei ze, en ze haalde de schaal weer weg. Maar je vader vroeg haar om de rijst te laten staan. "Het probleem was dat we er nooit genoeg van kregen," zei hij.'

Ik wist dat hij me dat allemaal vertelde over mijn tante en mijn vader omdat hij hoopte dat ik meer begrip voor hen zou krijgen, maar ik luisterde maar met een half oor. Ik kon nog steeds niet geloven dat mijn vader vier jaar in een gevangenkamp had gezeten.

38

Het was voorbij. Gekleed in niets anders dan een grijze lendendoek en de rafelige restanten van zijn hemd stond Howard in de deuropening van de ziekenboeg en tuurde door de motregen naar de Amerikaanse vrachtvliegtuigen die over het kamp vlogen. Parachutes tekenden zich af tegen de grauwe hemel en zweefden als zorgeloze bloemen naar de grond. Daaronder hingen vaten en kisten in alle soorten en maten, waarvan een groot aantal meteen openbarstte toen ze de grond raakten, zodat de levensreddende inhoud zichtbaar werd. Blikvoedsel, chocoladerepen, sigaretten en medische voorraden lagen in en om het kamp verspreid. Het Amerikaanse vertoon van overvloed en vrijgevigheid, na die eindeloze jaren van gebrek, maakte Howard en veel gevangenen op het exercitieterrein een moment sprakeloos. Anderen renden naar de kostbaarheden toe en stortten zich erop. Ze propten de chocola in hun mond en probeerden zo veel mogelijk perziken in blik bij elkaar te graaien.

Toen de vrachtvliegtuigen waren vertrokken, kwamen de jagers, die triomfantelijk en met veel machtsvertoon een paar duikvluchten uitvoerden. Amerikaanse adelaars, spelend op de wind.

Onwillekeurig vergeleek Howard deze vliegshow met die van de verouderde vloot die de tweeduizend gretige jonge Winnipeg Grenadiers en Royal Rifles vier jaar geleden in Hongkong had verwelkomd. Nu waren er in Sham Shui Po geen vierhonderd Canadezen meer over om de bevrijders toe te juichen. Ruim duizend van hun kameraden waren de afgelopen twee jaar naar Japan overgebracht. Hoeveel van hen hadden het overleefd om deze dag nog mee te maken?

Maanden geleden had de verborgen radio het nieuws gemeld over het einde van de oorlog in Europa en de verheviging van de strijd in de Pacific. De Amerikaanse armada was heer en meester op zee. Japan lag onder een blokkade en de burgers leden honger. Brandbommen op Tokio hadden grote delen van de stad in de as gelegd, met honderdduizend doden.

Het is nu nog maar een kwestie van tijd. Volhouden. Volhouden.

Op 13 augustus hadden de Japanse bewakers hun wapens neergelegd. Voordat ze uit het kamp verdwenen had de vriendelijke kleine bewaker van hun werk op het vliegveld van Kai Tak met een van verdriet verwrongen gezicht aan Howard verteld dat een bom, één bom maar, een hele Japanse stad had verwoest. Twee dagen later had een tweede bom hetzelfde gedaan met een andere stad.

Kon dat waar zijn? Gered door de dood van honderdduizenden burgers? Het maakte niet uit aan welke kant je stond, dacht Howard. Deze oorlog had dwars door de ziel van de mens gesneden en zijn dierlijke inborst blootgelegd. Maar eindelijk was het voorbij. Deze voorstelling aan de hemel vormde voldoende bewijs.

Hij had niet geweten wat hij zou voelen wanneer – nee, áls – dat moment ooit zou aanbreken. Nu het zo ver was, voelde hij zich merkwaardig leeg. Geen opwinding, geen uitbundige vreugde, helemaal niets.

Boven hun hoofd fladderden witte papieren achter de jagers aan. Als reusachtige sneeuwvlokken vulden ze de hemel en zweefden ze omlaag terwijl de toestellen met hun vleugels wipten als teken van triomf. Daarna verdwenen de Amerikaanse vliegtuigen een voor een terug naar zee. Sommige scheerden zo laag over het terrein dat Howard zelfs door de regen heen de geschilderde pin-upgirls op de romp kon herkennen, onder de grijnzende gezichten van de piloten. Opeens vloog er een donkere bundel uit een cockpit, die door de lucht tuimelde en nog geen anderhalve meter van Howards barak op de grond terechtkwam. Hij liep erheen en haalde het bomberjack uit de modder. Op zijn knieën gezeten sloeg hij het om zijn bevende schouders. Toen de warmte hem omarmde, voelde hij iets in de binnenzak. Hij stak zijn hand erin en haalde een opgevouwen vel papier tevoorschijn.

Bericht aan de geallieerde krijgsgevangenen. Het pamflet, en alle andere die nu om hem heen neerdaalden, bevestigde de onvoorwaardelijke overgave van Japan. Het was een instructie aan de gevangenen om in het kamp te blijven totdat de humanitaire en medische autoriteiten waren gearriveerd. De Britse en Amerikaanse Pacific-vloot was onderweg. Het pamflet was ondertekend door de Amerikaanse luitenant-generaal A.C. Wedemeyer.

Hij keek wat scherper. Onder de officiële tekst was nog iets in potlood geschreven. Howard kreeg een brok in zijn keel toen hij de hanenpoten las: *Een groet van Wing Commander Gregory Jonas uit Little Rock, Arkansas. Welkom terug in een vrije, betere wereld.*

Een betere wereld? En vrij? Zou dat mogelijk zijn?

Howard raakte zijn borstzakje aan en voelde de geruststellende brief die hij op zijn hart bewaarde, een brief die hij had gekregen kort nadat de laatste groep Canadezen naar Japan was overgebracht, bijna twee jaar geleden.

Sinds de dood van Shun-ling had Howard geweigerd nog een woord te wisselen met de Japans-Canadese tolk, of zijn bestaan zelfs maar te erkennen. De afranselingen om zijn beledigende houding had hij verdragen, nee, verwelkomd. Toen Ken Campbell naar Japan was afgevoerd, had Howard maandenlang op zijn brits liggen wegkwijnen. Op een morgen, toen hij wakker werd, stond de tolk over hem heen gebogen met een blauwe luchtpostenvelop in zijn hand. Iets in Howard brak toen hij het vertrouwde handschrift zag. Op dat moment deed niets – het leven, de dood, zelfs de haat – er meer toe, behalve die brief. Hij stak zijn hand uit.

De sergeant boog zich nog dichter naar hem toe en verleidde hem met de nabijheid van Lucy's woorden. 'Zeg mijn naam, en je krijgt hem,' fleemde hij. 'Alleen mijn naam.'

Howard voelde zijn ziel in zijn binnenste kermen en forceerde zijn droge keel om stem te geven aan de naam van de tolk. Maar het lukte hem niet.

Hij draaide zich op zijn zij. In de stilte die volgde hoorde hij de man nijdig zuchten. Hij wachtte op de klap met de riem tegen zijn rug, de laars die hem uit zijn bed zou schoppen. Maar er gebeurde niets. Even later hoorde hij hoe zijn kwelgeest de barak uit stormde. Howard zag hem nooit meer terug.

Uiteindelijk was het niet zijn hoop voor de toekomst of zijn dromen over vrijheid die Howard in leven hielden. Het was de ongecensureerde brief die de tolk op zijn brits had gegooid.

Hij kende hem uit zijn hoofd.

15 december 1942

Liefste Howard,

Zoals altijd bid ik dat deze brief je gezond en wel zal aantreffen. Ik heb nog altijd geen bericht ontvangen, maar ik voel je in mijn hart en ik hoop dat je tenminste een paar van mijn brieven hebt gekregen...
Sidney en Mildred hebben beloofd dat ze heel veel foto's zullen maken van Frankies eerste Kerstmis. Kun je geloven dat onze zoon al bijna zes maanden oud is? Ik geloof het zelf bijna niet, terwijl ik hem elke dag zie groeien. Hij lijkt zo op jou, mijn schat...
Beloof me dat je alles zult doen wat nodig is om hier doorheen te komen. Wij – hoe vreemd en heerlijk om 'wij' te kunnen zeggen in plaats van 'ik' – hebben je nodig. Kom naar huis.

Je liefhebbende vrouw,
Lucy

39

'Ik heb altijd vermoed dat je vader zo veel van Birch Bay hield door de manier waarop de Amerikanen met de Canadese overlevenden zijn omgegaan, op weg naar huis,' zei oom Sidney, terwijl hij een blad van het fotoalbum omsloeg. 'Jarenlang werden ze als beesten behandeld, nu als goden.'

De volgende twee bladen bevatten allemaal kiekjes van Frankie als baby en kleuter, met mijn moeder, mijn tante, of allebei. Een groot aantal kende ik van thuis, maar ik zei niets, omdat ik al die nieuwe informatie over mijn vader nog moest verwerken.

'Frankie was drieënhalf toen je vader thuiskwam,' ging oom Sidney verder. 'Tot die tijd was hij door je moeder en je tante opgevoed. Ik weet zeker dat hij een tijd niet eens wist wie zijn moeder was. Je moeder noemde hij mama en Mildred was mam-mam. Je tante was gek op hem. Het was heel moeilijk voor haar toen hij het huis uit ging. Voor mij ook, moet ik bekennen.'

Glimlachend keek hij naar een foto van papa die Frankie op zijn knokige knieën hield. 'Vanaf het moment dat je vader van de boot kwam, had die jongen alleen maar oog voor hem. Hij volgde hem als een schaduw. Toen ze een eigen huis kregen, was Frankie altijd van streek als je tante op bezoek kwam, bang dat ze hem bij zijn vader vandaan zou halen. Nog een hele tijd rende hij weg om zich te verstoppen zodra hij haar zag binnenkomen. Dat brak haar hart.'

Ik snoof en leunde naar achteren, met mijn armen over elkaar.

'Ik weet dat je nu boos op haar bent, Ethie,' zei oom Sidney rustig, 'maar je moet ook haar kant begrijpen. Ze hield zielsveel van je moeder, haar zus, en ze houdt net zo veel van jou. En wat je ervan mag denken, ze probeert het beste te doen voor jou, voor Frankie en...'

'En voor Kipper?' vroeg ik.

'Ja, op haar eigen manier wel,' zei hij. 'Ik ben het misschien niet met haar eens, maar zij vindt dit echt de beste oplossing voor hem. Toen Kipper werd geboren, zag je tante een toekomst van verdriet en problemen voor je moeder in het verschiet liggen. Vanaf de eerste dag heeft ze geprobeerd haar te overreden om hem af te staan. Gelukkig hebben zij en je vader dat nooit overwogen, nog geen seconde.'

'Waarom kan ze niet van hem houden?'

'Ze weet niet hoe, denk ik. Sommige mensen zijn bang voor verschillen. Zo iemand is je tante. Ik heb altijd gehoopt dat ze na verloop van tijd over die verschillen heen zou kunnen kijken. Wie zou er nu niet van Kipper houden als je hem kent?'

Ze probéért hem niet eens te leren kennen, dacht ik, maar voordat ik het kon zeggen, hoorde ik voetstappen op de veranda, gevolgd door de stem van mijn tante die papa's naam riep.

Ik sprong op van de bank en rende de gang in. De voordeur vloog open toen ik bij de trap was. Ik legde mijn hand op de leuning en keek snel over mijn schouder naar mijn vader, die in de deuropening stond. Tante Mildred rende achter hem aan. 'Howard, we hadden toch afgesproken dat je eerst zou bellen?'

Hij negeerde haar en stapte naar binnen. Zijn ogen bleven op me rusten. Iets in zijn blik deed me verstijven. 'Het is Kipper,' zei hij.

40

Weer moest Frankies geheugen de lege plekken voor me invullen. Elke dag sinds tante Mildred ons had weggehaald, vertelde hij, zette papa een kruisje op de kalender naast de telefoon. Weer een dag niet gedronken. Weer een dag zonder zijn gezin. De dagen verstreken pijnlijk langzaam, en eindigden bijna altijd hetzelfde: met mijn kwetsende, zwijgende weigering om hem te zien.

'Ze is net zo koppig en vasthoudend als haar moeder,' zei hij tegen Frankie. 'Maar dat zwijgen heeft ze van mij geleerd.'

'Gun haar de tijd,' zei Frankie. 'Ze draait wel bij.'

Op zijn werk gebruikte papa de betaaltelefoon in de kantine om elke dag naar Sunnywoods te bellen. Kippers nieuwe thuis kende de regel dat nieuwkomers de eerste dertig dagen geen bezoek mochten ontvangen, zodat ze aan hun omgeving konden wennen, zei tante Mildred. 'Hoe heb ik kunnen accepteren dat ik hem een maand niet mag zien?' verweet papa zichzelf steeds weer.

De receptioniste van het tehuis begon zijn stem te kennen en verbond hem zonder commentaar met de directrice door. Aanvankelijk stond mevrouw Crossly hem beleefd maar onverschillig te woord. Ja, Christopher paste zich goed aan. Nee, hij had geen heimwee. Astma? Dat zullen we onderzoeken. Nee, de familie mocht pas komen na dertig dagen. Zo waren de regels, en je moest de jongen niet in verwarring brengen.

Na die eerste week van beleefdheid werden de antwoorden op papa's vragen steeds korter. Na tien dagen liet mevrouw Crossly duidelijk doorschemeren dat hij niet constant moest bellen. Toen, op vrijdag, maakte ze hem op ongeduldige toon een verwijt over zijn voortdurende telefoontjes, die volgens haar alleen zijn eigen gemoedsrust dienden en verder nergens goed voor waren. Ze wenste niet meer van hem te horen tot aan het einde van die dertig dagen, verklaarde ze. 'Als er problemen zijn, zullen we u wel bellen.' En daarmee hing ze op.

Dat telefoontje kwam op zondagochtend om tien uur.

De angst sloeg Frankie om het hart toen hij zijn vaders donkere gezicht zag nadat hij had opgenomen. 'Nee, hier is hij niet. Hoe bedoelt u, *aan de wandel?* Wanneer? ... En hoe lang al? *De hele nacht?* We komen eraan,' schreeuwde hij, en hij gooide de hoorn erop.

De forse verpleger die de zware deuren van Sunnywoods opende maakte op Frankie meer de indruk van een uitsmijter in een zeemanskroeg. Met een grimmig gezicht en een rinkelende sleutelbos aan zijn riem nam hij hen mee door een schemerige gang. De metaalachtige echo's van de deuren die achter hen in het slot vielen volgden hen door de verlaten gangen.

Op het kantoor van de directrice bleven papa en Frankie voor het bureau van mevrouw Crossly staan. Zij kwam niet overeind. Frankie werd woedend om het bizarre feit dat deze vrouw, die al sinds gisteren wist dat Kipper vermist werd, de tijd had genomen zich uitvoerig op te maken en haar haar te doen, dat onberispelijk was opgekamd. Ongelovig luisterde hij naar haar verslag, alsof het om een klein ongemak ging.

'Waarom hebt u me pas zo laat gebeld?' wilde papa weten.

'We gingen ervan uit dat hij wel terug zou komen,' zei ze. 'We wisten bijna zeker dat hij zich pruilend in het gebouw had verstopt.'

'Pruilend?'

'Nou,' snoof ze, 'hij had een standje gekregen en was eh... in bedwang gehouden, zal ik maar zeggen. Wegens agressief gedrag.'

'Agressief?' snauwde Frankie. 'Kipper?'

Ze negeerde hem en richtte zich tot papa. 'Ja. De jongen heeft een van onze medewerkers gebeten.'

'Mijn zoon heeft nog nooit van zijn leven iemand gebeten.'

'Nu wel, dat verzeker ik u. Hoe dan ook,' ging ze verder, 'het personeel heeft de hele middag en avond het gebouw en het terrein doorzocht. Zoals ik al zei, we waren ervan overtuigd dat hij wel zou opduiken. Toen we hem tegen het donker nog altijd niet hadden gevonden, hebben we de politie gewaarschuwd. Op dat uur had het weinig zin om u te bellen. Wat had u nog kunnen doen?'

'Ik had misschien mijn zoon kunnen vinden, voordat hij een nacht in zijn eentje had moeten doorbrengen, God mag weten waar,' zei papa. 'Ik wil met het personeel praten. En met al zijn vrienden hier.'

'Dat heeft de politie al gedaan. En ik sta niet toe dat u mijn mensen nog verder lastigvalt. Uw zoon heeft al genoeg problemen veroorzaakt. De jongen is gewoon te eigengereid voor zijn eigen bestwil.' Ze stond op en liep naar de deur als teken dat het gesprek ten einde was. 'Ik weet zeker dat ze hem zullen vinden. Als hij genoeg honger krijgt, komt hij hier wel terug of vindt hij zijn weg naar huis. Ga daar maar heen om op hem te wachten. Als hij hier verschijnt, zullen we u bellen.'

'Nou, één ding is zeker,' zei papa. 'Hier komt hij niet terug.'

Buiten, op het parkeerterrein, stapte er een man achter de heg bij papa's auto vandaan. Met gebogen schouders kwam hij op hen toe. 'Bent u familie van Kipper?' vroeg hij.

'Ja,' antwoordde Frankie. 'En wie bent u?'

De ogen van de man gingen nerveus van de een naar de ander. 'Ik werk hier,' zei hij tegen papa. 'Nou ja, nu nog.' Hij keek over zijn schouder en kwam wat dichterbij. 'Kipper is niet zomaar "aan de wandel" gegaan. Dat wilde ik u vertellen,' zei hij zacht. 'Hij is weggelopen. We vonden een open raam in het washok in de kelder. Daar moet hij doorheen zijn gekropen, naar buiten.'

'De directeur zei dat hij in bedwang was gehouden. Wat betekent dat precies?' vroeg papa.

'U hebt het niet van mij, maar ze hebben zijn polsen 's nachts aan het bed gebonden om te voorkomen dat hij op zijn duim zou zuigen.'

'Wat?' zei Frankie. 'Kipper heeft in geen jaren meer duimgezogen.'

De man schrok van Frankies luide stem. 'Nou, hier wel,' zei hij. 'Een paar avonden geleden hielden we inspectie op de slaapzalen voordat het licht uitging, en zagen we dat hij aan zijn riemen knaagde. Een van de medewerkers wilde ze wat strakker aantrekken en Kipper beet per ongeluk in zijn hand.' Zijn blik ging schichtig naar het gebouw en toen naar papa. 'Hebt u enig idee wat ze hier doen met bewoners die bijten?' vroeg hij. En hij voegde er zachtjes aan toe: 'Uw zoon wel.'

Toen de jongeman verdwenen was, staarde papa omhoog naar het grote huis van drie verdiepingen, met de witgekalkte gevel stralend in de ochtendzon. Een leugen, want de getraliede ramen lagen in de schaduw.

'Ik ben hier zo dikwijls voorbijgereden,' zei hij hardop. 'Hoe heb ik zo blind kunnen zijn?'

Toen pas zag Frankie de asgrauwe gezichten achter de vensters. Van een afstand was onmogelijk te zien of ze jong of oud waren, man of vrouw, of slechts een speling van het licht. Maar hij kon zich niet losmaken van dat beeld, al die gekwelde ogen die hem vanuit het donker aanstaarden.

Papa rukte het portier van de auto open. 'Kipper is niet zomaar weggelopen,' gromde hij. 'Hij is ontsnapt.'

41

Tante Mildred protesteerde niet toen papa zei dat hij me meenam om Kipper te gaan zoeken. 'Als iemand kan bedenken waar hij is, ben jij het wel, Ethie,' zei hij, terwijl ik met trillende vingers de veters van mijn gympen strikte. 'Ik heb altijd gedacht dat je een zesde zintuig had voor je broer.'

Ik werd steeds angstiger toen ik hem en Frankie aan mijn oom en tante hoorde uitleggen wat er was gebeurd. Hoe had Kipper zich moeten redden, moederziel alleen in de nacht? En erger nog, hij had niet eens zijn inhalator bij zich.

Frankie haalde hem uit zijn zak. 'Een man die daar werkt heeft hem ons gegeven, op het parkeerterrein. Hij zei dat de directrice het niet goed vond dat hij ermee rondliep. Het was zijn "reddingsboei", geloofde ze. Zijn astma-aanvallen waren psychisch.'

'God!' vloekte oom Sidney. Hij inspecteerde de inhalator en gaf hem weer terug.

'Ik had dat mens wel kunnen wurgen,' zei Frankie, terwijl hij de puffer in zijn zak stak.

'Dat idee had ik ook,' mompelde papa.

Ik was klaar met mijn veters en sprong op.

'Neem een jas en een trui mee,' zei mijn vader. 'We weten niet hoelang dit gaat duren.'

Ik griste mijn jack van de kapstok.

Tante Mildred staarde in paniek van de een naar de ander. 'Wij gaan mee,' zei ze, met verstikte stem.

'Nee, dat is niet nodig,' zei papa. Hij opende de deur.

'Maar...'

'Mildred.' Er klonk een waarschuwing in oom Sidneys stem. Hij kneep mijn vader even in zijn schouder. 'Zeg maar wat we kunnen doen om te helpen, Howard.'

'Als jullie naar ons huis willen gaan? Daar moet ook iemand zijn. Voor het geval dat.'

Ik zat op de voorbank, tussen papa en Frankie, toen we over Marine Drive naar Sunnywoods reden. Het tehuis lag bij de grens tussen Burnaby en New Westminster, maar een paar kilometer van ons huis. Als ik precies wist waar Kipper was vertrokken, dacht papa, zouden we vanaf dat punt kunnen bedenken waar hij naartoe was gegaan.

Frankie staarde door zijn raampje naar het modderige water van de rivier de Fraser, naast de weg. 'Zou hij naar de rivier zijn gelopen, Ethie?'

Mijn maag kromp samen. Ik kon niet helder denken. *Nee. Nee. Waarom zou hij?* 'Ik denk het niet,' fluisterde ik. Ik wilde er niet eens over nadenken. 'Daar zijn we nooit geweest.'

Toen we langs Victoria Drive kwamen, herkende ik de bochtige straat. Ik schoof heen en weer op de bank en tuurde naar de dichte struiken links van ons.

'We zagen Danny Fenwick nog toen we wegreden,' zei papa. 'Hij zou een paar vriendjes optrommelen om de buurt te doorzoeken. Kun je nog een andere plek verzinnen waar Kipper zou kunnen zijn?'

'De golfbaan,' antwoordde ik meteen. 'Daar hebben we naar golfballen gezocht. Danny heeft een boomhut in de bosjes daar.' Ik struikelde bijna over mijn woorden. 'Dat is een idee. Misschien heeft hij vannacht in die boomhut geslapen.'

Bij het volgende kruispunt sloegen we af. Ik wees papa de weg door de doolhof van nieuwe straten, half afgebouwde huizen en braakliggende veldjes boven Marine Drive, tot aan de zandweg naar de bossen rond de golfbaan. 'Daar is Danny's boomhut.'

Papa draaide het pad op. De banden wierpen het grind omhoog toen hij zijn stuur rechttrok. Op het moment dat we over de heuvel kwamen, werd ik heel even verblind door de reflectie in een spiegeltje beneden. De Hudson remde af tot een slakkengang en stopte toen. De open plek bij het bos leek wel een parkeerterrein. De middagzon glinsterde in de voorruiten, grilles en motorkappen van alle auto's die er stonden. Frankie boog zich naar voren en tuurde uit het raampje.

'Dat zijn onze buren,' zei papa.

Hij gooide zijn portier open en we renden naar de menigte die zich had verzameld achter een pick-up. Mijn vader had gelijk. Mevrouw Fenwick, de Mansons, de Jacksons, de Blacks... iedereen uit Barclay Street, iedereen die op mams begrafenis was geweest, stond hier nu ook. Zelfs de jongen met wie ik had gevochten om de lege flessen legde net zijn fiets neer en sloot zich bij de anderen aan.

Dora Fenwick zag ons aankomen en liep haastig naar ons toe. Danny had het nieuws over Kipper in de hele buurt verteld, zei ze, toen we naar de pick-up liepen. Ardiths vader, een brandweerman, organiseerde de zoektocht in dit gebied. De menigte liet ons zwijgend door naar de achterkant van de auto, waar meneer Price een kaart had uitgespreid. Zonder iets te zeggen gaven papa en hij elkaar een hand.

Opeens dook Danny naast me op. Loensend schoof hij zijn bril wat hoger op zijn neus. 'Ik dacht dat hij misschien naar de boomhut was gegaan,' zei hij, duidelijk teleurgesteld. 'Maar ik heb net gekeken, en volgens mij is er niemand geweest.'

De hele middag waren we bezig het bos, de open plekken, de kreken en greppels te doorzoeken. Groepjes mensen waadden door het hoge gras, de distels en het kreupelhout. Ook gingen ze kijken bij de huizen in aanbouw. Naarmate het nieuws zich verspreidde, kwamen er steeds meer mensen helpen. De fabriek waar papa en Frankie werkten ging de rest van de dag dicht, zodat de medewerkers ook konden zoeken. Veel golfers kwamen van de fairways om mee te helpen. Met hun clubs sloegen ze een pad door de struiken. Kikkers en eekhoorns vluchtten weg. We vonden oude autobanden en een zwerfhond, maar geen Kipper.

Laat in de middag kwam onze groep bij de opening van een van de betonnen rioolbuizen.

'Waar komen die uit?' vroeg papa.

'Uiteindelijk bij de rivier,' antwoordde meneer Price.

'Ethie?' Papa keek naar mij.

'Nee. Daar gaat hij niet in,' verklaarde ik stellig, misschien té stellig, want papa knielde en keek me recht aan.

'Echt niet?' vroeg hij zacht. 'Of hoop je dat alleen maar? Hebben jullie ooit in die buizen gespeeld?'

'Ik wel, maar Kipper niet.' Mijn moeder zei altijd dat Kipper, als je het aan hem overliet, vanzelf de juiste beslissing zou nemen. En ik wist uit ervaring dat ze gelijk had. 'Nee, daar kruipt hij niet in. Zelfs niet met mij erbij. Toen Danny en ik daar speelden, is Kipper buiten gebleven.' *Buiten gebleven om met een stok huisjes in het zand te tekenen.*

'De hobbyshop!' riep ik, opeens met bonzend hart. 'Misschien is hij de stad in gegaan, naar de hobbyshop van Marlene.' Natuurlijk! Dat leek logisch. Hij was er zo vaak geweest met mam. Hij kende de weg, dat wist ik zeker.

Papa stopte bij de eerste telefooncel in Marine Drive. Door het open raampje hoorde ik hem praten. Hij vroeg meneer Telford om onmiddellijk naar de winkel te komen.

'Nee, het heeft niets met die schilderijen te maken,' zei papa ongeduldig. 'Kipper is verdwenen en misschien is hij daarheen gegaan.' Hij klemde zijn kaken op elkaar en ik zag een paar spiertjes trillen toen hij weer in de rede werd gevallen. 'Luister nou,' zei hij, zacht maar nadrukkelijk. 'We zijn daar over twintig minuten. Als u er niet bent, trap ik de deur in. Dat zweer ik u.'

Toen we in het steegje achter de winkel arriveerden, stond meneer Telford daar al bij zijn auto. Papa gooide het portier open en sprong naar buiten nog voordat de motor van de Hudson sputterend tot stilstand was gekomen. Hij wees naar een open raam, hoog in de zijgevel van het gebouw, en twee omvergeschopte metalen vuilnisemmers eronder.

'Jezus!' zei meneer Telford. Hij haalde een sleutel uit zijn zak en liep naar de deur.

'Opschieten!' riep mijn vader. Zodra de deur open was, wrong hij zich langs hem heen. Ik volgde hem op de hielen, terwijl meneer Telford achter ons het licht aandeed. We renden het gebouw door en zochten koortsachtig in alle ruimten, de winkel, de kasten, de wc's, terwijl we Kippers naam riepen.

Frankie en ik bleven staan in de deuropening van het atelier. 'Wat is dit?' riep Frankie, en hij rende het schemerige zaaltje binnen.

Meneer Telford deed het licht aan. 'Nou, hier is inderdaad iemand geweest, dat is wel duidelijk,' zei hij.

Frankie hurkte bij een bundel verflappen onder een tekentafel achter in het atelier. 'Alsof iemand tussen die lappen heeft geslapen,' zei hij. Toen hij een van de doeken optilde, viel er een groot zwart schetsboek uit, dat omgekeerd over de grond gleed.

Meneer Telford raapte het op. 'Het is van Marlene,' zei hij. 'De schetsen waarover ik u vertelde.' Hij gaf het boek aan mijn vader.

Papa kromde zijn rug, alsof opeens alle lucht uit zijn longen was verdwenen. Langzaam deed hij het boek weer dicht, maar niet voordat ik de potloodtekening had gezien. Een portret van mijn moeder. Opeens klikte er iets in mijn hoofd. 'Papa,' zei ik, en ik trok hem aan zijn arm. 'Ik weet waar hij is.'

42

De stralen van de ondergaande zon weerkaatsten in de betonnen gebouwen en donkere ramen van de binnenstad. Een rode gloed in het
westen beloofde voor de volgende dag mooi weer. Die belofte was er
niet voor de komende nacht. Ik had papa en Frankie niet nodig om
me te vertellen dat de tijd begon te dringen. Als we hem niet snel vonden, zou Kipper misschien nog een lange nacht in zijn eentje moeten
doorbrengen, zonder eten en – ik huiverde bij de gedachte – zonder
zijn inhalator.

Frankie reed. Hij stopte niet voor oranje of zelfs voor rood toen hij
met de Hudson door Granville Street racete. 'Als de politie ons achterna komt,' had papa tegen hem gezegd toen we in de auto sprongen,
'rij je gewoon door. We leggen het later wel uit.'

Nu zat hij naast me op de voorbank en spoorde me aan terwijl ik
hakkelend bekende waarom ik dacht dat we Kipper achter een kruidenierszaak in Chinatown konden vinden. 'Ik denk dat hij erheen is
gegaan om met mama te praten. Ik zei hem... wij zeiden hem... dat het
een plek was waar mensen met dode familieleden spreken.'

'Wij?'

En toen kwam het hele verhaal eruit, over het meisje in het parkje
aan de overkant, hoe we haar waren gevolgd op de dag van mams begrafenis en het kleine rode huisje in de tuin achter de winkel hadden
gezien. 'Kipper hield er niet over op. Hij wilde terug om het nog eens
te zien. Hij begon zelfs aan een tekening ervan. De tweede keer dat we
naar de stad gingen, zei ik daarom dat er spoken in woonden.'

'De tweede keer?' vroeg papa, duidelijk verbaasd. Ook Frankie keek
met grote ogen opzij, voordat hij zich weer op de weg concentreerde.

'Het spijt me,' stotterde ik. 'Ik weet...'

'Het geeft niet.' Papa klopte me op mijn knie. 'De tweede keer?'
drong hij aan.

Ik boog mijn hoofd en vertelde met horten en stoten dat Kipper een astma-aanval had gekregen toen we bij de winkel kwamen. 'Maar zijn inhalator was leeg. Het meisje nam ons mee naar het appartement boven, waar ze blaadjes kookte om hem meer lucht te geven.' Ik barstte in tranen uit, zonder op te kijken. 'Ik had dat niet moeten zeggen van die geesten,' jammerde ik. 'Ik had hem niet mee moeten nemen.' Papa nam me in zijn armen en snikkend lag ik tegen zijn borst.

'Het komt allemaal wel goed,' mompelde hij, terwijl hij me tegen zich aan drukte. 'We zullen hem wel vinden.'

Toen, na een paar seconden, vroeg hij zacht: 'Ethie? Hoe heette dat meisje?'

Ik ging rechtop zitten en streek met een hand over mijn ogen. 'Ik ben haar achternaam vergeten,' snotterde ik. 'Die heeft ze op een papiertje geschreven, met haar telefoonnummer. Het ligt nog in mijn koffer bij tante Mildred. Maar haar voornaam weet ik nog. Lily.'

Papa verstijfde alsof hij was gestopt met ademhalen.

'Het spijt me dat ik je niet over haar heb verteld.'

'Het doet er nu niet meer toe,' zei hij. Zijn stem brak. Hij schraapte zijn keel. 'Het belangrijkste is dat we Kipper vinden.'

Een paar straten verder flapte ik eruit: 'Ze heeft een foto van jou, met haar moeder. Ik heb hem gezien. Lily denkt... zij denkt...' Weer boog ik mijn hoofd.

'Wat denkt ze?' drong papa aan. 'Het geeft niet, Ethie. Je kunt het me rustig vertellen.'

'Ze denkt dat jij haar... haar vader bent,' fluisterde ik.

De auto begon te slingeren. 'Wát?' zei Frankie, voordat hij het stuur weer onder controle had.

Papa tilde mijn kin op. 'Ethie, kijk me aan,' zei hij, terwijl hij met zijn duim de tranen van mijn wangen veegde. Ik deed het, en de lege ruimte tussen ons was verdwenen.

De rest van mijn leven zou ik me het blauw van papa's ogen herinneren, die dag. En het licht dat ik daarin zag. Het verdriet was er nog steeds, achter dat licht, het verdriet om mama, en zijn angst om Kipper, maar toen hij me aankeek wist ik dat ik deel uitmaakte van dat licht.

'Ik heb maar één dochter,' zei hij zacht, 'en dat ben jij, Ethie. Ik ben niet Lily's vader.'

'Maar... maar hoe zit het dan met het geld dat je haar elke maand stuurde?'

Weer keek Frankie opzij, maar hij zei niets.

'Dat is een lang verhaal,' zuchtte mijn vader, 'en ik beloof jullie dat ik het zal vertellen. Ooit. Maar laten we ons nu op Kipper concentreren.'

We hoorden hem al voordat we hem zagen. Zodra we het houten hekje achter de winkel openduwden, drong zijn oppervlakkige, moeizame ademhaling tot ons door.

In drie snelle stappen was papa de tuin door naar het kleine huisje, met Frankie en mij op zijn hielen. We vonden Kipper ineengedoken op de hoek van de kleine veranda, met gesloten ogen en piepende longen, die vochten om lucht te krijgen langs zijn gezwollen tong. Papa knielde en tilde hem in zijn armen. Kippers oogleden knipperden open, en er gleed een zwak lachje om zijn gebarsten lippen. 'Hoi, pap,' zei hij hees. 'Mam zei al dat je zou komen.'

Papa drukte zijn lippen tegen Kippers grauwe gezicht. 'Je hebt gedroomd, jongen,' fluisterde hij. Nog steeds met Kipper in zijn armen draaide hij zich naar Frankie toe, die het mondstuk van de inhalator tussen Kippers geopende lippen stak. Met elk pufje ademden hij en mijn vader diep mee, alsof ze zo het medicijn nog beter in Kippers geblokkeerde longen konden blazen.

'Ik zal Lily halen,' zei ik.

43

De ontmoeting – papa's onverwachte confrontatie met zijn verleden – werd overschaduwd door Kippers moeizame ademhaling.

'Breng hem naar boven,' zei Lily, zodra ze hem zag. In de keuken boven de winkel stond dezelfde vrouw als de vorige keer weer achter het gasfornuis, en opnieuw schepte ze blaadjes in een pan kokend water. Toen knikte ze in de richting van de huiskamer.

Papa en ik gingen op de bank zitten, met Kipper tussen ons in geklemd, en Frankie vroeg of hij de telefoon mocht gebruiken. Lily bracht hem naar de gang. Terwijl hij de politie en oom Sidney belde om te melden dat we hem hadden gevonden, zag ik hoe Kipper als een lappenpop tegen onze vader aan hing.

Hoe had hij zo ver kunnen lopen zonder dat iemand hem had opgemerkt? In zijn wijde overall met zijn grijze shirt en zijn kaalgeschoren hoofd vol wondjes en korstjes, leek hij nog het meest op de gevangenen die in het veld werkten op de boerderijen in het Fraserdal.

Lily kwam binnen met handdoeken, die ze op het koffietafeltje legde. Ze hield er een omhoog en Kipper tilde zijn hoofd op, zodat ze de doek over zijn schouders kon leggen. Terwijl ze bezig was, glimlachte papa weemoedig tegen haar. 'Je bent precies je moeder,' zei hij zacht.

Opeens verlegen sloeg Lily haar donkere ogen neer. De vrouw in de keuken, achter haar, keek op toen ze het dampende mengsel in een kom op de tafel schonk. Boven de stoom kruiste haar blik die van mijn vader.

'Shun-qin?' vroeg hij.

Ze knikte zwijgend en ging verder met haar werk. Even later zette ze de pan op het vuur terug, bracht de kom naar de huiskamer, zette hem op het tafeltje en verdween weer naar de keuken.

Lily stak een arm uit en trok de handdoek over Kippers hoofd. Hij glimlachte tegen haar en boog zich voorover om de stoom in te ademen.

'Je hebt hier ervaring mee, zie ik,' lachte papa.

'Ja, pap,' klonk Kippers gedempte stem van onder de handdoek. 'Dit maakt me snel weer beter.'

'Een kwartiertje en hij heeft weer lucht,' zei de vrouw in de keuken, en ze zette glazen met thee voor ons neer.

'Shun-qin,' zei mijn vader verbaasd, 'je kunt praten.'

'Als je een kind opvoedt, zul je wel moeten.'

Terwijl Kippers ademhaling hoorbaar lichter ging, dronk ik mijn thee. Ik keek om me heen, naar Frankie, die kaarsrecht en verbijsterd op een stoel zat, en naar Lily, die op de vloer naast het koffietafeltje knielde, beschermend over Kipper heen gebogen. Zo nu en dan tilde ze de doek op om te kijken hoe het ging.

'Dank je dat je hem zo goed helpt, Lily,' verbrak papa abrupt de stilte. 'Nu en de vorige keer.'

Ze keek hem aan en glimlachte verlegen.

'Je moeder bracht kruiden voor je vader in het gevangenkamp in Hongkong.' Hij haalde diep adem, alsof hij over zijn volgende woorden nadacht. Toen vervolgde hij: 'Helaas kwamen ze voor hem te laat. Maar heel veel andere soldaten, ik ook, hebben hun leven te danken aan haar gesmokkelde medicijnen.'

Hij keek op naar Shun-qin, die in de deuropening van de keuken stond. 'Hoe is het met onze vriend, Ah Sam?' vroeg hij voorzichtig.

'Gestorven,' antwoordde ze. 'Al heel wat maanden geleden.'

'Het spijt me dat te horen. Hij was een goed mens.' Hij richtte zich weer tot Lily. 'Ik had je in het parkje gezien,' zei hij. 'Maar ik maakte mezelf wijs dat ik het me verbeeldde, dat ik me iets in mijn hoofd haalde. Nog jaren na de oorlog dacht ik dat iedere Aziatische vrouw die ik zag op je moeder leek.' Hij zweeg een moment en vroeg: 'Heb je mijn adres van Ah Sam gekregen?'

'Nee, van zijn neef. Hij wist niet dat het geheim was.' Ze keek naar haar handen en toen weer naar papa, met tranen in haar vochtige ogen. 'Het spijt me dat ik die dag naar uw huis ben gegaan. Ik heb u ongeluk gebracht. Als ik niet met uw vrouw had gesproken, zou ze misschien...'

Papa verbleekte. 'Nee.' Hij hief een hand op, alsof hij Lily het zwijgen wilde opleggen. 'Nee,' herhaalde hij. Het verdriet in dat ene woordje vulde die hele, stille kamer.

44

De uitdrukking op Lily's gezicht bezorgde Howard een brok in zijn keel. De afgelopen zeventien jaar was hij elke morgen wakker geworden met dezelfde gedachte die hij nu bij haar herkende. Zeventien jaar, die voorbij waren gegaan in een waas van spijt. *Als. Als ik maar...*

Als hij Shun-ling maar vóór die nacht over Gordy zou hebben verteld. Als hij haar had verboden nog naar het kamp te komen. En daarbij kwam nu het verdriet dat Lucy nooit op dat zeiljacht terecht zou zijn gekomen als hij haar al jaren geleden de waarheid zou hebben verteld.

Hij keek in de ogen van Gordy's en Shun-lings dochter en wist dat hij het aan hen verplicht was Lily te beschermen tegen net zo'n schuldgevoel – de bijgelovige gedachte dat haar komst een tragedie had veroorzaakt in zijn gezin. Hij schudde zijn hoofd. 'Nee,' zei hij. 'Lucy's dood was een ongeluk, een verschrikkelijk ongeluk. Jij had er niets mee te maken en je had het onmogelijk kunnen voorkomen. Als Lucy het kon, zou zij de eerste zijn om je te zeggen dat het niets anders was dan het noodlot, een "voorgenomen besluit van de hemel", zoals zij het noemde.' Nu hij het zichzelf hoorde zeggen, zoals het bij hem opkwam, besefte Howard dat ook hij een manier moest vinden om dat te geloven. Hij zou meer moeten doen dat alleen de woorden van een uit zijn hoofd geleerd gebed te herhalen om de feiten te aanvaarden die hij niet kon veranderen.

Op dat moment zag hij het fotootje in de hoek van het kastje met snuisterijen staan. Hij stond op van de bank en liep erheen. 'Mag ik?' vroeg hij. Uit zijn ooghoek zag hij Lily knikken. Zich bewust van haar blik pakte hij het oude sepiakleurige fotootje van de plank. Hij keek ernaar en liet de oude herinneringen bovenkomen, terwijl hij ergens in de stilte een klok hoorde tikken. Hij draaide zich om naar Lily en hield de foto omhoog. 'Deze man,' zei hij, wijzend naar Gordy, 'was je vader.' Hij keek Shun-qin aan. 'Wist je dat niet?' vroeg hij haar.

'Nee,' zei ze. 'Ik wist alleen dat een van de mannen Lily's vader was, en de ander een vriend van Shun-ling.'

Howard draaide zich om naar Lily. 'Je vader heette Gordy Veronick. Hij was mijn beste vriend. We waren samen opgegroeid. Hij heeft heel veel van je moeder en van jou gehouden.'

Lily's donkere ogen vulden zich met tranen. 'Is hij dood?'

'Ja. Helaas.'

'Maar u hebt steeds het geld gestuurd toen ik opgroeide?' vroeg ze, terwijl ze een ontsnapte traan wegveegde.

'Ja,' zei hij. 'Dat had ik je vader beloofd. En dat was ik je moeder verschuldigd,' voegde hij eraan toe.

'Die schuld is ingelost,' zei Shun-qin vanuit de deuropening van de keuken.

'Dat zal nooit zo zijn.'

'Wat mijn tante bedoelt,' zei Lily, 'is dat we geen financiële hulp meer nodig hebben. Ah Sam heeft haar geholpen haar geld verstandig te beleggen. We hadden genoeg om hiernaartoe te komen en deze winkel te kopen met onze andere oom. Zelf kan ik nu naar de universiteit. Daarom was ik naar uw huis gegaan. Om u te bedanken.'

'Ik wil ook naar ons huis,' jammerde Kipper van onder zijn handdoek.

Frankie schudde zich, alsof hij wakker werd uit een droom. Hij boog zich naar Kipper toe en kneep hem in zijn arm. 'Zo is dat,' zei hij. 'Ik mis mijn slapie.'

Lily keek naar Kipper. 'Volgens mij is het wel genoeg.' Ze nam de natte handdoek van zijn schouders, verving hem door een droge en wreef de damp van zijn hoofd. 'Mijn hoed!' riep hij, terwijl hij naar zijn kaalgeschoren schedel tastte. 'Ze hebben mijn hoed afgepakt.'

'Het spijt me, jongen,' zei Howard, en hij sloeg een arm om hem heen. 'Morgenochtend gaan we meteen een nieuwe kopen.'

Lily stond op, verdween door de gang en kwam even later terug met een pet. 'Hier, Kipper,' zei ze. 'Je mag deze hebben.' En ze gaf de pet aan hem. 'Het is een heel bijzondere. Hij was van mijn vader.'

Howard schrok bij het zien van zijn oude legerpet, die hij had gebruikt om Shun-ling het geld te geven bij de veerboot. Hij opende zijn mond om iets te zeggen, maar bedacht zich. Waarom zou hij haar deze herinnering, en dat gulle gebaar, ontnemen?

Lachend door zijn tranen heen trok Kipper de pet over zijn grijze schedel. 'Heel bijzonder?' vroeg hij.

'Ja,' zei Shun-qin, die niet naar Kipper, maar naar Howard keek. 'Mijn zus vertelde me dat die pet toebehoorde aan de man die haar hart veroverd had.'

45

Kipper en ik stapten met papa achterin voor de rit naar huis. 'Ze wilden al mijn tanden trekken,' zei Kipper slaperig toen we zaten. 'Dat is toch slecht, pap?'

'Reken maar,' zei papa. Hij sloeg een arm om ons heen en trok ons allebei tegen zich aan.

Kipper geeuwde. 'Je zei dat ik daar weg mocht als ik wilde,' zei hij, terwijl hij tegen papa aan leunde. 'Dat heb ik ook gedaan.'

'Absoluut.' Papa grinnikte. Hij omhelsde ons nog steviger en beloofde Kipper dat hij nooit meer terug hoefde naar Sunnywoods. 'Van nu af aan,' zei hij, 'blijft deze familie bij elkaar.' Maar Kipper sliep al.

Ik nestelde me tegen mijn vader aan en dacht aan wat hij Lily had verteld over haar familie: dat, zover hij wist, Gordy Veronick niemand meer had in Canada. 'Maar je vader en ik waren als broers,' zei hij tegen haar. 'En ik heb hem beloofd dat ik voor je zou zorgen. Dus zelfs als je geen financiële hulp meer nodig hebt, zal ik er toch voor je zijn, als je Canadese oom... als je wilt.'

'Pap,' fluisterde ik in het donker van de achterbank, 'ik vind Lily echt heel aardig.'

Hij kuste mijn kruin. 'Daar ben ik blij om, schat.'

In het spiegeltje zag ik lachrimpeltjes om Frankies ogen. Een paar straten verder verbrak hij de gonzende stilte in de auto. 'Je hebt het dus nooit aan mam verteld.'

Het was meer een constatering dan een vraag, maar ik wachtte toch op het antwoord.

'Nee,' zei papa zacht.

'Waarom niet?'

Na een heel lange tijd antwoordde papa: 'Dat weet ik eigenlijk niet. In het begin, toen ik terugkwam, kon ik er helemaal niet over praten. En naarmate de tijd verstreek, leek het steeds moeilijker om te doen.'

Toen we voor het volgende verkeerslicht stopten, draaide Frankie zich om. 'Ik denk dat ze het zou hebben begrepen,' zei hij.

'Ja, dat is zo.'

Het was al laat toen we Barclay Street in draaiden, bijna middernacht. Langzaam reden we langs de huizen van de buren. Boven elke deur brandde nog licht.

Kipper werd wakker. Hij kwam overeind en wreef zich in zijn ogen. 'Weer thuis! Weer thuis! Geweldig.'

'Ja, jongen,' zei papa. 'Weer thuis.' Frankie remde af en ik verstijfde toen ik een andere auto voor ons huis zag staan.

'Oom Sidney wil Kipper nog even onderzoeken,' zei Frankie, toen hij achter de Volvo van tante Mildred stopte.

Aan de overkant van de straat bewogen de gordijnen voor mevrouw Mansons raam. Zodra papa Kipper uit de auto hielp, verscheen ze op haar veranda. 'Blij te horen dat jullie hem hebben gevonden,' riep ze. 'Alles goed, Howard?'

'Ja,' antwoordde papa over zijn schouder. 'Hij is alleen een beetje moe. We zien je morgen.' Halverwege de stoep bleef hij staan en riep: 'En nog bedankt, Irene.'

In de huiskamer ging Kipper op de bank zitten terwijl oom Sidney naar zijn hart en longen luisterde en in zijn keel, zijn ogen en oren keek. Ik stond naast papa, klampte me aan zijn arm vast en ontweek tante Mildreds blik. Toen hij klaar was met zijn onderzoek, klopte oom Sidney Kipper op zijn knie. 'Het enige wat hij nodig heeft is slaap,' zei hij, terwijl hij opstond. 'Jullie allemaal. Wij gaan maar weer.'

Tante Mildred stapte naar voren. 'Kom, Ethie,' zei ze.

Ik klemde me nog steviger aan mijn vader vast. Frankie hees Kipper overeind, en ze bleven naast ons staan.

'Zij blijft hier,' zei papa, en hij trok me tegen zich aan. 'Vannacht. En voorgoed. Net als Kipper. Dit is hun thuis.' Tante Mildred opende haar mond, maar voordat ze iets kon zeggen, hief papa zijn hand op. 'Hoor eens,' zei hij, 'ik weet wel dat je het goed bedoelt, en dat we meer aan je te danken hebben dan ik je ooit zal kunnen vergoeden, maar mijn kinderen krijg je niet. Als je een rechtszaak wilt beginnen, ga je gang, maar ik geef niet toe. Deze keer niet.'

'Maar hoe wil je je dan redden?' vroeg ze. 'Hoe denk je alles te regelen?'

'Wij,' verbeterde papa haar. 'Je bedoelt hoe *wij* het willen regelen. *Wij* zijn een gezin, en van nu af aan zullen we alles doen om dat te blijven. Jij kunt een deel zijn van *ons*, of niet. Dat moet je zelf beslissen.'

'Maar...'

'Mildred,' viel oom Sidney haar in de rede, 'zo is het wel genoeg.' Hij keek mijn vader aan. 'Ze zal niets ondernemen, Howard, dat beloof ik je. En wij zullen graag helpen, als jullie dat goedvinden.'

'Dank je, Sid.'

Opeens zakte tante Mildred in elkaar in papa's stoel. Ze sloeg haar handen voor haar gezicht. 'O, god,' snikte ze. 'Nu ben ik jullie allemaal kwijt.'

Kipper stapte op haar toe en legde een hand op haar schokkende schouder. 'Wij zijn niet kwijt, tante Mildred,' zei hij, terwijl hij haar een klopje gaf. 'Wij zijn allemaal hier.'

46

In de jaren die volgden waren er goede en slechte tijden, yin en yang. In het begin hadden de slechte tijden duidelijk de overhand. Er waren heel wat ochtenden, zoals we allemaal weten, waarop de gedachte om uit bed te moeten komen voor weer zo'n dag zonder mama gewoon te ellendig was. In die tijden leerden we de ene voet voor de andere te zetten en goed uit te kijken voor die donkere valkuilen van wanhoop waar we soms in tuimelden. Het was Kipper die ons redde en ons uit die kuilen omhooghielp, zodat we weer stevig op onze benen kwamen te staan en verder konden. Als er te veel tijd verstreek zonder dat iemand iets over mama zei – omdat het soms te veel pijn deed om alleen maar haar naam te noemen – verbrijzelde hij dat onuitgesproken akkoord van stilte door zich een bijzonder moment met haar te herinneren of een van haar favoriete uitdrukkingen te herhalen. Zo wees hij ons erop dat ze, heel concreet, nog altijd bij ons was.

Er waren perioden dat mijn vader het moeilijk had, waarschijnlijk meer dan wij beseften. Maar na een tijdje maakte ik me geen zorgen meer als hij weer zijn bomberjack aantrok, en begon ik te geloven dat zijn lange wandelingen door de regen meer een gewoonte dan een noodzaak waren.

Het was niet altijd makkelijk, zeker niet, maar hij hield woord. Zover ik weet, heeft hij nooit meer een druppel gedronken. En na verloop van tijd hield hij ook zijn belofte om ons over zijn verleden te vertellen, zodat ik zijn verhaal kon optekenen, al die jaren later.

Na de oorlog, in het voorjaar van 1947, werd mijn vader gevraagd om naar Hongkong terug te keren als getuige in een onderzoek naar oorlogsmisdaden. Hij weigerde.

Uit dit onderzoek bleek dat de kapitein van het krijgsgevangenschip *Lisbon Maru* orders had gegeven om de luiken te vergrendelen en de luchtschachten te sluiten tijdens het zinken van het schip. Hij werd tot zeven jaar cel veroordeeld voor zijn aandeel in de dood van 846 Britse gevangenen, die met opzet in het ruim waren opgesloten. Tot de slachtoffers behoorden ook de mitrailleurschutters van het Middlesex Regiment, soldaat Peter Young en soldaat Dick Baxter.

Ook zonder de getuigenverklaring van mijn vader werden de Japanse commandant van de gevangenkampen in Hongkong en de medisch officier schuldig bevonden aan 'kille minachting van het menselijk leven' en beiden werden tot de strop veroordeeld. Die doodstraf werd later omgezet in twintig jaar gevangenisstraf.

De tolk in het kamp van Sham Shui Po, een Canadees burger, geboren en getogen in Kamloops, British Columbia, kreeg geen enkele vorm van gratie. De sergeant, van wie de naam van zijn vader gegraveerd staat op het oorlogsmonument in Stanley Park in Vancouver, ter ere van de duizenden Japanse Canadezen die in beide wereldoorlogen voor Canada hebben gevochten, werd op 21 april 1947 schuldig bevonden aan hoogverraad en drie dagen later opgehangen.

De kampbewaker bekend als Satan kwam nooit voor het gerecht. De dag na de Japanse overgave spoelde zijn afgeranselde en opgezwollen lichaam aan op de slikken beneden het kamp. 'De oorlog laat geen enkele ziel onbezoedeld,' was het enige wat mijn vader erover wilde zeggen.

Papa is nooit hertrouwd. Hij en Kipper wonen nog altijd in ons oude huis in Barclay Street. Een paar jaar geleden hebben ze achter het huis een atelier gebouwd. Daar brengen ze samen uren door, Kipper met zijn schilderijen en mijn vader met de lijsten die hij daarvoor maakt.

Mijn broer Frankie heeft mij vaak verweten dat ik van happy endings droom. En ik moet toegeven dat ik soms heb gefantaseerd dat mijn vader verliefd zou worden op Dora Fenwick, mijn moeders vriendin. Maar toen ik vijftien was, trouwde mevrouw Fenwick met een man van de telefoonmaatschappij.

Daarna dacht ik een tijdje dat hij zou trouwen met Shun-qin, met wie hij goed bevriend raakte. Net als Danny Fenwick en ik. Na de gebeurtenissen op die zomerdag was Danny weer mijn beste vriend, en de eerste jongen die ik ooit kuste. Maar op de middelbare school beseften we dat we die goede vriendschap niet wilden verliezen door verliefd te worden. Niet lang na ons eindexamen verhuisde Danny naar Calgary, Alberta. Ik krijg nog elk jaar een kerstkaart van hem en zijn vrouw.

Frankie ging uiteindelijk naar de universiteit, werd leraar en trouwde. Beter laat dan nooit, vond tante Mildred.

Jaren geleden had mijn vader al vrede met haar gesloten. Wij allemaal. Die zomer gebeurde er iets met haar. Ze hield papa aan zijn woord dat ze een deel van 'ons' zou kunnen worden, van onze familie. Zij vond de huishoudsters die op ons pasten terwijl we opgroeiden, en ze kwam dikwijls zelf oppassen als papa moest overwerken. De eerste keer dat ze Kipper en mij uitnodigde om te komen logeren was ik geschokt en wilde ik eigenlijk niet gaan. Maar zodra we haar huiskamer binnen stapten en ik het schilderij dat zij en oom Sid van Kipper hadden gekregen boven de haard zag hangen, wist ik dat alles goed zat. Dat schilderij van het kleine rode huisje – waar Kipper nog altijd beweerde dat hij met mama had gepraat – leek zo slecht op zijn plaats in die deftige kamer dat zelfs ik het een beetje vreemd vond. Maar het hangt er nog steeds.

Toen tante Mildred meer tijd met Kipper doorbracht, begon ze alles te lezen over het downsyndroom, net als mijn moeder had gedaan. Langzamerhand begreep ze dat het geen aandoening was, maar gewoon een deel van Kipper zelf. Ik zweer dat mijn tante een zachte uitdrukking op haar gezicht krijgt als ze naar hem kijkt. En zo nu en dan zie ik ook een flits van mama in haar groene ogen.

Al jarenlang, elk weekend als de zon schijnt, exposeren papa en Kipper zijn nieuwste doeken op de openluchtmarkt in Stanley Park.

Vandaag zit ik in kleermakerszit op mijn deken in het park, een paar passen van het Japans-Canadese oorlogsmonument, en sla ik mijn schrift dicht. Op het gras van de heuvel boven me ligt Lily in Frankies armen en kijkt naar hun zoontje met zijn zwarte haar, dat een balletje gooit met oom Kipper. Ja, inderdaad, Frankie en Lily zijn verliefd geworden en getrouwd. Van dat happy end kan hij mij niet de schuld geven. Of misschien wel, wat maakt het uit? Vanaf het moment dat ze elkaar ontmoetten, was het al onvermijdelijk, zegt Frankie. Lily, die nu apotheker is, werd dus toch deel van onze familie. En niets had mijn vader gelukkiger kunnen maken.

Nu zit hij in een ligstoel naast het pad, in gesprek met mijn man en oom Sidney, terwijl ze opletten of er misschien kopers voor Kippers schilderijen komen. Ik kijk eens naar mijn broer.

Kipper doet het langzamer aan. Zijn hart is niet meer zo sterk. Zwaar hijgend geeft hij de bal aan zijn neefje. 'Ik moet even mijn hart laten uitrusten,' zegt hij tegen kleine Gordie, als hij naar mijn deken loopt.

Vanaf tante Mildreds knie kijkt mijn dochtertje toe als hij zich langzaam naast me op de grond laat zakken. Bezorgd fronst ze haar wenkbrauwen. 'Waarom moet oom Kipper zijn hart laten uitrusten?' vraagt ze.

'Nou, schat,' zegt tante Mildred, terwijl ze een koperkleurige krul van Lucilles voorhoofd strijkt, 'omdat zijn hart groter is dan dat van andere mensen.'

Kipper grijnst haar toe. 'Tante Mildred,' zegt hij, 'dat is groot-spraak.'

In oktober 1945 gingen de overlevenden van de Canadese C-Force eindelijk naar huis. Vier jaar eerder waren 1979 enthousiaste jonge Royal Rifles en Winnipeg Grenadiers vanuit de haven van Vancouver vertrokken als reactie op het Britse verzoek om het garnizoen in Hongkong te versterken. Van de 557 die niet terugkeerden, sneuvelden er 289 tijdens de achttien dagen durende strijd om Hongkong. De overige 268 kwamen om in de krijgsgevangenkampen van Hongkong en Japan.

Met gebrek aan materieel en mogelijk ook training – maar niet aan moed – waren deze vrijwillige infanteristen de eerste Canadese troepen die aan de Tweede Wereldoorlog deelnamen.

Ze waren de laatsten die weer thuiskwamen.

VERANTWOORDING

Dank aan mijn agent Jane Gregory en redacteur Stephanie Glencross van Gregory and Company, en Jane Wood van Quercus, voor jullie bemoediging en geduldige begeleiding van het manuscript en jullie vaste geloof in dit project.

Graag dank ik ook de Hong Kong Veterans Commemorative Association voor hun toewijding wat betreft het onderhoud en de openstelling van hun database met informatie en C-Forcemateriaal. Alle vergissingen komen voor mijn rekening, en de vrijheden die ik me heb veroorloofd met het tijdsverloop, de scènes of de dialogen tussen historische figuren stonden slechts in dienst van het verhaal.

Dit boek is fictie. Ook de hoofdfiguren, met uitzondering van bestaande personen zoals brigadecommandant J.K. Lawson en luitenant-kolonel J.L.R. Sutcliffe, zijn aan mijn verbeelding ontsproten. Dat geldt helaas niet voor de slag om Hongkong in 1941 en de daaropvolgende interning van de geallieerde overlevenden.

Ik spreek mijn oprechte dank uit aan al die Hongkong-veteranen die zo ruimhartig de tijd namen hun herinneringen met mij te delen: Aubrey Flegg, Dick Wilson, Robert (Flash) Clayton en Jan Solecki. Echte heren, allemaal, in wier ogen ik het bewijs zag van Dwight D. Eisenhowers verklaring dat 'niemand de oorlog zo haat als de soldaat die hem heeft meegemaakt en getuige was van de wreedheden, zinloosheid en stompzinnigheid ervan'.